KB150008

부록1: 화가들의 국적 지도
• 얀 반 에이크는 오늘날 벨기에에 속하는 곳에서 태어났지만
플랑드르 지역(오늘날의 네덜란드, 벨기에, 프랑스 일부)에 걸쳐
활동했기 때문에 플랑드르 또는 네덜란드 화가로 분류합니다.
노르웨이
•에드바르 뭉크(1863~1944)
독일
•알브레히트 뒤러(1471~1528)
•케테 콜비츠(1867~1945)
북아메리카
영국
•프랜시스 베이컨(1909~1992)
유럽
미국
•앤디 워홀(1928~1987)
네덜란드
•얀 반 에이크(1390 이전~1441)
•렘브란트 판 레인(1606~1669)
•빈센트 반 고흐(1853~1890)
에스파냐
•디에고 벨라스케스(1599~1660)
•프란시스코 데 고야(1746~1828)
아프리카
이탈리아
•미켈란젤로(1475~1564)
•카라바조(1571~1610)
•아르테미시아 젠틸레스키(1593~1656?)
멕시코
•프리다 칼로(1907~1954)
남아메리카
대서양

아시아
태평양
인도양
오세아니아

자화상에 담긴 상처와 치유의 순간들

일러두기

1. 외국 인명과 지명은 외래어표기법에 따르는 걸 원칙으로 했으나, 일부는 통용되는 방식으로 표기했습니다.
2. 작품 크기는 세로×가로 순서로 표기했습니다. 작품 정보는 주 작품일 경우 자세하게, 비교 작품일 경우 간략하게 표시했습니다.
3. 작가를 가리킬 때 성과 이름 중 자주 쓰이는 쪽으로 사용했습니다. 다만 빈센트 반 고흐와 테오 반 고흐처럼 작가와 작가 가족이 함께 등장하는 경우에는 성을 쓰면 헷갈릴 수 있어 이름을 썼습니다.
4. 작품 제목의 원어는 해당 나라의 언어로 쓰는 걸 원칙으로 했으나, 영어 제목이 유명할 경우에는 영어로 썼습니다.
5. 성경 속 인물 이름과 성경 구절은 개역개정판 표기를 따랐으며, 필요에 따라 가톨릭새번역판 표기를 병기했습니다.
6. 과거의 화폐와 경매 낙찰가를 오늘날의 원화로 환산한 금액은 대략적인 액수로, 환산 기준과 시점에 따라 편차가 있을 수 있습니다.
7. 대부분의 도판은 사용 허가를 받았으나, 일부는 저작권자를 찾지 못해 허가 절차를 진행하지 못했습니다. 저작권자를 확인하는 대로 적법한 절차를 밟겠습니다.

화가들의 인생 그림

강필 지음

지식서재

차례

들어가며

화가들의 인생 속으로 떠나는 여행

예술에 대해 알면 알수록 그것이 결국 사람 사는 이야기란 생각을 하게 됩니다. 위대한 예술가도 우리와 다름없이 세상일에 기뻐하고 슬퍼하고 좌절하고 고통받던 한 인간에 불과합니다. 다만 그들은 예민한 감수성과 통찰력, 오래 숙련한 손기술을 통해 우리가 느끼는 감정들을 예술에 옮겨 놓았던 것이죠. 그러다 보니 가끔은 실망스러울 때도 있습니다. 바로크 미술의 대가 카라바조는 여러 차례의 폭행 전과에 살인까지 저질렀고, 입체주의 거장 피카소는 지나친 여성 편력으로 사생아들을 낳고 방치하다시피 했으니까요. 하지만 그렇기 때문에 우리는 더욱 예술을 사랑합니다. 예술은 우리 삶의 빛과 어둠을 숨김없이 드러내기 때문입니다. 인생에 무관심한 예술은 사랑받기 어렵습니다.

화가의 개인 삶과 내면을 가장 잘 드러내는 그림은 자화상입니다. 다 알고 계시겠지만 자화상이란 화가가 자기 자신을 그린 그림을 말하는데요. 거울 속 모습을 그대로 그렸으리라 예상하기 쉽지만, 문제가 그리 간단치 않죠. 실제 모습이 그림으로 옮겨지는 과정에서 화가의 생각과 욕망이 들어가기 때문입니다. 우리는 셀카(또는 셀피)를 찍을 때 무의식적으로 여러 생각을 합니다. 내가 어떤 사람이라고 스스로 판단하는지, 타인은 나를 어떤 사람으로 평가할 것이라고 예측하는지, 타인이 나를 어떻게 봐 주기를 바라는지 등등, 그 짧은 순간에도 인간의 마음이란 참으로 복잡하게 움직이지요. 자화상을 그리는 화가의 마음도 마찬가지입니다.

여기, 자화상을 그린 14명의 화가들이 있습니다. 그들은 사랑에 기뻐하고 실연에 슬퍼하고 배신에 아파하고 실패에 좌절하고 억울한 일에 복수를 꿈꿉니다. 인생에 닥친 위기에서 벗어나고자 애쓰면서 삶의 상처와 치유의 순간들을 자화상에 남겨 놓습니다. 화가는 자신을 그렸지만 사실 우리를 그린 것입니다. 그래서 우리는 화가가 그린 자화상을 통해 우리 삶을 되돌아볼 수 있습니다. 곰곰이 생각해 보면, 사회의 거대 담론들도 이런 인간적인 면에서 출발합니다. 개인의 일을 하찮다고 무시하는 거창한 이론들은 허울뿐이며 오랜 생명력을 갖지 못합니다.

하나 더, 재미있는 사실은 지극히 개인적으로 보이는 자화상에도 사회적인 면이 들어 있다는 겁니다. 인간은 사회를 떠나서 살 수 없다는 진부한 문장이 떠오르는데요. 단순히 살 수 없는 데서 그치는 게 아니라 우리의 삶과 사고는 사회 체제, 통념, 규칙, 도덕, 법과 같은 것들에 의해 크게 좌우됩니다. 그러다 보니 화가도 자화상을 그릴 때 당대 가치관에서 많은 영향을 받는데요. 심지어 그 가치관에 저항하고자 했던 이들도 저항이라는 태도를 취했다는 바로 그 점에서 역설적으로 사회와 무관하지 않았던 셈입니다. 이런 현상을 자세히 들여다보면 역사적·정치적·사회적 변화가 한 개인에게 어떤 영향을 끼쳐 왔는지 파악할 수 있습니다.

예를 들어 볼까요? 중세에서 르네상스 초기까지는 화가의 지위가 그리 높지 않았습니다. 당시 그림은 수도원 또는 길드(중세 유럽 시절의 상공업자 조합) 체제에서 집단으로 제작되거나 주문자의 의뢰로 그려지는 것이기 때문에 화가의 개성과 자율성은 중요하지 않았습니다. 교회나 주문자의 요구에 따르다 보니 화가의 존재 역시 잘 드러나지 않았는데요. 자신의 이름이나 모습을 그림 속에 집어넣는 화가들이 있긴 했지만, 군중 속에 뒤섞어 눈에 잘 안 띄게 표현한 경우가 많았죠. 주인공이 아니라 지나가는 인물 1, 2, 3 같은 단역으로 처리한 셈입니다. 주인공 자리는 그림값을 치르는 성직자, 왕족, 귀족의 차지였죠.

그러다가 르네상스를 거쳐 근대로 넘어오면서 개인의 자유와 평등의식이 점차 사회에 자리 잡고, 부르주아 계층이 성장하는데요. 동시에 자의식, 프라이버시와 같이 '자유로운 개인'을 전제로 한 개념도 생겨납니다. 이는 인간이 이성적이고 합리적 존재라는 믿음이 있었기 때문에 가능했는데요. 이런 흐름에 따라 뒤러 같은 화가들은 자신을 그림 속 주인공으로 당당하게 등장시켰습니다.

하지만 20세기 초에 정신분석학 창시자 지그문트 프로이트가 '무의식' 개념을 강조하면서 "인간은 합리적이고 이성적 존재"라는 믿음이 무너지게 됩니다. 이제 인간은 '자신도 몰랐던 자신 안의 또 다른 세계'인 무의식과 콤플렉스에 의해 지배받는 존재가 되어 버립니다. 이런 자각은 두 차례 세계대전을 치르며 심화되는데요. 전쟁의 참상은 인간이란 존재가 대량 살상을 저지를 만큼 무모하고 불완전하다는 사실을 깨닫게 합니다. 결국 20세기 말 포스트모더니즘 시대에 와서 많은 예술가들은 자신을 불안정하고 분열된 모습으로 표현했습니다.

이 책은 1400년부터 2000년까지 100년 단위로 화가들의 자화상을 소개합니다. 시대사조로 따지자면 르네상스부터 포스트모더니즘까지 이어집니다. 이렇게 역사순에 따르고 있지만 그렇다고 현대로 올수록 자화상이 점점 더 발전했다고 말하려는 건 아닙니다. 한때는 역사가 진보한다고 믿었지만 그 믿음은 깨진 지 오래죠. 한 시대가 과거를 두고 미개했다거나 덜 발달했다고 평가하는 건 옳지 않습니다. 모든 시대는 그 시대만의 논리와 정당성을 가지고 있으니까요. 또한 한 시대에 한 가지 스타일의 자화상만 존재했던 것도 아닙니다. 고대에도 자의식 강한 자화상을 그린 화가가 있었을 것이고 현대에도 여전히 자신을 단역처럼 표현한 화가가 있을 겁니다. 그럼에도 한 시대가 가진 가치관이나 시대정신에 따라 특정 스타일의 자화상이 두드러지는 건 사실인데요. 이런 시대 배경과 현상을 화가의 삶과 함께 소개해 드리려 합니다.

이 책을 쓰면서 국내외 자료들을 두루 참고했는데요. 참고한 자료는 본문 뒤에 실린 '도움받은 책들'에서 확인하실 수 있습니다. 자료 간 교차 검증으로 사실 관계를 확인했지만 워낙 방대한 내용을 다루다 보니 오류를 놓쳤을 수 있습니다. 재쇄 때 성실하게 수정하겠다는 약속으로 독자분들의 양해를 구합니다.

이제 화가들의 인생 속으로 떠나실 준비가 되었는지요? 삶에 불어닥친 위기와 절망을 극복하고자 몸부림쳤던 그들은 우리의 인생 동료입니다. 우리가 예술을 사랑하는 건 우리가 겪는 상처, 고통, 좌절, 극복의 순간들이 그 안에 고스란히 기록되어 있기 때문입니다. 이 여행이 끝날 즈음에는 예술이란 나와 동떨어진 세계가 아니라 내 인생을 이야기해 주고 위로해 주는 친근한 동반자라는 사실을 느끼시게 되길 바랍니다.

"내가 할 수 있는 한."

-얀 반 에이크가 여러 그림들에 남긴 문구

01

세상이 알아주지 않아도 자신의 가치를 믿다

얀 반 에이크의 수수께끼

화가 얀 반 에이크Jan van Eyck(1390 이전~1441)의 얼굴을 기대하신 분이라면 이 그림을 보고 의아하셨을 겁니다. 화가 얀 대신 '아르놀피니'란 생뚱맞은 사람이 검은 모자에 검자줏빛 옷을 걸치고 근엄하게 서 있으니 말입니다. 그 옆에서 수줍은 듯 살짝 고개를 숙이고 있는 여성은 또 어떻고요. 방 안에 있는 사람은 이 둘뿐입니다. 그런데 정말 그럴까요? 살짝 스포일러를 하자면 이 그림에는 분명 화가의 자화상이 숨어 있습니다. 게다가 "얀 반 에이크가 여기 있었다. 1434년Johannes de eyck fuit hic. 1434"이라는 라틴어 인증 멘트까지 남겨져 있는데요. 한번 찾아보시겠어요? 마치 숨은그림찾기 같죠. 이미 발견하신 분들도 있을 거고 아직 찾지 못하신 분들도 있을 겁니다. 수수께끼를 풀기 위해 그림 〈조반니 아르놀피니 부부의 초상Portrait of Giovanni Arnolfini and his Wife〉 속으로 들어가 볼까요.

등장인물들의 정체와 풀리지 않는 수수께끼

우선 방 안을 살펴보겠습니다. 오른쪽엔 붉은 침대가, 천장엔 촛대 샹

얀 반 에이크, <조반니 아르놀피니 부부의 초상>, 1434년,
패널에 유채, 82.2×60cm, 런던, 내셔널 갤러리National Gallery.

불타고 있는 초와 다 타고 촛농 흔적만 남은 촛대, 신발, 개, 침대 조각상의 의미는 남녀의 정체에 따라 전혀 다르게 해석됩니다.
<조반니 아르놀피니 부부의 초상> 부분.

들리에가 있습니다. 두 남녀는 손을 맞잡고 정면을 향해 있는데요. 남자는 맹세라도 하듯 오른손을 세워 가슴 앞에 두었고 여자는 왼손으로 치맛자락을 들고 있습니다. 그들 앞에는 귀여운 강아지와 남자 것으로 보이는 나막신이 있고, 그들 뒤로는 여자 것으로 보이는 빨간 슬리퍼가 있습니다. 많은 유럽 지역에서는 실내에서도 신을 신는 게 일반적이기 때문에 두 남녀가 신을 벗었다는 건 뭔가 특별한 의식을 치른다는 뜻인데요. 대체 무얼 하고 있는 걸까요?

인물들의 정체를 알면 답이 좀 더 쉽게 나올 텐데요. 남자는 당시 플랑드르에 속한 브뤼헤에서 사업을 하던 이탈리아 상인 조반니 아르놀피니Giovanni Arnolfini입니다. 곁에 있는 여자는 그의 아내로 추정되고

요. 이전 초상화들은 주로 지배 계층을 그렸으나 이 그림은 평범한 개인을 주인공으로 내세웠는데요. 중세 후기에 부유한 상인 계층이 급성장하면서 이런 변화가 만들어진 겁니다. 그런데 문제가 있습니다. 아르놀피니 집안에 조반니가 두 명이기 때문입니다. 한 명은 조반니 디 아리고 아르놀피니Giovanni di Arrigo Arnolfini(아리고 아르놀피니의 아들 조반니)이고, 다른 한 명은 조반니 디 니콜라오 아르놀피니Giovanni di Nicolao Arnolfini(니콜라오 아르놀피니의 아들 조반니)입니다. 사촌 사이인 두 사람은 모두 브뤼헤에서 활동했기 때문에 더욱 헷갈리는데요. 둘 중 하나겠거니 하고 그냥 넘어가기엔 문제가 간단치 않습니다. 그림 속 인물이 누구인지에 따라 그림의 의미가 완전히 달라지기 때문입니다.

그림 속 인물이 조반니 디 아리고 아르놀피니와 그의 아내 조반나 체나미Giovanna(Jeanne) Cenami라고 밝힌 책이 1857년 런던에서 출간됩니다. 20세기에 와서 저명한 미술사학자 에르빈 파노프스키Erwin Panofsky는 이 주장을 받아들이면서 얀의 그림이 조반니 디 아리고와 조반나의 결혼 서약식을 증명하기 위해 그려졌다고 해석합니다. 말하자면 그림으로 된 결혼증명서라는 건데요. 파노프스키는 몇 가지 근거도 제시합니다. 불타고 있는 한 대의 초는 결혼식용 초이자 모든 것을 볼 수 있는 신의 지혜를 상징합니다. 두 남녀는 신의 보호 아래서 결혼 서약식을 올리고 있는 것이죠. 개는 결혼에 대한 충실과 정절을 상징하고요. 침대 기둥에 조각된 '용을 이긴 성 마르가리타'는 임산부의 수호성인으로, 이 결혼을 통해 아기가 태어날 것임을 예견하고 있습니다. (심지어 여자의 배가 불룩한 걸로 보아 임신 상태라는 설까지 등장하는데요. 당시 이런 식으로 드레스를 입는 게 유행이었다는 반론도 있습니다.)

사람들은 오랫동안 파노프스키의 해석을 믿었는데요. 1997년 반전이 일어납니다. 조반니 디 아리고와 조반나의 결혼식 시기가 화가 얀이 죽고 나서인 1447년이라는 증거가 발견된 겁니다. 그림이 그려진 건 1434년으로, 두 사람이 혼인하기 무려 13년 전입니다. 그렇다면 그림 속 남녀는 조반니 디 니콜라오와 그의 아내라는 주장이 설득력을 얻게 되는데요. 여기서도 해결해야 할 수수께끼가 있습니다. 조반니 디 니콜라오의 첫 번째 아내는 코스탄자 트렌타Costanza Trenta로, 이 그림이 그려지기 일 년 전인 1433년에 사망했기 때문입니다. 자연히 그림 속 여자는 두 번째 아내일 것이라고 추측하게 됩니다. 조반니 디 니콜라오가 두 번 결혼했다는 기록은 발견되지 않았지만요.

거울 주변의 원형 장식은 여자가 이미 죽은 사람이라는 사실을 알려 줍니다. 남편이 있는 왼쪽에는 예수가 살아 있는 장면이, 아내가 있는 오른쪽에는 예수가 죽은 뒤 장면이 그려져 있기 때문입니다. <조반니 아르놀피니 부부의 초상>의 거울.

하지만 2003년 또 다른 주장이 나옵니다. 그림 속 여자가 죽은 첫 번째 아내 코스탄자라는 건데요. 역시 근거가 있습니다. 샹들리에의 초가 왼쪽에 한 대만 켜져 있는 이유는 그 방향에 있는 남편만 살아 있기 때문이라는 것이죠. 자세히 보면 오른쪽의 한 촛대에는 초가 다 타서 없어지고 촛농 흔적만 남아 있습니다. 오른쪽에 있는 아내가 죽었다는 의미로 해석됩니다.

또 다른 근거는 뒷벽에 걸린 볼록거울입니다. 볼록거울 주변의 원형 장식에는 예수 수난 10장면이 그려져 있는데요. 예수가 살아 있는 장면은 남편 영역인 왼쪽에, 예수가 죽고 나서 장면은 아내 영역인 오른쪽에 그려져 있습니다. 부부 발 앞에 있는 개도 충실과 정절이 아닌 죽음의 상징으로 볼 수 있는데요. 개 조각상이 고대부터 여성 무덤에서 자주 발견되기 때문입니다. 이런 가정들이 모두 사실이라면 얀의 그림은 살아 있는 남편이 죽은 아내와 함께 서 있는 그로테스크한 장면이 됩니다. 남편은 죽은 아내를 잊지 못해 이런 그림을 주문한 걸까요?

여러분은 어떤 의견에 동의하시는지요? 결정적인 증거가 추가로 나오지 않는 한, 결론을 내리기가 쉽지 않은데요. 어쩌면 이 모든 가설들이 그림을 더욱 신비스럽게 만들고 있는지 모르겠습니다. 그런데 화가의 자화상은 어디 숨어 있는 걸까요?

그림에 숨어 있는 또 다른 인물들

뒷벽에 걸린 볼록거울로 다시 가 볼까요? 거울이 아니라 그림 같다는 의견이 제기될 수도 있겠는데요. 부부의 뒷모습이 비친 것으로 봐서 거울로 봐야 할 것 같습니다. 거울을 자세히 들여다보면 방 안에는 부부 외에 두 사람이 더 있습니다. 거울에 비친 모습이기 때문에 흐릿하게 표현되었는데요. 파란 터번에 파란 옷을 걸친 남자와 붉은 터번을 쓴 남자입니다. 거울 위쪽 벽에는 앞서 말씀드렸던 인증 멘트 "얀 반 에이크가 여기 있었다. 1434년"이 쓰여 있습니다. 화가 얀이 결혼 서약

거울 위의 문장 "얀 반 에이크가 여기 있었다. 1434년"은 방 안에 화가가 함께 있었다는 사실을 알려 줍니다. 그 증거로 거울 안에는 부부 앞에 실제로 존재했지만 존재하지 않는 것처럼 숨죽여 있어야 했던 화가 얀이 그려져 있습니다.
<조반니 아르놀피니 부부의 초상>의 거울과 벽에 쓰인 문장.

Johannes de eyck fuit hic
1434

빨간 터번을 두른 얀의 자화상들입니다. 특히 오른쪽 그림에서는 <조반니 아르놀피니 부부의 초상> 처럼 자신을 어딘가에 비친 모습으로 표현했습니다. 투구와 팔 보호대 팔꿈치 부분을 자세히 보면 불룩한 금속 표면에 비치면서 길게 변형된 화가의 모습을 찾으실 수 있습니다.
왼쪽: 얀 반 에이크, <남자의 초상>(또는 <자화상>으로 추정), 1433년, 패널에 유채, 26×19cm, 런던, 내셔널 갤러리.
오른쪽: 얀 반 에이크, <성모자와 함께 있는 참사위원 반 데르 파엘레>의 성 게오르기우스, 1434~1436년, 브뤼헤, 흐루닝헤 미술관Groeningemuseum.

식의 증인이자 그 장면을 기록하는 화가로서 이 방 안에 자리한 것이죠. 파란 터번의 남자와 빨간 터번의 남자 중 어느 쪽이 화가인지도 의견이 분분한데요. 저는 빨간 터번 쪽에 손을 들어 주고 싶습니다. 얀의 자화상으로 추정되는 1433년 그림에서도 얀이 빨간 터번(또는 샤프롱)을 두르고 있기 때문이죠.

빨간 터번의 남자가 얀이라는 증거는 또 있습니다. 얀의 또 다른 그림 〈성모자와 함께 있는 참사위원 반 데르 파엘레Virgin and Child with Canon van der Paele〉인데요. 여기서도 화가 얀을 찾으려면 '숨은그림찾기'를 해야 합니다. 그림 오른쪽에 성 게오르기우스가 서 있는데요. 그의 투구, 팔 보호대 팔꿈치 부분, 방패 등 반짝이는 금속 표면을 자세히 들여다보면 화가의 모습이 포착됩니다. 볼록한 금속 표면에 반사되었기 때문에 형태가 길게 늘어나서 사람인지 아닌지 분간하기 쉽지 않은데요. 연구자들은 이 붉은 형상이 얀이라고 믿고 있습니다. 얀은 붉은색 의상을 즐겨 입었나 봅니다.

그렇다면 얀은 왜 자신을 실물 그대로가 아니라 거울, 금속 등의 물건에 반사된 상태로 그렸을까요? 눈썰미가 좋은 사람이 아니라면 알아차리기 힘들게 말이죠. 그 이유를 당시 시대 상황과 얀의 인생에서 찾아보겠습니다.

부와 권력을 과시하려는 지배층에게 그림 주문을 받다

얀에 대해서는 알려진 것이 별로 없습니다. 전해지는 기록이 부족하기 때문입니다. 화가를 그저 손재주 좋은 장인으로 생각했던 중세에서 멀리 벗어나지 못한 시대였기 때문에, 화가의 생애를 자세히 기록할 필요를 느끼지 못했을지 모릅니다. 그러다 보니 얀이 어떤 삶을 살았는지는 남아 있는 자료들을 꿰맞추면서 추측해 볼 수밖에 없습니다.

얀은 1390년 이전에 오늘날 벨기에 땅인 마세이크Maaseik에서 태어난 것으로 보입니다. 당시에는 Maaseyck라고 표기했다고 하는데요.

이 지명에서 얀의 성인 van Eyck(에이크 출신의)가 유래했음을 알 수 있죠. 플랑드르(현재 플랑드르는 벨기에 북부 지방으로 축소되었지만 이때는 오늘날의 벨기에, 네덜란드, 프랑스 일부에 걸쳐 있었습니다)에서 활동하면서 사실적이고 세밀한 화풍으로 많은 화가들에게 영향을 끼쳤기 때문에 플랑드르 화파의 창시자로 불립니다. 또한 과학과 연금술에도 관심이 많아 안료 녹이는 용매제로 어떤 재료가 적합한지 실험을 거듭했는데요. 그 결과 기름의 최상 조합 비율을 찾아내 유화를 대중화시키면서 '유화의 아버지'란 별명까지 얻었죠. 이전에는 달걀 노른자를 용매제로 쓰는 템페라가 대세였는데요. 템페라는 너무 빨리 말라 수정이 힘들고 미세한 색 변화를 만들기 어려웠습니다. 그런데 얀이 거의 쓰이지 않던 유화를 개량해서 대유행시킨 겁니다. 기름은 천천히 마르기 때문에 수정 작업을 하기 쉽고 미세한 색 변화를 표현하기에 적합한 재료였습니다. 이후 유화로 얼마나 많은 명작들이 탄생했는지 생각해 본다면 얀이 미술사에 끼친 엄청난 공로를 짐작할 수 있습니다.

젊은 시절부터 그림 실력을 인정받아 1422~1424년에 헤이그의 바이에른 공작 요한 3세의 궁정화가로, 요한 3세가 죽은 1425년 이후로는 부르고뉴의 선량공 필리프의 궁정화가로 일했습니다. 1428~1429년 외교사절단 일원으로 포르투갈 리스본에 가서 포르투갈 왕녀 이사벨라 Isabella of Portugal의 초상화를 그려 오기도 했는데요. 선량공 필리프가 결혼 상대인 이사벨라의 외모를 그림으로 미리 확인하길 원했던 겁니다. 당시 유럽 왕실 간 정략결혼에서 이런 일은 흔했는데요. 오늘날 맞선 상대를 사진으로 먼저 보는 것과 유사합니다. 얀이 그려 온 초상화 덕분(?)에 두 사람은 1430년 1월에 결혼식을 치를 수 있었습니다.

얀은 평생에 걸쳐 성당 제단화(형 휘베르트가 시작하고 얀이 완성한 〈헨트 제단화〉가 유명합니다)와 종교화, 왕족과 귀족 초상화를 많이 그렸는데요. 부유한 상인들의 초상화도 주문받았습니다. 당시 지배 계층은 자신의 소유물을 통해 부를 과시하고 싶어 했는데요. 그러다 보니 사물의 세부를 털 하나까지 섬세하게 묘사해 내는 얀에게 그림 주문이 밀려들었습니다.

〈조반니 아르놀피니 부부의 초상〉의 세부를 들여다볼까요. 값비싼 모피의 부드러운 털, 녹색 드레스의 풍성한 옷 주름, 햇빛에 반사되어 반짝이는 귀금속, 복슬강아지의 윤기 나는 털과 빛이 어린 영롱한 눈동자, 창가에 놓인 오렌지의 오톨도톨한 질감에서 얀의 뛰어난 실력을 확인할 수 있습니다. 사물들의 각기 다른 질감이 손으로 만진 듯 생생한 촉감으로 느껴집니다. 이렇게 놀라운 세부 묘사가 가능했던 건 능숙한 붓질 실력 덕도 있었지만, 얀이 발전시킨 유화 기법 때문이기도 했습니다. 물감이 천천히 마르니 세부 묘사를 할 시간이 충분했던 거죠. 또한 얀은 나무판 위에 젯소(그림을 그리기 전 캔버스 표면에 초벌칠을 할 때 사용하는 재료) 등을 칠해 불투명한 흰색 바탕을 만든 뒤 기름에 녹인 안료를 얇게 여러 겹 발랐는데요. 이렇게 하면 광택 나는 투명한 색깔을 얻을 수 있습니다. 이를 글레이징glazing 기법이라 합니다.

귀족과 부유한 상인을 그리는 데 만족할 수 없었던 화가

얀의 명성은 활동지인 북유럽을 벗어나 유럽 전역으로 퍼졌는데요. 어디까지나 화가로서 그랬을 뿐입니다. 중세에서 르네상스로 넘어가던

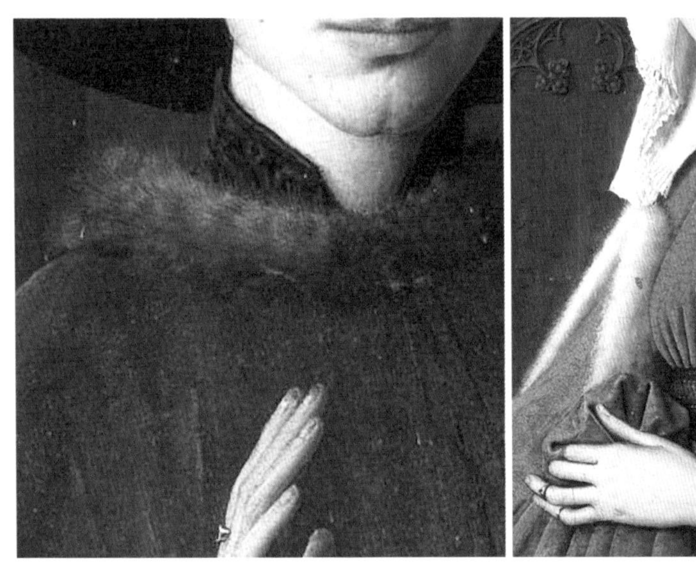

당시 지배 계층은 자신의 소유물을 통해 부를 과시하고 싶어 했는데요. 얀의 뛰어난 묘사력은 그들의 욕망에 잘 부합했습니다. 값비싼 모피의 부드러운 털, 녹색 드레스의 풍성한 옷 주름, 햇빛에 반사되어 반짝이는 귀금속, 복슬강아지의 윤기 나는 털과 빛이 어린 영롱한 눈동자, 창가에 놓인 오렌지의 오톨도톨한 질감이 손으로 만진 듯 생생한 촉감으로 느껴집니다.
<조반니 아르놀피니 부부의 초상> 부분.

이 시기에 화가의 지위는 높지 않았습니다. 오늘날 우리가 화가를 창작자로 높이 평가하는 것과 달리, 이 시대 예술가들은 길드에 속한 장인이나 수공업자에 불과했는데요. 얀도 투르네 화가 길드에 소속되어 있었습니다. 길드는 조합원들의 이익을 보장했지만 그만큼 활동을 제약하기도 했습니다. 무엇보다 화가를 바라보는 당시 사회 인식이 큰 걸림돌이었습니다. 화가는 아무리 뛰어나더라도 손재주 좋은 기술자 신분에서 벗어나기 쉽지 않았습니다. 애초에 화가들의 출신이 이발사 아들, 푸줏간 아들, 양계장 아들 등으로 낮은 편이었는데요. 당시는 손기술과 육체노동을 하찮게 생각하던 시절이었습니다. 그러다 보니 화가란 주

문자에게 돈을 받고 그들이 원하는 대로 그림을 그려야 하는 처지였습니다. 세상에 존재하지만 그림 속에서는 존재하지 않는, 즉 숨어 있어야 하는 존재였던 셈입니다.

그런데 얀은 여기에 만족하지 않았습니다. 그는 그림에다 "ALS ICH KAN"(때로는 그리스 알파벳으로 "ΑΛΣ ΙΧΗ ΧΑΝ")이라는 문구를 자주 넣었는데요. "내가 할 수 있는 한"이라는 뜻입니다. 자신의 재능이 허락하는 한 최선을 다하겠다는 겸손한 태도가 느껴집니다. 그런데 여기엔 반전이 있습니다. 일부 연구자들은 ICH란 단어가 얀의 성인 Eyck를 연상시킨다고 지적합니다. 얀이 비슷한 발음의 단어들로 말장난을 했다는 건데요. 어쩌면 얀은 그럴듯한 경구를 가져다 쓰면서 내심 자신의 존재를 내세우고 싶었던 게 아닌가 싶습니다.

얀이 활동하던 15세기 플랑드르에서 그림에 서명을 하는 화가는

얀은 그림에 "내가 할 수 있는 한"이라는 문구를 자주 집어넣었습니다. 언뜻 겸손한 표현 같지만 여기에는 놀라운 반전이 있습니다. 자신의 성을 연상시키는 단어가 포함되어 있기 때문입니다.
<남자의 초상>(또는 <자화상>으로 추정)의 액자 글자(새긴 것처럼 보이도록 그려졌습니다).

거의 없었습니다. 하지만 얀은 그림에 자신의 이름을 남겼습니다. 그는 화가를 투명인간 취급하는 당시 분위기에 동조할 수 없었을 겁니다. 그러니 그림에 서명을 했겠지요. 그것만으로는 부족함을 느꼈던 걸까요. 얀은 뛰어난 묘사력까지 발휘해 그림 속에 자신을 은밀히 그려 놓았습니다. 그러면서 누군가의 눈에 띄게 하기 위해 자신을 주목도 높은 붉은색으로 표시했던 겁니다.

첫 그림 〈조반니 아르놀피니 부부의 초상〉으로 돌아가 봅니다. "내가 할 수 있는 한"이라는 겸손한 문장 대신 "얀 반 에이크가 여기 있었다"가 쓰여 있습니다. 자신이 이 결혼 서약식의 증인임을 증명하는 말입니다. 하지만 다시 읽어 볼까요. 세상을 바라보고 기록하는 예술가로서 자신의 존재를 당당하게 드러낸 말 같기도 합니다. 내 눈으로 직접 보고 내 손으로 직접 그렸다고 자랑하듯이 말입니다.

그림 속 주인공은 돈과 권력을 가진 인물들입니다. 그들은 자신들의 부와 힘을 자랑하기 위해 소유물도 함께 넣어 달라고 화가에게 요구합니다. 화가 얀은 그들의 요구대로 그림을 그립니다. 하지만 거기서 멈추지 않습니다. 거울이라는 장치를 추가하여 또 하나의 세계를 만들어 냅니다. 거울 안에는 주문자들이 그려 달라고 주문하지 않았던 진짜 현실이 있습니다. 얀은 작은 세부도 꼼꼼히 묘사할 수 있는 능력을 발휘하여 주문자들이 소유하지 못한 세계까지 화폭에 담아냅니다. 그 세계에는 화가 자신의 모습도 포함되어 있습니다. 영화로 치면 주인공만 나와야 하는 장면에 찍히지 말아야 할 제작진과 제작 현장이 포함된 겁니다. 누군가는 조명을 비추고 있고, 누군가는 붐 마이크를 들고 있습니다. 그들은 주인공을 돋보이게 하려고 부지런히 움직입니다. 얀 역시 부유한 주문자를 묘사하기 위해 열심히 붓질을 합니다. 그림에서 중요한 건 주인공입니다. 그런데 정말 그럴까요. 영화가 완성되기 위해서는 주인공뿐 아니라 많은 조연들, 그리고 보이지 않는 곳에서 묵묵히 일하는 제작진이 있어야 합니다. 따지고 보면 그들 모두가 영화의 주역입니다. 얀 역시 그림을 그리는 자신이야말로 그림의 진짜 주인공이라고 생각했을지 모릅니다.

자신이 그림 바깥으로 밀려나 있어 감상자의 눈엔 띄지 않지만 그림 그리는 주체로서 이 자리에 존재했다는 자부심, 화가란 주인공이 소유하지 못한 세계까지 묘사하는 능력을 가졌다는 자신감. 이런 자신감과 자부심으로 자기 모습을 화폭에 그려 넣지 않았더라면 우리는 얀에게 주목하지 않았을지 모릅니다. 그저 과거에 활동했던 손재주 좋은 어떤 화가 정도로만 기억했겠죠. 하지만 얀은 세상이 알아주지 않아도 자신의 가치를 믿고 스스로의 존재를 그림에 담아냅니다. 그랬기에 그의 그림은 놀라운 반전이 됩니다.

"나는 여기서는 신사이지만
고국으로 돌아가면 기생충에 불과해"

-알브레히트 뒤러가 이탈리아 여행 중에 친구 빌리발트 피르크하이머에게 보낸 편지(1506)에서

02

시대의 한계를 뛰어넘어 새로운 길을 만들다

알브레히트 뒤러의 자기애

얀 반 에이크의 은밀한 자화상에서 한 발 더 나간 자화상을 만나실 차례입니다. 얀보다 80살가량 아래인 알브레히트 뒤러Albrecht Dürer(1471~1528)의 자화상입니다. 얀의 시대에서 뒤러의 시대로 넘어오는 한 세기 동안 유럽은 중세 영향에서 꽤 멀어졌는데요. 십자군전쟁의 여파로 유럽과 동방의 교류와 무역이 활발해지면서 유럽 도시와 상공업이 크게 성장했습니다. 부를 쌓은 개인이 늘어나면서 점차 교회와 봉건제의 간섭에서 벗어나게 되었는데요. 자유로운 개인이 등장하는 이 시기에 뒤러의 재능은 빛을 발했습니다.

한 분야에서 성공한 사람은 크게 두 부류로 나눌 수 있습니다. 기존의 틀에서 최고 성과를 낸 사람과, 아예 새로운 틀을 만들어 혁신을 달성한 사람입니다. 후자의 경우엔 '일가一家'를 이루었다고도 말하는데요. 혼자 뛰어난 능력을 발휘한 데서 그치지 않고 후대까지 적용되는 새 방향을 제시했기에 '새로운 가족(무리)을 이루었다'고 표현하는 겁니다. 마치 애플 생태계를 만들어 전 세계 소비자뿐 아니라 미래의 사용자들에게까지 영향을 미친 천재 스티브 잡스처럼 말이죠.

알브레히트 뒤러, <28세의 자화상>, 1500년,
패널에 유채, 67.1×48.9cm, 뮌헨, 알테 피나코테크Alte Pinakothek.

뒤러가 바로 잡스 같은 인물형입니다. 이탈리아에서 르네상스라는 중요한 움직임이 일어난 시기에, 독일(당시는 신성로마제국) 화가들은 통일된 양식이나 이론이 없이 각자도생하는 수준에 머물렀는데요. 뒤러는 이런 현실에 안주하지 않았습니다. 이탈리아 르네상스를 벤치마킹해 북유럽 미술을 국제 수준까지 끌어올렸는데요. 그 결과물은 이탈리아 르네상스에 역수출되었습니다. 이렇게 뒤러는 후배들이 따라 할 만한 모범을 제시했는데요. 덕분에 그는 '독일 미술의 아버지', '북유럽 르네상스 미술의 최고 거장'이란 찬사를 받습니다.

뒤러는 화가로도 유명했지만 판화가로 더 높은 명성을 쌓았는데요. 당시 유럽은 구텐베르크가 발명한 활판 인쇄술로 다양한 책들을 찍어 내고 있었습니다. 이 책들에 들어갈 삽화로 동판화나 목판화가 많이 필요했는데요. 뒤러가 운영하는 공방은 여러 도시의 출판업자들에게서 삽화 주문을 받았고 많은 돈을 벌어들였습니다. 1512년 뒤러는 화가로 성공했다는 증거로 신성로마제국 황제 막시밀리안 1세의 궁정화가가 되기도 합니다.

이쯤 되면 출세한 뒤러가 어떻게 생겼는지 궁금해져서 자화상을 한 번 더 들여다보실 텐데요. 뒤러가 이룬 여러 성과 중 하나가 바로 자화상입니다. 자화상은 저 먼 고대부터 그려졌지만 제대로 된 대접을 받지 못했는데요. 뒤러의 뛰어난 자화상들 덕분에 하나의 독립 장르로 서게 됩니다. 그래서 뒤러를 두고 "자화상을 그린 최초 화가"라고 말들 하지만, 정확히 표현하자면 "자화상을 독자 장르로 만든 최초 화가"라고 해야 합니다.

예수를 그린 여러 성화와 뒤러의 자화상을 비교해 보면 서로 닮았다는 사실을 알 수 있습니다.
왼쪽: 〈만능의 그리스도Pantokrator〉, 6세기 벽화, 시나이산, 성 카타리나 수도원Saint Catherine's Monastery.
오른쪽: 한스 멤링, 〈축복을 내리는 그리스도Christ Blessing〉, 1478년, 캘리포니아, 노턴 사이먼 미술관Norton Simon Museum.

나르시시스트의 자기애 넘치는 그림들?

뒤러가 남긴 자화상 중 가장 유명한 그림이 앞에서 본 〈28세의 자화상〉입니다. 여러 형태의 자화상에 익숙해진 우리 눈에는 그리 특별할 게 없어 보이지만, 당시 사람들에게는 놀라움을 안겨 주었을 겁니다.

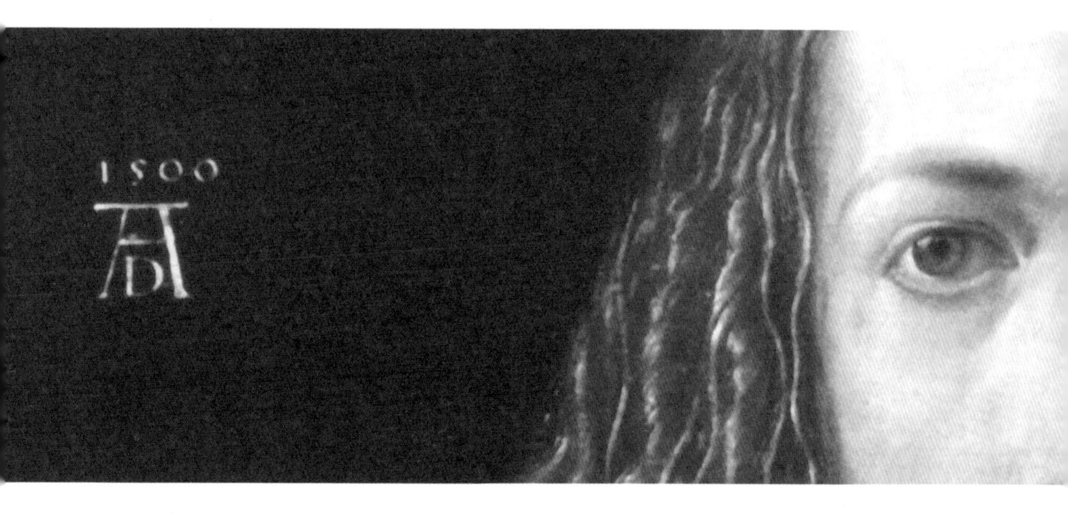

인물을 중심으로 왼쪽에 뒤러의 서명(모노그램)과 제작 연도가 적혀 있고, 오른쪽엔 "나, 뉘른베르크 출신의 알브레히트 뒤러가 28세의 나 자신을 내 색채 그대로 그렸다"라는 라틴어 문장이 금빛으로 쓰여 있습니다.
〈28세의 자화상〉 부분.

화가가 자신을 예수처럼 표현했기 때문입니다. 당시 자화상이나 평범한 인물의 초상은 측면이나 반측면(더 정확히 말하면 $\frac{3}{4}$ 측면)으로 그려지는 게 일반적이었는데요. 이 그림처럼 정면 모습을, 그것도 좌우 대칭으로 묘사한 건 예수 그리스도 외에는 찾아보기 어렵습니다.

예수를 그린 성화와 뒤러의 자화상을 비교해 볼까요. 어깨까지 늘어뜨린 갈색 머리카락, 길고 창백한 얼굴, 정면을 바라보면서 감상자와 눈을 맞추는 시선, 단정하게 기른 콧수염과 턱수염, 가냘픈 손가락 등이 꼭 피를 나눈 형제 같은데요. 연구자들은 좌우 대칭, 정면을 바라보는 얼굴과 시선, 축복을 내리려고 가슴까지 들어올린 손, 어둡게 처리한 화면 등이 예수 그리스도의 그림에서 흔히 볼 수 있는 전형적인 특징이라고 지적합니다. 뒤러의 자화상에서 오른손은 옷깃을 여미고 있

는데요. 손 모양이나 위치 등이 축복하는 예수의 손을 약간 변형한 것으로 보입니다. 뒤러가 입고 있는 모피는 왕 또는 귀족이나 입을 법한 값비싼 의상입니다. 배경은 특별한 풍경 없이 어둡게만 처리되었는데요. 덕분에 뒤러의 자화상은 시공간을 초월한 종교적인 느낌을 줍니다.

〈28세의 자화상〉에서 특이한 점은 어두운 배경에 금빛 글자가 적혀 있다는 건데요. 왼쪽엔 A와 D를 결합한 문자와 1500이라는 숫자가 있습니다. A와 D를 결합한 문자는 뒤러가 자기 이름 머리글자를 합쳐서 만든 모노그램monogram으로 일종의 서명이고, 1500은 그림 제작 연도를 나타냅니다. 오른쪽엔 "나, 뉘른베르크 출신의 알브레히트 뒤러가 28세의 나 자신을 내 색채 그대로 그렸다Albertus Durerus Noricus ipsum me propriis sic effingebam coloribus ætatis anno XXVIII"라는 라틴어 문장

1498
Albrecht Dürer

이 쓰여 있습니다.

뒤러는 왜 신성 모독에 가까운 자화상을 그렸을까요? 이 그림을 그리기 전에 뒤러는 첫 이탈리아 여행(1494~1495)을 다녀왔는데요. 이때 큰 충격을 받습니다. 르네상스 예술가들이 만들어 낸 작품도 놀라웠지만, 무엇보다 그들이 획득한 사회적 지위가 뒤러의 눈을 뜨게 했습니다. 당시 이탈리아는 레오나르도 다 빈치, 미켈란젤로 등 르네상스 주역들이 활동하던 시기였습니다. 그들은 든든한 권력자의 후원을 받으며 귀족, 지식인, 인문주의자들과 자유롭게 교류하고 창조적인 천재로 대접받고 있었죠. 자신도 제법 명성을 쌓았다고는 하지만 이탈리아 예술가들에 비하면 하찮게 느껴졌는데요. 두 번째 이탈리아 여행(1505~1507) 때는 친구 빌리발트 피르크하이머Willibald Pirckheimer에게 보내는 편지에서 "나는 여기서는 신사이지만 고국으로 돌아가면 기생충에 불과해"라고 한탄할 정도였습니다. 그는 자신을 포함한 북유럽 예술가들이 이탈리아를 뒤따라야 한다고 생각했습니다.

1495년 첫 이탈리아 여행을 끝내고 고향 뉘른베르크로 돌아온 뒤러는 자신의 공방을 차립니다. 여기서 섬세한 북유럽 양식에다 이탈리아 르네상스의 성과(원근법과 인체 해부학 등)를 합친 작품들을 만들어 내는데요. 〈26세의 자화상〉도 이 시기 그림입니다. 잘생긴 남자가 우아하게 두 손을 모으고 있는데요. 〈28세의 자화상〉과 달리, $\frac{3}{4}$ 측면 자

뒤러가 자신을 귀족처럼 표현한 자화상입니다. 오른쪽 창문 아래에 A와 D를 결합한 서명과 "1498년 내가 생긴 모습 그대로 그렸다. 26세였다. 알브레히트 뒤러(1498 Das malt ich nach meaner gestalt/Ich war sex und zwenzig Jor alt/Albrecht Dürer)"라는 독일어 문장이 보입니다.
알브레히트 뒤러, 〈26세의 자화상〉, 1498년, 패널에 유채, 52×41cm, 마드리드, 프라도 미술관.

세와 바깥 풍경이 보이는 창문을 그려 넣어 북유럽 초상화 전통을 따르고 있습니다. 하지만 뭔가 다른 느낌을 주는데요. 예의 바른 자세에도 불구하고 묘하게 오만해 보이는 시선과 우아하고 세련된 의상 때문입니다. 끝단을 금빛 자수로 처리한 흰색 잔주름 셔츠, 앞이 트인 더블릿, 끈 달린 망토, 모자와 팔과 가슴 부위를 장식한 굵은 줄무늬가 시선을 사로잡는데요. 당시 최신 유행하던 이탈리아식 패션으로 보입니다. 뒤러는 외모와 패션에 관심이 많아 의상 삽화를 자주 그렸고 자기 신발을 직접 디자인하기도 했습니다. 하지만 이 자화상은 단순히 뛰어난 패션 감각을 보여 주는 데서 그치지 않습니다. 뒤러가 자신을 신분에 맞지 않게 고귀한 귀족으로 표현했기 때문입니다. 호리호리하고 훤칠한 체형, 거만하게 상대를 쏘아보는 듯한 눈빛, 잘 손질한 긴 곱슬머리와 수염, 당시 유행하던 값비싼 이탈리아식 의상, 높은 신분이나 낄 법한 부드러운 가죽 장갑이 그 증거입니다.

"나는 귀족만큼이나 자유로운 교양인이자 인문학 소양을 갖춘 지식인이다!" 이렇게 선언하는 것처럼 보입니다. 당시 유럽에서 화가란 주문받은 대로 결과물을 만들어 내는 손 기술자에 불과했습니다. 그런 주제에 귀족 타령이라니요. 뒤러의 주장은 세상 물정 모르는 나르시시스트의 잘난 체 정도로 치부되었을 법합니다. 하지만 뒤러는 동시대 이탈리아 예술가들이 높은 대접을 받고 있는 걸 이미 목격한 뒤였습니다. 더구나 이 그림을 그린 1498년은 뒤러가 장인 '주제에' 귀족 전용 술집인 헤렌트링크스투베herrentrinkstube(나리들의 술집)에 출입해도 된다는 허가를 받은 때이기도 합니다.

〈26세의 자화상〉에서 한 발 더 나간 그림이 처음 보았던 〈28세의 자화상〉입니다. 이제 화가는 자신을 구세주 예수 그리스도처럼 표현합니다. 독실한 기독교도라면 화들짝 놀랄 지경인데요. 미술사학자 파노프스키는 다른 관점을 제시합니다. 당시는 '이미타티오 크리스티Imitatio Christi', 즉 '그리스도를 본받아' 살아가야 한다는 교리가 널리 퍼져 있었다는 건데요. 이를 곧이곧대로 해석한다면 자신을 예수와 닮게 표현하는 게 딱히 불경은 아닌 셈이죠. 실제로 뒤러는 마르틴 루터를 지지하던 신실한 기독교도였다고 합니다.

그럼에도 우리는 자신을 귀족처럼 표현한 뒤러의 자기애를 이미 알고 있습니다. 그러니 〈28세의 자화상〉이 그저 예수 그리스도를 본받겠다는 신앙심을 고백한 그림이라고 결론 내리기 어렵습니다. 뒤러는 예술가의 재능이 신에게서 선물 받은 능력이라고 말하곤 했습니다. 신이 세상을 창조했듯, 예술가 또한 작품이라는 세계를 창조한다고도 주장했는데요. 그만큼 예술가는 창조주와 닮았습니다. "작품을 창조하는 예술가는 세상을 창조한 신만큼 위대하다." 이런 사실을 세상에 선언하고 싶었던 게 아닐까요.

아내와 불화하고 세상의 벽을 마주하다

우리는 성공한 사람들을 성공 이후에야 주목하기 때문에 마치 그 사람이 처음부터 그런 상태였을 것이라고 여기기 쉽습니다. 하지만 그들은 무수한 실패와 좌절을 경험한 사람들입니다. 다만 포기하지 않고 수천 번, 수만 번 도전하고 나서야 지금 자리에 오른 거죠. 사람들은 성공의 열매만 바라볼 뿐 그 열매를 키우기 위해 거쳐 온 고난의 과정

은 보려 하지 않습니다. 성공은 하고 싶지만 힘든 시간은 건너뛰고 싶은 거죠. 하지만 성공이 실패의 과정 없이 얻어진 경우는 거의 없습니다. 있다 해도 오래 유지할 수 없거나 불행으로 이어질 뿐이죠. 엄청난 당첨금을 순식간에 탕진하고 무일푼으로 돌아간 로또 당첨자들의 후일담이 그 증거입니다.

뒤러도 성공하기까지 여러 과정을 거쳤습니다. 그는 얀 반 에이크와 달리, 자신에 대한 글을 남겼기 때문에 개인사에 대해 잘 알려져 있는 편입니다. 1471년 뒤러는 신성로마제국(오늘날 독일) 뉘른베르크에 살던 금세공사의 셋째 아들로 태어나는데요. 모두 18명의 아이들이 있었지만 살아남은 건 뒤러를 포함해 셋뿐이었습니다. 의료 기술이 발달하지 않았던 당시에는 영유아 사망률이 높은 편이었습니다. 아버지는 젊은 시절 조국 헝가리를 떠나 뉘른베르크에 정착한 이민자였는데요. 이후 결혼도 하고 금세공사 자격증도 따서 열심히 일했지만, 후대에 이름을 남길 정도는 아니었죠. 그래도 좋은 아버지이자 선견지명을 가진 인물이었던 모양입니다. 자신에게 금세공 일을 배우던 어린 아들이 "그림이 더 좋아요"라고 말하자, 아들을 유명 화가 미하엘 볼게무트Michael Wolgemut에게 보냈으니 말입니다. 당시 유럽에서는 아들이 아버지의 직업을 물려받아 가업을 잇는 게 관습이었는데요. 그러다 보니 아들의

뒤러가 아버지에게 금세공 일을 배우던 시절의 자화상입니다. 오른쪽 위에는 "나는 거울을 이용해 이 그림을 그렸다. 내가 아직 어렸을 때인 1484년 모습이다. 알브레히트 뒤러"란 문구가 쓰여 있는데요. 내용으로 봐서 나중에 써넣은 듯합니다. 뒤러는 자서전적인 글을 남기는 등 자신의 기록을 중시한 나르시시스트형 화가였습니다. 어떤 연구자는 어린 뒤러의 자세가 율법학자와 토론하는 어린 예수를 연상시킨다고 주장하기도 합니다.
알브레히트 뒤러, 〈13세의 자화상〉, 1484년, 종이에 은첨필, 27.3×19.6cm, 빈, 알베르티나 미술관.

의견을 존중해 진로를 정한다는 건 쉽지 않은 선택이었습니다. 아들이 자기애 넘치는 거장으로 성장한 건 아버지의 교육관 덕택이 아니었을까 싶네요.

뒤러는 볼게무트의 공방에서 1486년부터 3년간 도제로 머뭅니다. 꽤 혹독한 훈련 기간이었다고 하는데요. 이때 화가로서 기본기를 다졌을 뿐 아니라 훗날 자신에게 명성과 재물을 안겨 줄 판화도 배우게 됩니다. 도제 기간을 마친 뒤러는 1490년부터 1494년까지 라인강 주변의 여러 도시를 돌아다니며 경험을 쌓습니다.

1494년 고향 뉘른베르크로 돌아와서는 부모가 정해 준 신붓감인 아그네스 프라이Agnes Frey와 결혼합니다. 하지만 신혼 초에 혼자서 첫 이탈리아 여행을 떠났으며, 아내와의 사이에서 평생 자식을 두지 못합니다. 뒤러가 남긴 기록을 보면 결혼 생활이 행복하지 않았던 게 분명한데요. 일기에서 결혼에 대해 자주 비아냥거렸고 심지어 친구 피르크하이머에게 보내는 편지에서는 아내를 "늙은 까마귀"라고 부를 정도였습니다. 뒤러의 판화 판매를 적극적으로 도왔던 사업 파트너인 아내로서는 억울한 대접이었을 텐데요. 뒤러는 스스로를 인문주의자이자 창조적인 예술가라고 생각하고 학자, 지식인, 귀족과 자주 어울렸습니다. 이런 교우 관계에 불만을 나타내며 남편을 그저 돈 잘 버는 장인 취급을 했던 아내와는 불화할 수밖에 없었을 겁니다(부부의 불화 원인을 뒤러의 동성애 또는 양성애로 보는 설도 있습니다만, 뒤러의 성적 취향에 대한 확실한 증거는 아직 발견되지 않았습니다).

뒤러가 예술가를 어떻게 생각했는지는 〈멜렌콜리아 I Melencolia I〉에서 잘 드러납니다. 이 동판화는 A4 용지보다도 작은데요. 이처럼 작은 공간에다 뭘 나타내는지 알 수 없는 상징들을 잔뜩 집어넣었습니다. 그래서 긴 세월에 걸쳐 예술가, 미술학자, 역사가, 의사, 과학자, 수학자, 천문학자, 심지어 프리메이슨 단원까지 이 그림을 해석하는 일에 뛰어들었습니다. 수수께끼는 아직까지 풀리지 않았는데요. 어쩌면 영원히 풀리지 않을지도 모르겠습니다. 긴 세월 제기된 수수께끼들을 하나씩 살펴보겠습니다.

멜렌콜리아는 우리가 잘 아는 영어 단어 '멜랑콜리melancholy'와 같은 말입니다. 흔히 '우울'이라고 번역하는데요. 제목에 걸맞게 날개 달린 인물이 턱을 괸 채 심각한 표정으로 앉아 있습니다. 손에는 컴퍼스를 들고 있는데요. 뭔가 풀리지 않는 문제에 골몰한 모습입니다. 허리띠에서부터 길게 늘어뜨린 끈에는 열쇠와 주머니가 매달려 있습니다. 우울한 주인공 주위로는 큐피드 또는 푸토(아기 천사)를 연상시키는 날개 달린 아기, 몸을 둥글게 말고 있는 동물, 사다리, 종, 모래시계, 수평계, 톱, 자, 대패, 못, 다면체 돌, 구 등이 사방에 흩어져 있는데요. 수공예와 목공예 도구들이 다수 포함되어 있습니다. 각각의 정확한 의미는 알 수 없지만 주인공의 상상력과 창조력을 상징하는 물건들 같습니다. '멜렌콜리아'라는 제목 간판을 들고 있는 박쥐, 배경을 차지한 물, 하늘에 나타난 무지개와 광채도 보이는데요. 멜랑콜리의 어두운 면을 상징하는 듯합니다.

이 중 가장 시선을 끄는 상징물이 주인공 머리 위에 있는 마방진입니다. 마방진이란 '마술 같은 정사각형'이란 뜻으로, 가로 숫자의 합, 세로 숫자의 합, 대각선 숫자의 합이 모두 같은 숫자판을 가리키는데요. 그림 속 마방진은 4×4마방진으로, 공통된 숫자 합은 34입니다. 더 놀

MELENCOLIA I
16 3 2 13
5 10 11 8
9 6 7 12
4 15 14 1

라운 건 각각의 숫자에 의미가 숨어 있다는 건데요. 왼쪽 세로 두 숫자는 16과 5로, 뒤러의 어머니가 죽은 날짜인 1514년 5월 16일을 상징합니다. 가로 마지막 줄 가운데 두 숫자는 15와 14로, 어머니가 죽은 해이자 이 작품이 만들어진 1514년을 뜻합니다. 또한 뒤러의 모노그램(이름 머리글자를 합성한 서명)은 A와 D로 이루어져 있는데요. 알파벳 순서로 1과 4가 됩니다. 이에 따라 마방진의 가로 마지막 줄 좌우 숫자가 각각 4와 1입니다. 어째 그럴듯한가요? 아니면 연구자들의 꿰맞추기식 억지 주장 같은가요? 판단은 독자분들의 몫이지만 어쨌든 재밌는 추리 같네요.

그림 제목 〈멜렌콜리아〉 뒤에 붙은 숫자 I에 대한 해석도 분분합니다. 뒤러가 애초에 '멜렌콜리아'를 주제로 총 4점의 판화를 만들 계획을 세운 뒤 첫 번째로 이 판화를 제작했다는 설, 이 판화가 멜랑콜리의 세 유형 중 첫 번째 유형을 그린 것이라는 설, 연금술의 첫 단계인 '변환nigredo'을 뜻한다는 설 등등이 있습니다. 뒤러의 진짜 의도가 무엇이었는지는 오늘날 우리로서는 알 길이 없습니다.

〈멜렌콜리아 I〉은 역사적 맥락으로도 읽을 수 있습니다. 고대 그리스에서는 인간의 기질을 몸속 네 가지 액체로 나누었는데요. 이를 4체액설이라 합니다. 네 가지 체액은 피, 점액, 황담즙, 흑담즙입니다. 네 체액이 몸속에서 균형을 이루어야 건강하다고 믿었는데요. 만일 어

이 그림은 예술가의 정서 상태를 보여 준다는 점에서 뒤러 자화상의 변형으로 볼 수 있습니다. 심각한 표정으로 턱을 괴고 앉아 있는 멜랑콜리한 인물이 뒤러의 페르소나입니다.
알브레히트 뒤러, 〈멜렌콜리아 I〉, 1514년, 동판화, 24.2×19.1cm, 뉴욕, 메트로폴리탄 미술관The Metropolitan Museum of Art(그 외 소장처 다수).

마방진은 가로 숫자의 합, 세로 숫자의 합, 대각선 숫자의 합이 모두 같은 마술 같은 정사각형을 말하는데요. 뒤러는 그림 속 마방진 숫자에 여러 의미를 숨겨 놓았습니다.
〈멜렌콜리아 I〉의 마방진.

떤 체액이 부족하거나 많아지면 병에 걸린다는 겁니다. 차갑고 건조한 성질의 흑담즙이 과해지면 걸리는 병이 바로 멜랑콜리인데요. 멜랑콜리의 어원 자체가 고대 그리스어로 검은(μέλας)+담즙(χολή)입니다.

미술사학자 파노프스키는 〈멜렌콜리아 I〉에서 멜랑콜리와 그에 저항하는 힘의 싸움을 읽기도 합니다. 멜랑콜리는 태양계 행성 중 토성(차갑고 건조함)과 관계있는데요. 토성의 기운을 막는 게 목성(따뜻하고 촉촉함)입니다. 마방진은 종류에 따라 여러 행성과 관련되는데요. 그림 속에 그려진 4×4마방진은 목성의 부적으로(즉 멜랑콜리를 치유하는 목적으로) 사용되어 왔습니다. 파노프스키의 해석에 따르면 〈멜렌콜리아 I〉은 멜랑콜리한 인물과 그를 치유(방해?)하는 4×4마방진이 팽팽하게 맞서고 있는 장면이 됩니다. 멜랑콜리는 과거에는 극복해야 할 병증으로 여겨졌지만, 뒤러의 그림에서는 신의 영감을 받아 예술을 창조할 수 있게 해 주는 긍정적인 개념으로 변합니다.

멜랑콜리는 오늘날 병명으로 우울증이라고 부를 수 있습니다. 우울증을 천재의 특성으로 여기는 관점은 꽤 뿌리 깊은데요. 고대 아리스토텔레스주의자가 저술한 것으로 보이는 『난제들Problemata』에서는 "철학, 정치, 시, 예술 분야에서 뛰어난 이들 모두가 멜랑콜리"하다고 주장합니다. 이런 생각은 오늘날까지 이어지는데요. 뒤러의 〈멜렌콜리아 I〉 역시 같은 생각을 공유하고 있습니다.

그림 속 주인공은 누가 보더라도 멜랑콜리한 상태입니다. 멜랑콜리를 사람으로 변신시킨다면 딱 이런 모습이 아닐까 싶은데요. 주인공은 화가 뒤러의 페르소나(분신)처럼 보이기도 합니다. 일종의 자화상인 셈입니다. 그렇다면 이 그림은 예술가란 멜랑콜리한 상태에서 천재성을 발휘해 창조 작업을 한다고 말하고 있는 겁니다. 주인공 주변에는 수공예 도구들이 연금술, 수학, 과학, 기하학 상징물들과 함께 널려 있는데요. 수공예로 취급받던 예술이 사실은 주요 학문들(고대 그리스 시기부터 자유인들이 익혀야 할 교양이란 뜻으로 '자유7과Seven Liberal Arts'라 불렸

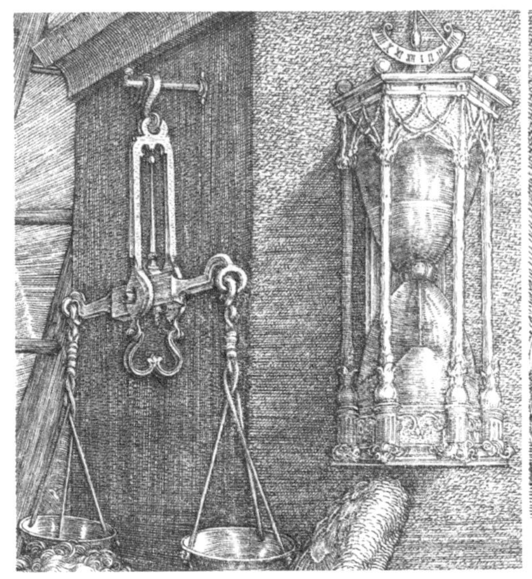
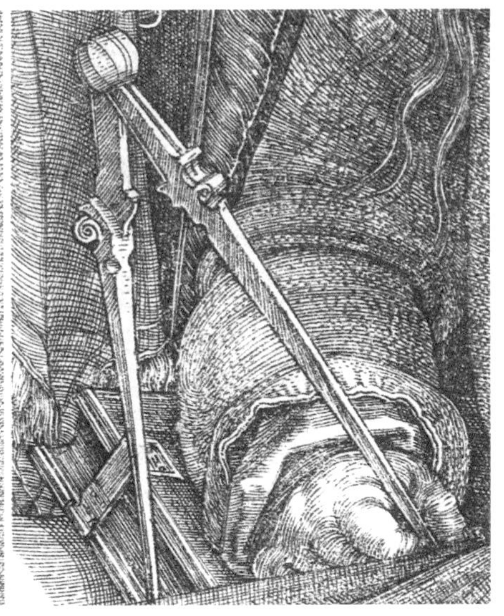

뒤러는 여러 상징물을 통해 예술이 수학, 과학, 기하학 등 지적인 학문 분야와 같은 뿌리에서 나왔다는 점을 보여 주려 합니다.
〈멜렌콜리아 I〉에 등장하는 수평계, 모래시계, 컴퍼스, 다면체, 구.

습니다)과 같은 위치에 있다는 걸 알려 주려는 의도로 보입니다. 더 나아가 뒤러는 예술가도 수학자, 철학자, 과학자, 인문학자와 같은 대접을 받을 만한 지식인이자 교양인이라고 주장하고 있는 겁니다.

세상이 정해 놓은 틀을 깨다

하지만 당시 독일 사회는 예술가의 높은 지위를 인정하지 않았습니다. 예술가들은 자신들의 운명을 결정하는 시 정부에 발언할 기회를 얻지 못했고, 정치적 권리도 거의 갖지 못했습니다. 뒤러는 포기하지 않았습니다. 그는 인쇄물 삽화, 성당 제단화, 권력자와 귀족 초상화, 동물화 등

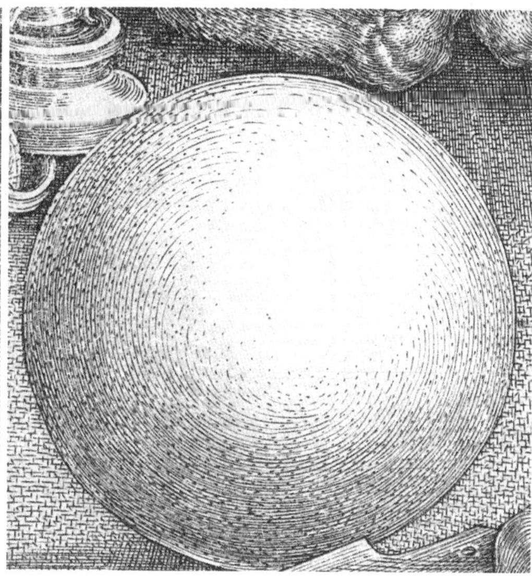

다양한 작품으로 국제적인 명성을 쌓습니다. 이를 바탕으로 귀족, 지식인, 인문학자, 정치가, 종교인(특히 개혁적인 루터주의자) 등 사회 지배층과 자주 어울렸습니다. 1509년 38세 때 뉘른베르크 시의회 의원에 임명되었고, 1518년 47세 때 아우크스부르크 제국회의에 시 대표단 일원으로 참석해 황제를 그리기도 했습니다. 뒤러는 화가로 성공했을 뿐 아니라 정치적·사회적 지위까지 얻었던 겁니다. 당시 화가로서는 드문 경우였습니다.

그렇다면 뒤러는 예술가의 명성을 뛰어넘어 사회적 신분 상승까지 이루려 했던 나르시시스트였을까요? 자긍심이 남달랐던 건 분명합니다. 그는 출생부터 사소한 개인사에 이르기까지 자신의 정보를 꼼꼼하게 기록해 후대에 남겼습니다. 작품에는 AD라는 모노그램 서명을 넣어 저작권을 분명히 밝혔고, 자기 그림을 복제해서 판매한 위조 화가와 출판사를 상대로 1506년 법적 소송까지 벌였는데요. 당시에는 어떤 화가도 이런 식으로 행동하지 않았습니다.

한 개인이 사회가 정해 놓은 틀을 깨고 거기서 벗어난다는 건 쉽지 않은 일입니다. 그러니 뒤러의 행동을 개인적인 교만함과 우월감만으로 설명하기 어렵습니다. 뒤러는 시대가 자신에게 강제한 낮은 지위에 만족하지 않았습니다. 예술가의 사회적 위치와 정당한 권리에 대해 고민했고 그 위상을 높이는 데 기여했습니다. 자신의 위치를 한계 짓는 시대의 편견과 제도에 반기를 들었고 과거에 없던 새로운 길을 만들었습니다. 덕분에 후배들은 좀 더 나은 환경에서 활동하게 되었는데요. 오늘날 예술가들이 누리는 자유와 권리가 어느 정도는 뒤러 덕택이 아닐까 싶습니다.

(사족을 붙이자면, 1506년 뒤러가 제기한 소송은 세계 최초의 예술 저작권 소송이라고 알려져 있는데요. 그 결과가 궁금하실 겁니다. 뒤러가 소송을 건 상대는 자신의 작품을 위조 판매한 이탈리아 판화가 마르칸토니오 라이몬디Marcantonio Raimondi와 달 예수스Dal Jesus 가문 출판사였습니다. 판결에 따르면, 뒤러의 모노그램을 도용한 행위는 불법이었지만 작품을 복제한 행위 자체는 불법이 아니었습니다. 뒤러의 모노그램만 뺀다면 작품을 복제해서 파는 행위는 계속해도 된다는 뜻으로 볼 수 있는데요. 재판관은 뒤러에게 남들이 따라 그릴 만큼 유명하다는 뜻이니 자랑스러워 하라고 말했습니다. 당시는 저작권이나 지

식재산권 개념이 없던 시대였기 때문에 제대로 된 재판 결과를 기대하기 어려웠던 겁니다. 뒤러는 분개했지만 법적으로 더는 어떻게 해 볼 도리가 없었습니다.

억울함을 풀기 위해 뒤러가 마지막으로 찾아간 이는 자신의 후원자인 신성로마제국 황제 막시밀리안 1세였습니다. 뒤러는 황제에게서 자기 판화에 대한 독점권을 인정받았고, 그 내용을 1511년 작품 『성모의 생애』 표지에 다음의 경고 문구로 써넣었습니다.

> "화를 입을 것이니, 다른 이의 작품과 영혼을 훔치는 도둑들아. 생각 없이 우리 작품에 손대지 말라. 영광스러운 막시밀리안 황제는 다른 누구도 이 작품을 위조하거나 복제해 판매할 수 없도록 우리에게 특권을 주었다."

하지만 뒤러의 갖은 노력에도 불구하고 위조 행위를 완전히 막지는 못했던 것 같습니다. 소송 후 라이몬디는 로마로 가서 라파엘로, 미켈란젤로 등 거장의 작품들을 계속 복제해 판매했습니다. 세계 최초의 저작권법은 200여 년 뒤인 1709년 영국에서 앤 여왕법The Statute of Anne이란 이름으로 만들어졌습니다.)

"나는 이런 고문 같은 자세 때문에 갑상선종에 걸렸다네.
뒤통수는 목덜미에 달라붙고 허리는 위장을 파고드는 것만 같네."

-미켈란젤로 부오나로티가 시스티나 천장화를 작업할 때 친구에게 보낸 소네트(1509~1510)에서

03

폭군 고용주와 치열하게 일하는 법

미켈란젤로 부오나로티의 처세

미켈란젤로 부오나로티Michelangelo Buonarroti(1475~1564)는 오늘날 모르는 사람이 없을 정도로 유명한 스타 예술가입니다. 뒤러가 그토록 부러워했던 이탈리아 르네상스 예술가로, 레오나르도 다 빈치, 라파엘로 산치오와 함께 르네상스 천재 삼인방으로 불리는데요. 그런 그가 한 그림에서 흉측한 모습으로 등장합니다. 60대에 그린 벽화 〈최후의 심판Il Giudizio universale〉입니다. 〈최후의 심판〉에는 성경 속 여러 인물들이 등장하는데요. 그중 하나가 성 바돌로매(바르톨로메오)입니다.

성 바돌로매는 예수의 12제자 중 한 명으로, 예수 승천 이후 여러 나라를 떠돌며 포교 활동을 하는데요. 아르메니아의 아스티아게스 왕자에게 붙들려 산 채로 살가죽이 벗겨지는 고문을 당한 뒤 참수형 또는 십자가형에 처해집니다. 그래서 그림에서 자신의 살가죽과 칼(자신의 피부를 벗긴 도구)을 든 모습으로 등장하는데요. 이렇게 자신이 누구인지 알려 주는 이름표 역할을 하는 사물을 지물持物이라 합니다. 넝마 같은 가죽옷을 입고 있으면 성 세례 요한, X자형 십자가와 함께 등장하면 성 안드레(안드레아), 열쇠를 들고 있으면 성 베드로, 이런 식입

미켈란젤로 부오나로티, 〈최후의 심판〉 중 성 바돌로매 부분, 1536~1541년, 벽화 전체 크기 1370×1200cm, 바티칸시국, 시스티나 예배당.

등에 가죽옷을 걸치고 있는 남자는 성 세례 요한, X자형 십자가를 들고 있는 뒷모습의 남자는 성 안드레, 열쇠 두 개를 손에 쥐고 있는 남자는 성 베드로입니다.
〈최후의 심판〉 부분.

니다. 세례 요한은 "낙타 털옷을 입고"(「마태복음」 3장 4절) 광야 생활을 했고, 안드레는 X자형 십자가에 묶여 순교했으며, 베드로는 예수에게서 "내가 천국 열쇠를 네게 주리니"(「마태복음」 16장 19절)란 말을 들었기 때문입니다. 벽화 〈최후의 심판〉 속 바돌로매도 살가죽과 칼이라는 두 지물을 양손에 나눠 들고 있습니다.

성 바돌로매의 왼손에 들려 있는 살가죽 얼굴을 자세히 들여다볼

성 바돌로매의 살가죽 얼굴이 미켈란젤로의 초상화와 닮았습니다. 두 그림에서 짧고 검은 곱슬머리, 매부리코, 툭 튀어나온 광대뼈를 비교해 보세요.
왼쪽: 〈최후의 심판〉의 성 바돌로매 살가죽.
오른쪽: 다니엘레 다 볼테라, 〈미켈란젤로〉 부분, 1545년경, 뉴욕, 메트로폴리탄 미술관.

까요. 바돌로매에게서 벗겨 낸 허물이니 그의 얼굴을 닮아야 하겠지만 전혀 다르게 생겼는데요. 흐물거리는 살가죽 얼굴은 엉뚱하게도 미켈란젤로의 초상화(제사 다니엘레 다 볼테라Daniele da Volterra가 그린 초상화)와 닮았습니다. 짧고 검은 곱슬머리, 매부리코, 툭 튀어나온 광대뼈를 비교해 보시면 알 수 있는데요. 미켈란젤로는 왜 자신을 너덜너덜하게 늘어져 있는 흉측한 모습으로 표현했을까요? 일부 연구자들은 〈최후의 심판〉을 그릴 당시 그의 심정을 대변한 것으로 보고 있습니다.

〈최후의 심판〉은 1533년 교황 클레멘스 7세가 미켈란젤로에게 주문한 시스티나 예배당Cappella Sistina 벽화입니다. 시스티나 예배당은 로마 교황청의 미사와 의전을 담당하는 중요 장소 중 하나로, 교황이 이곳에서 직접 미사를 진행하기도 합니다. 미사 내내 신도들은 정면 제단(제대)과 그 너머 벽을 바라보게 되는데요. 미켈란젤로가 주문받은 벽화 자리가 바로 제단 벽입니다. 예배당에서 시선이 가장 많이 가는 곳으로, 벽 크기도 가로 12미터, 세로 13.7미터로 엄청납니다. 이런 대작을 맡는다는 건 예술가로서 영광이기도 했지만 일 지옥에 빠져 몸과 마음이 피폐해지는 걸 막을 수 없는 고생길의 시작이기도 했습니다. 새로 그릴 벽화 자리 바로 위로는 자신이 20여 년 전에 작업한 천장화가 있었는데요. 과거에 힘들었던 순간들이 생생하게 떠올랐을 겁니다. 천장화를 그릴 때는 30대로 젊기라도 했지요. 이제는 60대에 접어들다 보니 힘에 부쳤을 겁니다. 미켈란젤로는 어쩌다가 20여 년 간격을 두고 시스티나 예배당 천장화와 제단 벽화를 모두 맡게 되었을까요? 그 과정을 미켈란젤로의 인생과 함께 살펴보겠습니다.

폭군 고용주 교황과 맞짱 뜨다

미켈란젤로는 원래 그림보다 조각을 좋아하던 예술가였습니다. 1475년 피렌체 공화국(오늘날 이탈리아 일부)의 카프레세에서 태어나 6살 때 어머니를 여의는 바람에 유모 집에서 자랐는데요. 유모의 남편과 아버지가 모두 대리석 석공이었습니다. 덕분에 미켈란젤로는 어려서부터 망치와 끌을 가지고 놀면서 조각용 도구에 익숙해졌는데요. 조각가로서 조기 교육을 받은 셈이었죠. 하지만 몰락 귀족 출신의 아버지는 아들이 천한(?) 예술가가 되는 걸 격렬하게 반대했습니다. 아버지와 집안 어른들이 합세해서 예술가가 되겠다는 미켈란젤로를 매질할 정도였죠.

그런데도 아들의 고집을 꺾을 수 없었던 아버지는 13세의 미켈란젤로를 당시 유명 화가였던 도메니코 기를란다요의 공방으로 보내는데요. 미켈란젤로는 스승의 실력을 금방 뛰어넘어 더는 배울 게 없어진 데다 조각에 대한 열정을 버리지 못하고 일 년 만에 공방을 나옵니다. 이후 피렌체 공화국의 지배자 로렌초 디 피에로 데 메디치Lorenzo di Piero de' Medici(위대한 로렌초Lorenzo il Magnifico)가 운영하는 조각 학교에 입학하는데요. 로렌초는 미켈란젤로의 재능을 알아차리고 자신의 궁에서 지내게 합니다. 피렌체 공화국을 다스리는 최고 권력자가 일개 예술가 지망생을 후원한 셈인데요. 미켈란젤로가 로렌초의 아들들과 같은 식탁에 앉아 식사를 했다고 하니 얼마나 특별 대우를 받았는지 알 수 있죠. 무엇보다도 메디치 궁을 드나드는 인사들은 정치가뿐 아니라 예술가, 건축가, 의사, 문학가, 철학자 등 당대 최고 지식인이었는데요. 미켈란젤로는 이들과 교류하면서 학식과 철학을 발전시킬 수 있었습니다. 특히 이 시기에 의사 인맥으로 인체 해부학 수업에도 참여한 것으로 알려져 있습니다.

하지만 1492년 로렌초가 죽고 그 자리를 이어받은 아들 피에로 디 로렌초 데 메디치Piero di Lorenzo de' Medici는 미켈란젤로를 홀대합니다. 17세의 미켈란젤로는 메디치 가문을 떠나 아버지 집으로 돌아오는데요. 이후 〈피에타〉, 〈다비드〉 같은 조각상을 만들면서 20대 젊은 나이

에 거장이라는 명성을 얻습니다. 재밌는 사실은 그를 내쫓다시피 했던 메디치 가문에서도 그에게 작품 주문을 해 왔다는 점입니다.

1506년 조각가로 자리 잡은 미켈란젤로에게 엉뚱한 주문이 들어옵니다. 시스티나 예배당의 천장화를 그려 달라는 것이었는데요. 주문이라고는 하지만 주문자가 교황 율리오 2세이다 보니 명령이나 다름없었죠. 율리오 2세는 천장화 주문 이전에 이미 자기 무덤 조각을 미켈란젤로에게 맡긴 상태였는데요. 이를 중단시키고 시스티나 예배당 천장화 작업을 요구하는 변덕을 부린 겁니다.

시스티나 예배당의 중요성을 이해하려면 바티칸 역사를 들여다볼 필요가 있습니다. 이탈리아 수도 로마 안에는 작은 나라가 하나 더 있는데요. 교황이 다스리는 도시국가인 바티칸시국Città del Vaticano입니다. 면적이 44만 제곱미터(약 15만 평)로 우리나라 공원인 서울숲 크기 정도이다 보니 '세상에서 가장 작은 나라'로 불립니다. 1870년까지는 교황이 차지하고 있던 땅(교황령)이 로마를 포함해 이탈리아 중부 지역에 넓게 퍼져 있었는데요. 이탈리아란 나라가 세워지면서 교황령 대부분을 점령해 버립니다. 이때 교황령은 바티칸시로 축소되었고 1929년 라테라노 조약에 의해 바티칸시국으로 독립했습니다. 바티칸시국의 주요 건물로는 산 피에트로 대성당Basilica di San Pietro(성 베드로 대성당이라고도 하며 베드로 무덤 위에 지어졌습니다), 사도궁Palazzo Apostolico(교황궁이라고도 하며 교황의 거주지이자 집무 공간입니다), 바티칸 도서관, 그리

시스티나 예배당의 천장과 제단 벽은 미켈란젤로의 그림으로 가득 채워져 있습니다. 천장엔 30대에 그린 창세기 9장면과 그 외 구약성경 장면 등이, 제단 벽엔 60대에 그린 〈최후의 심판〉이 있습니다.
ⓒAntoine Taveneaux

시스티나 예배당 천장화에서 가장 유명한 그림으로 아담이 탄생한 순간을 담고 있습니다. 스티븐 스필버그 감독이 영화 〈E.T.〉에서 외계인과 주인공 소년이 손가락을 맞대는 장면으로 패러디하기도 했습니다.

미켈란젤로 부오나로티, 〈아담의 창조〉, 1511년경(천장화 전체 작업 기간은 1508~1512년), 230.1×480.1cm(천장화 전체 크기는 4120×1320cm), 바티칸시국, 시스티나 예배당.

고 우리가 이야기하고 있는 시스티나 예배당이 있습니다. 시스티나 예배당은 앞서 말씀드린 대로 교황미사를 직접 볼 수 있는 곳일 뿐 아니라 교황을 선출하는 비밀투표인 콘클라베conclave가 열리는 장소로도 사용되고 있습니다. 교황권을 상징하는 주요 장소 중 한 곳인 겁니다.

1506년 미켈란젤로의 후원자였던 교황 율리오 2세는 지어진 지 천 년이 넘은 산 피에트로 대성당 건물(360년경 완성)을 허물고 새 건물을 짓기로 결정하는데요. 강력한 교권과 교황의 권위를 널리 알리려는 목적이었습니다. 이때 대성당 근처에 있는 시스티나 예배당도 보수 대상이 됩니다. 시스티나 예배당은 1483년에 완성되어 20여 년밖에 되지 않은 비교적 새(?) 건물이었는데요. 1504년 배수 문제로 천장에 금이 가게 됩니다. 이를 보수하는 과정에서 천장에 그려져 있던 파란 배경에 금빛 별 그림이 손상을 입는데요. 율리오 2세는 산 피에트로 대성당을 새로 짓는 김에 시스티나 예배당 천장화도 새로 그리기로 하고 미켈란젤로를 불러들였던 겁니다.

율리오 2세가 어떤 인물인지 알면 미켈란젤로의 당시 상황을 더 잘 이해할 수 있을 텐데요. 율리오 2세는 막강한 권력을 휘두르던 인물로, 직접 군사를 이끌고 여러 차례 전쟁에 나가기도 해서 '전사 교황', '공포의 교황'이라 불렸습니다. 권모술수에도 능해서 교황 자리를 뇌물과 가짜 약속으로 꿰찼기 때문에 타락한 교황이라는 악명이 자자했습니다. 성직자라기보다 폭군에 가까웠는데요. 많은 예술가들을 후원해서 명작의 탄생에 기여했다는 후한 평가도 있지만, 그게 다 권력 과시와 투자 목적이었다는 비판도 이어집니다. 이런 무지막지한 권력자의 주문이다 보니 괴팍한 성격의 미켈란젤로도 단칼에 거절하기 어려웠겠죠.

문제는 미켈란젤로가 그림 그리는 걸 좋아하지 않는 데다 당시만 해도 벽화 경험이 거의 없었다는 점이었는데요. 당시 벽화는 벽에 회반죽을 바른 뒤 그것이 마르기 전에 재빠르게 안료를 입히는 부온 프레스코buon fresco 기법을 주로 사용했습니다. 빨리 그려야 하는 만큼 숙련도가 필수였습니다. 어떤 연구자들은 미켈란젤로에게 천장화 일이 맡겨진 건 그와 사이가 나빴던 도나토 브라만테Donato Bramante의 농간 때문이라고 말합니다. 당시 브라만테는 산 피에트로 대성당 재건 사업의 수석 건축 책임자였는데요. 재건 사업의 일환인 시스티나 예배당 천장화의 작업자로 미켈란젤로를 추천하면서 내심 그가 실패해서 망신당하기를 바라고 있었다는 거죠. 미켈란젤로가 설마 벽화까지 잘 그리리라곤 예상하지 못했을 겁니다.

미켈란젤로는 어떻게든 이 일에서 빠져나오려고 갖은 핑계를 댔고, 자기 대신 경쟁자인 라파엘로를 추천하기도 했는데요. 교황의 회유와 협박을 이기지 못해 1508년 결국 착수금 500두카트(약 1억 원)를 받고 작업에 들어갑니다. 천장화 규모가 길이 41미터, 너비 13미터나 되는데요. 천장화는 평범한 벽화와 달리 높이 올라가 머리를 젖히고 위를 올려다보는 자세로 그려야 하기 때문에 그 자체가 엄청난 노동과 고역이었습니다. 회반죽과 안료가 얼굴이나 눈으로 떨어지는 걸 피할 수 없었는데요. 미켈란젤로는 시력 저하, 목 디스크, 갑상선종 등에 시달렸다고 합니다. 무엇보다도 추락의 위험을 감수해야 했는데요. 미켈란젤로가 작업을 하기 위해 오른 비계(작업대)의 높이가 약 18미터입니다. 빌딩 6~7층 높이에서 불편한 자세로 장시간 작업에 매달린 셈입니다.

낯선 작업 방식, 엄청난 노동 강도, 건강 악화와 싸우면서 미켈란젤로는 하루하루 작업을 이어 가고 있었는데요. 작업 속도가 더디다는 핑계로 작업비도 제대로 받지 못했습니다(사실 미켈란젤로가 아니었다면 작업 기간은 훨씬 더 길어졌을 겁니다). 아버지와 동생들은 돈을 언제 보내오느냐고 성화를 부렸습니다. 미켈란젤로는 몸과 마음이 모두 지친 상태였습니다. 하지만 고용주가 누구던가요. 성질 더럽기로 소문난 폭군 교황 율리오 2세가 아니었던가요. 그는 작업이 언제 끝나냐며 자꾸

미켈란젤로가 천장화를 작업하던 기간에 친구 조반니 다 피스토이아Giovanni da Pistoia에게 보낸 소네트입니다. 천장을 올려다보며 작업하는 게 얼마나 괴로운 일인지를 글과 스케치로 보여 주고 있습니다. "나는 이런 고문 같은 자세 때문에 갑상선종에 걸렸다네. …… 뒤통수는 목덜미에 달라붙고 허리는 위장을 파고드는 것만 같네." 미켈란젤로 부오나로티, 소네트 중 일부, 1509~1510년, 28.3×20cm, 피렌체, 카사 부오나로티Casa Buonarroti.

조바심을 냅니다. 짜증이 난 미켈란젤로가 "제가 끝낼 때 끝나겠지요"라고 비아냥거렸는데요. 화가 치밀어 오른 교황은 지팡이로 그를 내리칩니다. 노동법 위반, 임금 체불에 고용인 폭행까지 한 셈이었죠. 미켈란젤로 역시 당하고만 있을 성격이 아니었는데요. 붓을 내팽개치고 숙소로 돌아와 로마를 떠날 채비를 합니다. 고용주 책상에 사표를 던지고 나온 판이었죠. 교황은 그를 대신할 예술가가 없다는 걸 잘 알고 있었습니다. 결국 사람을 보내서 사과의 말을 전하고 밀린 임금 500두카트까지 챙겨 줍니다. 이 사건은 대충 마무리되었지만, 성격이 불같았던 두 사람은 이후에도 사사건건 싸우고 화해하기를 반복합니다.

미켈란젤로는 시스티나 예배당 천장화를 그린 시기를 가장 힘들었던 때라고 썼는데요. 마음고생이 어찌나 심했던지 율리오 2세에 대한 뒤끝을 천장화에 남기기도 했습니다. 예배당 정문 위로 예언자 스가랴(즈가리야)가 그려져 있는데요. 율리오 2세의 얼굴을 모델로 했습니다. 그런데 등 뒤에 있는 두 아이 중 하나가 둘째손가락과 가운뎃손가락 사이로 (보일락 말락 하게) 엄지손가락을 내밀고 있습니다. 요즘으로 치면 주먹 쥔 채 가운뎃손가락만 올린 욕이라고 하는데요. 몇몇 연구자들은 미켈란젤로가 고의로 이런 손 모양을 그려 넣었다고 보고 있습니다. 이로써 율리오 2세는 천장화가 사라지지 않는 한 영원히 손가락 욕을 받게 되었습니다.

우여곡절을 겪으며 4년 작업한 끝에 1512년 10월 시스티나 예배당 천장화를 완성합니다. 중앙엔 〈빛과 어둠의 분리〉, 〈해와 달의 창조〉, 〈아담의 창조〉, 〈이브의 창조〉, 〈원죄와 에덴 동산 추방〉, 〈대홍수〉, 〈술 취한 노아〉 등 창세기 9장면이 묘사되어 있고, 그 주변으로 유대 민족

시스티나 예배당 정문 위에 그려진 예언자 스가랴는 율리오 2세의 얼굴을 모델로 했는데요. 뒤에 있는 한 아이가 그를 향해 손가락 욕을 은밀하게 날리고 있습니다.
시스티나 예배당 천장화의 스가랴 부분.

을 구한 네 영웅 이야기, 선지자와 무녀들, 예수의 조상들이 그려져 있는데요. 교황의 원래 주문은 예수의 12제자를 그리는 것이었다고 합니다. 하지만 미켈란젤로는 12제자만 그리기엔 천장이 너무 넓다고 판단했고 300명이 넘는 성경 속 인물들을 그려 넣었습니다. 이렇게 나서서 주제를 확대한 것으로 봐서 막상 작업에 들어가서는 최선을 다했던 것 같습니다. 미켈란젤로가 그렇게도 피하고 싶어 했던 시스티나 예배당 천장화는 그의 대표작이자 불후의 명작이 됩니다. 명작이 완성되는 데 도움도 주고 방해도 했던 고용주 율리오 2세는 천장화가 완성되고 4개월 뒤 숨을 거둡니다. 미켈란젤로가 천장화로 번 돈은 3,000두카트(약 6~7억 원)였다고 합니다.

천장화에 숨어 있는 인체 해부학 이미지

시스티나 예배당 천장화는 규모와 주제 면에서 우리를 압도합니다. 실제로 시스티나 예배당에 들어서면 20미터나 떨어져 있는 천장화를 올려다보아야 하는데요. 거리가 멀기도 하지만, 워낙 다양한 주제의 그림들이 엄청난 규모로 그려져 있어 어느 것부터 봐야 할지 정신 줄을 놓을 지경입니다. 하지만 미켈란젤로의 천장화가 높이 평가되는 더 큰 이유는 르네상스 시대의 여러 성과를 집약해 놓았기 때문입니다.

중세에서 르네상스로 넘어가는 시기에 유럽은 다양한 변화를 겪습니다. 과학 분야에서는 지구가 우주의 중심이 아니라 태양 주위를 도는 여러 행성 중 하나에 불과하다는 지동설이 힘을 얻기 시작했는데요. 지동설은 「창세기」를 믿던 중세 사람들의 마음에 조금씩 균열을 일으켰습니다. 탐험가들은 배를 타고 앞으로 계속 나아간 끝에 다른 대륙들을 거쳐 출발지로 돌아왔는데요. 덕분에 지구가 둥글다는 생각이 널리 퍼져 나갔습니다. 이처럼 당시 사람들은 내세인 천국에 비해 중요하지 않다고 생각했던 현실 세계가 경이롭게 다가오는 체험을 했을 겁니다.

성경의 자리를 점차 과학이 차지하게 되면서 사람들은 이성과 경험으로 세상을 탐구하기 시작했는데요. 이 시기에 수학적 비례를 이용한 원근법이 르네상스 그림에 활발히 적용되었습니다. 의학 분야에서는 인간의 몸을 직접 연구해 나갔는데요. 인체 연구에는 의학자들뿐 아니라 르네상스 예술가들도 뛰어들었습니다. 미켈란젤로가 해부학 수업에 참여했다는 사실은 이미 말씀드렸는데요. 당시 사회 분위기는 연구 목적 외에 인체 해부를 금기시했습니다. 하지만 미켈란젤로는 여러

시스티나 예배당 천장에는 원래 예수의 12 제자를 그리기로 되어 있었는데요. 그러기엔 자리가 너무 넓다고 판단한 미켈란젤로는 300여 명의 성경 속 인물들을 그려 넣었습니다. 중앙엔 창세기 9장면, 그 주변으로 유대 민족을 구한 네 영웅 이야기, 선지자와 무녀들, 예수의 조상들이 묘사되어 있습니다.

미켈란젤로 부오나로티, 시스티나 예배당 천장화, 1508~1512년, 4120×1320cm, 바티칸시국, 시스티나 예배당.

천지 창조
아담과 이브
노아

유대 민족을 구한 네 영웅 이야기
선지자와 무녀
예수의 조상

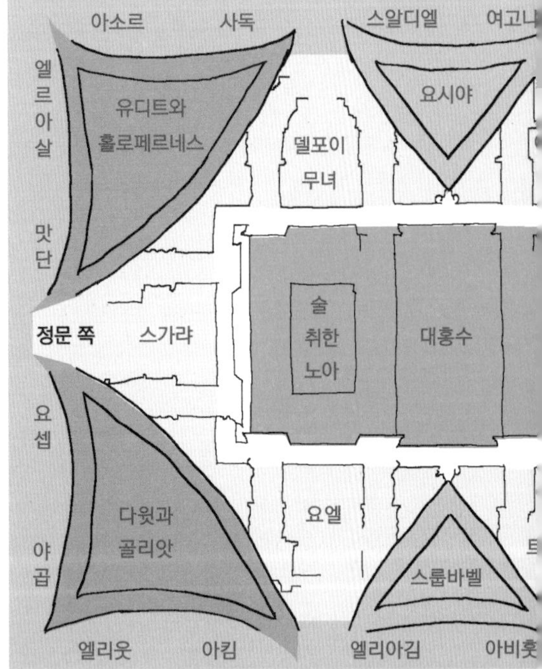

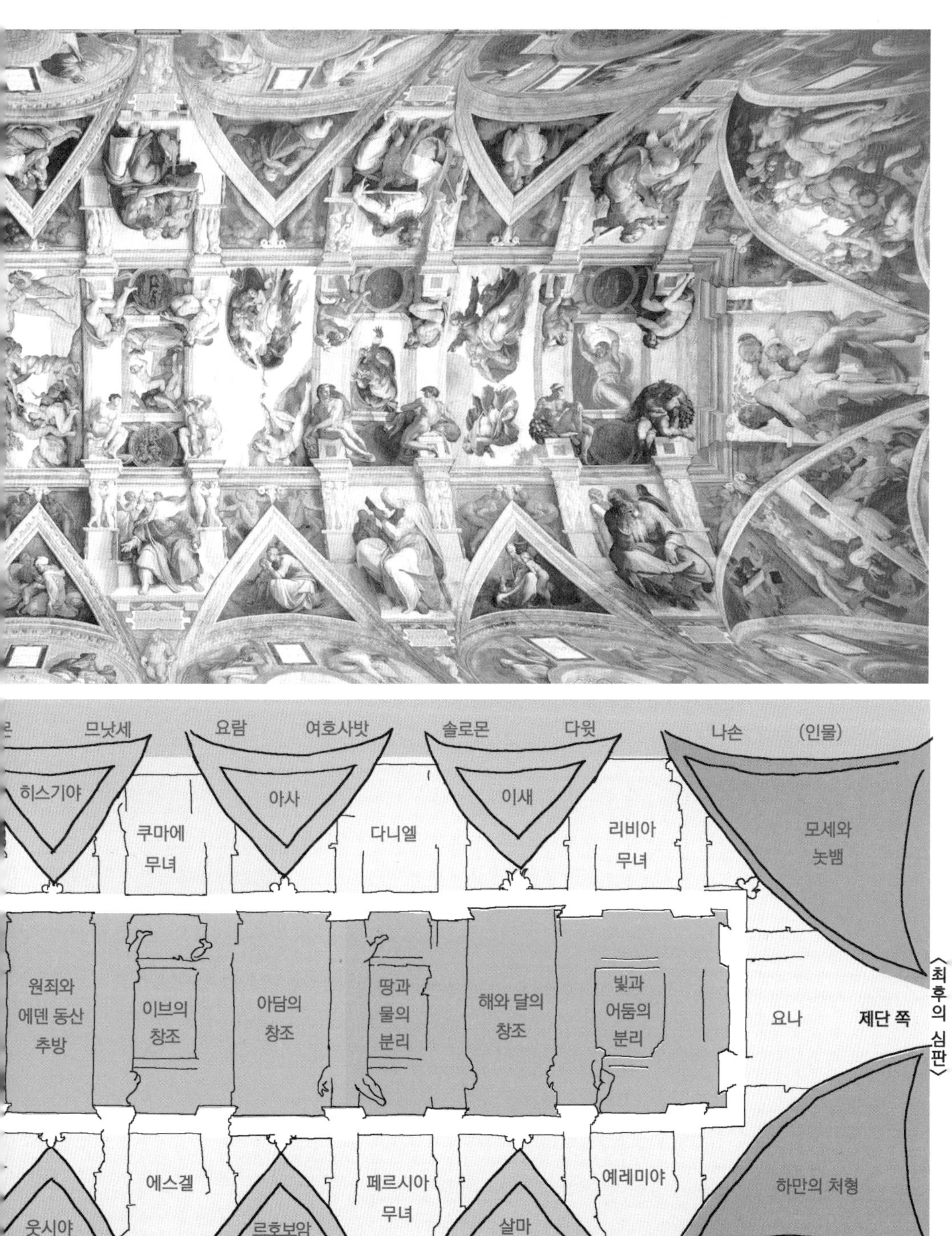

므낫세
요람
여호사밧
솔로몬
다윗
나손
(인물)
히스기야
쿠마에 무녀
아사
다니엘
이새
리비아 무녀
모세와 놋뱀
원죄와 에덴 동산 추방
이브의 창조
아담의 창조
땅과 물의 분리
해와 달의 창조
빛과 어둠의 분리
요나
제단 쪽
〈최후의 심판〉
에스겔
페르시아 무녀
예레미야
하만의 처형
웃시야
르호보암
살마
요담
아비야
오벳
보아스
아비나답
(인물)

경로를 통해 인체 해부에 참여했을 것으로 추측됩니다.

1990년 미국 의사 프랭크 린 메시버거Frank Lynn Meshberger는 『미국 의학 협회지Journal of the American Medical Association』에 제출한 논문에서 〈아담의 창조〉의 신 영역(붉은색 부분)이 인간의 두개골 단면 모양을 하고 있다고 주장했습니다. 미켈란젤로가 두개골 이미지를 통해 신이 아담에게 지성을 부여하는 순간을 나타내려고 의도했다는 겁니다. 이후 다른 의학자들도 미켈란젤로의 천장화에서 혈관, 콩팥, 폐, 안구, 흉부 등 숨어 있던 해부학 이미지를 많이 찾아냈습니다. 미켈란젤로가 자기 작품에 르네상스 시대의 성과인 인체 해부학 연구를 반영했던 겁니다.

새 고용주에게 고용되어 또 다시 최고 성과를 내다

미켈란젤로가 시스티나 예배당의 천장화를 완성한 지 21년이 지난 1533년. 이번에는 교황 클레멘스 7세가 천장화 아래쪽 벽에다 그림을 그려 달라고 주문해 옵니다. 6년 전인 1527년 로마는 신성로마제국 황제 카를 5세의 용병군에게 공격을 받아 폐허가 되었는데요(로마 대약탈Sacco di Roma). 이때 일을 트라우마로 가지고 있던 클레멘스 7세는 시스티나 예배당 벽에 〈최후의 심판〉 장면을 그려 넣기로 결심합니다. 교황권에 도전하는 이들에게 일종의 경고를 하고 어수선한 민심을 수습하려는 목적이었죠. 불신자들이 최후의 심판 때 어떤 일을 당할지 직접 보여 줌으로써 시각적 충격을 주려는 것이었습니다.

하지만 클레멘스 7세는 다음 해 세상을 떠나는 바람에 벽화의 시작을 보지도 못합니다. 미켈란젤로는 벽화 작업이 중단되어 내심 다행

오늘날 여러 의학자와 의사들은 시스티나 예배당 천장화에서 다양한 인체 해부학 이미지를 찾아냈는데요. 〈아담의 창조〉에 그려진 신 영역(붉은색 부분)은 인간의 두개골 단면을 닮았습니다.
〈아담의 창조〉의 신 영역.

이라고 생각했을 텐데요. 하지만 새로 교황 자리에 오른 바오로 3세 역시 그에게 벽화를 재주문합니다. 1536년 또 하나의 명작 〈최후의 심판〉이 그려지기 시작합니다. 천장화 때와 비교해 보면 이번엔 새 고용주와의 마찰이 적은 편이었는데요. 그 대신 수많은 성직자들의 반대에 시달려야 했습니다. 벽화가 폭력, 노출 등 19금 장면으로 가득 차 있었기

시스티나 예배당의 제단 벽화에는 심판자 예수를 중심으로 천국과 지옥 입구, 구원받은 사람들과 순교자들, 승천하는 사람들과 지옥으로 추락하는 사람들, 무덤에서 되살아나는 영혼들, 지옥으로 끌려가는 영혼들이 그려져 있습니다. 성 베드로는 열쇠 두 개를, 성 안드레는 X자형 십자가를 들고 있으며, 세례 요한은 등에 넝마 같은 가죽옷을 걸치고 있습니다.

미켈란젤로 부오나로티, 〈최후의 심판〉, 1536~1541년, 1370×1200cm, 바티칸시국, 시스티나 예배당.

예수가 못 박힌
십자가와 가시면류관을 든
천사들
예수가 채찍질 당할 때
묶인 기둥을 든 천사들
세례
요한
성
안드레
성모
마리아
예수
성 베드로
구원받은
사람들
성
바돌로매
순교자들
승천하는
사람들
나팔 부는 천사들과
운명의 책을 든 천사들
지옥으로 떨어지는
사람들
카론
지옥으로 끌려가는 영혼들
무덤에서 부활하는 영혼들

때문입니다. 폭력성 수위는 '성 바돌로매와 그의 살가죽 장면'에서 이미 우리가 확인한 바 있습니다.

벽화는 오른손을 든 심판자 예수 그리스도를 중심으로 최후의 심판 날을 보여 줍니다. 맨 위에는 천사들이 예수의 수난 도구들, 즉 십자가와 가시면류관, 채찍질 당할 때 묶였던 기둥을 들고 있습니다. 예수를 기준으로 왼쪽에는 성모 마리아, X자형 십자가를 든 성 안드레, 가죽옷을 등에 걸친 세례 요한, 그리고 구원받은 사람들이 위치했고, 오른쪽에는 열쇠 두 개를 쥔 성 베드로, 자기 살가죽을 든 성 바돌로매, 그 외 순교한 성인들이 자리 잡고 있습니다. 예수 아래로는 심판의 나팔을 부는 천사들과 운명의 책을 들여다보는 천사들이 공중에 떠 있습니다. 그들을 중심으로 왼쪽에 승천하는 사람들이, 오른쪽에 지옥으로 떨어지는 사람들이 있습니다. 맨 아래 왼쪽으로는 무덤에서 되살아나는 영혼들이, 오른쪽으로는 지옥 뱃사공 카론의 배에 실려 지옥으로 끌려가는 영혼들이 보입니다.

5년여 작업 끝에 1541년 완성한 그림을 공개하자 찬사와 비난이 동시에 쏟아졌는데요. 비난의 가장 큰 이유는 등장인물들이 모두 나체 상태라는 점 때문이었습니다. "목욕탕 같다", "사창가에나 걸릴 그림"과 같은 반응이 이어집니다. 예수의 모습도 문제가 되었는데요. 호리호리한 몸매에 근엄하게 수염을 기른 기존 성화 이미지와 달리, 수염이 없고 근육질 몸매에 젊은 청년 모습을 하고 있어 이교의 신 아폴론을 연상시켰기 때문이죠. 고대 조각 〈벨베데레의 아폴론Apollo del Belvedere〉과 비교해 보면 같은 미용실이라도 다녀온 듯 머리 모양까지 닮았습니다.

벽화가 완성된 당시에는 주문자인 교황 바오로 3세의 옹호로 그

예수의 모습이 아폴론 신처럼 근육질의 젊은 청년으로 묘사되어 있어 논란이 일었습니다. 아폴론을 묘사한 고대 조각과 비교해 보면 심지어 머리 모양까지 닮았습니다.
왼쪽: 〈최후의 심판〉의 예수.
오른쪽: 〈벨베데레의 아폴론〉, 120~140년경(고대 그리스 조각가 레오카레스의 조각을 로마 시대 때 복제함), 바티칸시국, 바티칸 박물관. ⓒLivioandronico2013

원래는 등장인물들이 모두 나체였으나 후대에 계속된 검열 작업으로 중요 부위가 가려졌습니다. 자기 살가죽을 든 성 바돌로매, 열쇠를 쥔 성 베드로 등 등장인물들의 사타구니가 모두 천으로 덮여 있는 걸 볼 수 있습니다. 미켈란젤로의 제자로서 수정 작업에 참여한 다니엘레는 '기저귀 채우는 사람'이라는 불명예스러운 별명을 얻었습니다.
〈최후의 심판〉 부분.

며서며 넘어갔지만, 노출 문제는 후대까지 계속 제기됩니다. 20여 년이 지난 1563년 트리엔트 공의회는 시스티나 예배당 벽화에서 "비속한 부분을 모두 가려야 한다"고 결정합니다. 미켈란젤로가 죽은 다음 해인 1565년부터 그의 제자 다니엘레 다 볼테라(볼테라 출신의 다니엘레란 뜻으로 앞에서 보셨던 미켈란젤로 초상화를 그린 인물입니다)가 민감한 부분들을 가리는 작업에 착수합니다. 이 일로 다니엘레는 '브라게토네 braghettone'라는 수치스러운 별명을 얻는데요. '기저귀 채우는 사람'이라는 뜻입니다. 이후로도 검열은 계속되어 18세기 말까지 수정 작업이 진행됩니다. 자기 살가죽을 들고 있는 성 바돌로매와 열쇠 두 개를 손에 쥔 성 베드로를 다시 살펴볼까요. 중요 부위가 천으로 가려져 있는 걸 볼 수 있습니다. 특히 베드로의 오른쪽 아래에 있는 성 블라시오(양손에 순교 도구인 금속 빗을 들고 있음)와 성 카타리나(역시 순교 도구인 못 박힌 바퀴를 들고 있음)의 자세가 성행위를 연상시킨다고 하여 두 사람 모두 옷 입은 상태로 수정되었습니다.

우리는 세상에 태어날 때 실오라기 하나 걸치지 않은 상태입니다. 그러니 최후의 순간에 첫 모습으로 돌아간다는 설정은 이상하지 않습니다. "맨몸으로 왔다가 맨몸으로 간다"는 말이 떠오르기도 하는데요. 더구나 나체는 묵시록적인 종말 분위기를 한껏 고조시킬 수 있는 효과적인 장치로 여겨집니다. 할리우드 영화 〈터미네이터〉에서 근육질 배우 아널드 슈워제네거가 연기한 T-800은 미래에서 현재로 도착한 순간에 알몸 상태입니다. 미래 전사의 첫 등장이 너무나 강렬하고 인상적이어서 온갖 패러디물을 낳기도 했죠. 〈최후의 심판〉이 나체 상태 그대로였다면 우리에게 어떤 시각적 효과와 충격을 선사했을지 궁금해집니다.

미켈란젤로는 벽화를 폄하했던 비아조 추기경을 지옥 심판관 미노스로 그려 넣습니다. 그것도 바보를 뜻하는 당나귀 귀에 중요 부위를 뱀에게 물린 모습으로 말이죠. 이렇게 추기경은 벽화 속 악마로 영원히 박제되었습니다.
〈최후의 심판〉의 미노스

꼰대 상사에게 복수하는 미켈란젤로만의 방식

〈최후의 심판〉이 완성된 뒤에야 논란에 휩싸인 건 아니었습니다. 작업 중간에도 끊임없이 문제를 제기한 방해꾼들이 있었는데요. 대표적인 인물이 교황의 의전 담당관 비아조 다 체세나Biagio da Cesena(체세나 출신의 비아조) 추기경입니다. 그는 성자들이 벌거벗은 상태로 그려진 데에 분개했습니다. 이런 그림은 사창가에나 어울릴 것이라고 비난을 쏟아 냈는데요. 이에 앙심을 품은 미켈란젤로는 자기만의 방식으로 복수를 합니다. 천장화에서는 율리오 2세에게 은밀한 손가락 욕을 날렸다면 이번엔 더 센 펀치로 가격합니다.

벽화 오른쪽 아래에 지옥 입구가 그려져 있는데요. 거기에 서 있는 지옥 심판관 미노스의 얼굴에 비아조 추기경을 집어넣습니다. 그것만으로는 성에 차지 않았는지, 귀 자리엔 바보를 뜻하는 당나귀 귀를 그려 넣고 중요 부위는 뱀에게 물린 상태로 표현했습니다. 벽화에서 자기 얼굴을 발견한 추기경은 교황 바오로 3세에게 달려가 고자질합니다. 이어 자기 얼굴을 지우라는 명령을 내려 달라고 간청하는데요. 바오로 3세는 이렇게 대답합니다. "추기경이 연옥에만 있었더라도 내가 어떻게 해 보겠네만, 내 관할 구역 밖인 지옥에 있으니 어쩌겠나." 농담으로 넘어갔지만 결국 교황은 미켈란젤로의 편을 들어준 셈입니다. 이렇게 비아조 추기경은 벽화에 악마의 모습으로 영원히 박제되고 말았습니다.

예술가도 해결할 수 없었던 밥벌이의 괴로움

미켈란젤로는 1564년 89세의 나이로 세상을 떠날 때까지 작업을 멈추지 않았습니다. 말년에는 브라만테가 시작하고 여러 건축가들의 손을 거친 산 피에트로 대성당 건축 일까지 떠맡습니다. 미켈란젤로가 장수한 만큼 그를 거쳐 간 교황도 많았는데요. 율리오 2세, 클레멘스 7세, 바오로 3세, 비오 4세 등 총 9명의 교황이 그를 고용했습니다. 개중에는 율리오 2세처럼 고약한 고용주도 있었는데요. 당시는 교황의 권력이 아직 막강하던 때로 노동법이란 개념조차 없었습니다. 천재로 존경받던 예술가도 혹사당하고 작업비가 자주 연체되는 걸 피할 수 없었는데요. 미켈란젤로는 부당한 대우에 맞서 항의도 하고 사표를 내던지기도 했습니다. 그 와중에도 명성에 걸맞게 최고 결과물을 만들어 냈습니다. 아무리 싫어했던 일이라도 일단 맡으면 확실한 성과를 내서 미래의 고용주에게 내세울 만한 자기 업적으로 삼았던 겁니다. 그러니 교황도 그를 함부로 대하지 못했을 텐데요. 폭군 교황 율리오 2세가 미켈란젤로의 화난 마음을 풀어 주기 위해 밀린 급여를 지불하고 사과의 말까지 전할 정도였죠. 자기 영역에서는 최고 권력자마저 고개를 숙이도록 만들었던 겁니다.

그렇다고 미켈란젤로가 고용주와의 문제를 완전히 해결한 건 아니었습니다. 원하지 않은 일을 억지로 떠맡고 부당한 처우와 비난을 당하기 일쑤였는데요. 우리가 사회생활을 하며 겪는 일들과 크게 다르지 않습니다. 누군가에게 고용된다는 건 내가 원하는 일도 원하는 방식으로 할 수 없다는 뜻입니다. 고용된 사람만 그럴까요. 작은 가게를 운영하는 자영업자에게도, 명칭과 달리 전혀 프리하지 않은 프리랜서에게도 밥벌이 노동은 억울한 일들의 연속입니다. 오늘의 밥벌이가 억울하다고 밥그릇을 걷어차 버리면 내일의 밥벌이를 할 수 없을지 모릅니다.

그러니 자기 감정을 있는 그대로 드러내지 말아야 합니다. 그럼에도 인간적으로 참을 수 없는 모멸감과 부당한 일이 반복된다면 우리는 모든 것을 포기하고 싶은 번아웃burnout 상태에 이릅니다. 사표를 내던지고 도망갔던 미켈란젤로처럼 말이죠. 천재 예술가도 해결할 수 없었던 밥벌이의 괴로움은 오늘날 우리의 고민이기도 합니다.

"완전히 미친 놈."

-17세기 초에 카라바조 전기를 쓴 줄리오 만치니Giulio Mancini가 그에 대해 쓴 글에서

04

그릇된 선택으로 자신의 미래를 망치다

카라바조의 살인

다윗과 골리앗 이야기는 꼭 기독교인이 아니더라도 많이들 알고 계실 겁니다. 평범한 이스라엘 소년이 블레셋(필리스티아) 장군 골리앗을 죽이고 동족을 구했다는 성경 속 일화인데요. 약한 것이 강한 것을 이긴다는 교훈 때문에 자주 인용되기도 하죠.

블레셋은 고대 가나안 땅(오늘날의 이스라엘, 팔레스타인, 요르단, 시리아, 레바논 일부)에 거주하던 여러 민족 중 하나였습니다. 이스라엘 사람들은 하나님이 자신들에게 주시기로 약속한 '젖과 꿀이 흐르는 땅'이 가나안이라고 굳게 믿고 있었는데요. 자연히 그곳에 살던 블레셋과 충돌이 잦았죠. 머리카락에서 힘이 솟는 삼손 역시 블레셋 사람들과 싸운 일화가 많습니다. 그럼에도 두 세력 간 다툼의 하이라이트는 역시 다윗과 골리앗의 대결입니다.

골리앗은 2미터를 훌쩍 넘긴 거구에 엄청난 괴력과 무수한 전쟁 경험을 갖춘 블레셋 최고 용사였습니다. 그에 맞서는 다윗은 아버지의 양을 돌보던 양치기 소년에 불과했는데요. 전쟁터에 온 것도 싸우기 위해서가 아니었습니다. 참전한 형들에게 음식을 전해 주고 안부를 확인

카라바조, 〈골리앗의 머리를 들고 있는 다윗〉, 1609~1610년,
캔버스에 유채, 125×100cm, 로마, 보르게세 미술관Galleria Borghese.

하려 잠시 들렀던 참이었죠. 이때 상대편 진영에서 골리앗이 나와 모욕적인 말을 쏟아 내며 일대일 대결을 제안하는데요. 골리앗의 기세에 눌려 이스라엘 측에서는 아무도 선뜻 나서지 못합니다. 이 장면을 목격한 다윗이 사울 왕에게 자신을 일대일 대결에 내보내 달라고 말합니다. 왕은 미심쩍어 하면서도 다윗에게 자신의 군복과 갑옷을 입혀 주는데요. 무장에 익숙지 않은 다윗은 불편하다며 다 벗어던지고 막대기와 돌 다섯 개만 들고 싸움에 나섭니다.

골리앗은 자기 앞에 나타난 다윗을 보고 실소를 터뜨립니다. 여리고 예쁘장하게 생긴 저 소년은 누가 봐도 골리앗의 적수가 아니었는데요. "네가 나를 개로 여기고 막대기를 가지고 내게 나아왔느냐"(「사무엘상」 17장 43절)며 골리앗이 다윗을 비웃습니다. 다윗은 아랑곳하지 않고 침착하게 돌팔매질을 해서 골리앗의 이마를 명중시킵니다. 골리앗이 쓰러지자 다윗은 그의 칼을 뽑아 그의 목을 벱니다. 그림 〈골리앗의 머리를 들고 있는 다윗Davide con la testa di Golia〉은 이 순간을 포착한 것입니다.

자신을 직접 참수형에 처한 화가

그림을 그린 화가는 미켈란젤로 메리시 다 카라바조Michelangelo Merisi da Caravaggio(1571~1610)입니다. 이름이 미켈란젤로인데요. 미켈란젤로라고 하면 우리는 앞에서 본 르네상스 스타를 떠올립니다. 당대 사람들도 마찬가지였는데요. 그러다 보니 혼동을 피하기 위해 미켈란젤로라는 이름 대신에 출신 지명인 카라바조를 사용하게 되었습니다. 우리식

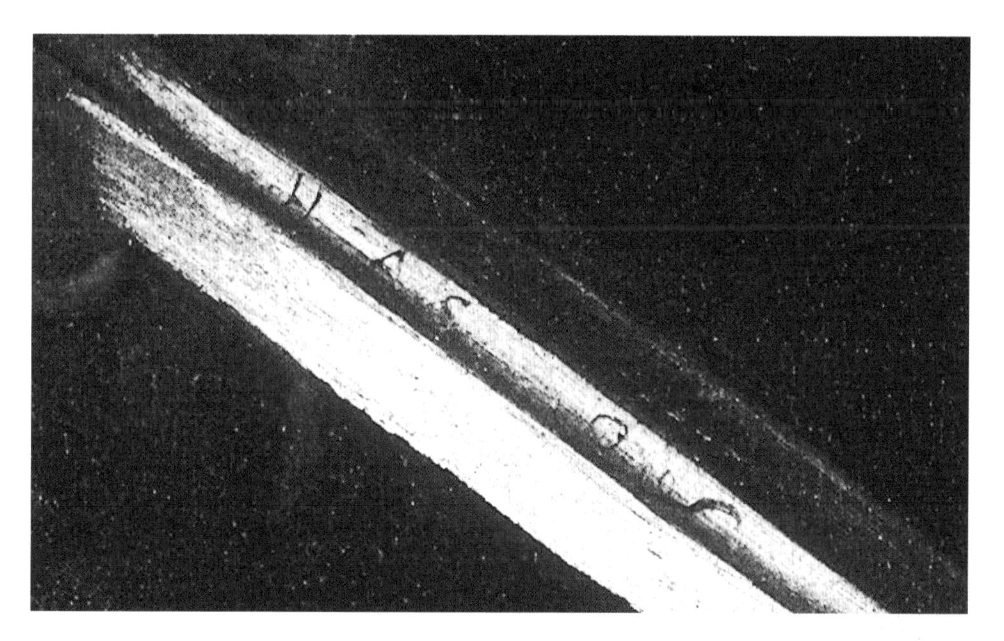

다윗이 들고 있는 칼에는 H-AS OS라는 철자가 새겨져 있는데요. "겸손함이 오만함을 이긴다"는 라틴어 경구의 준말입니다.
〈골리앗의 머리를 들고 있는 다윗〉의 칼.

으로 말하자면 춘천댁, 안성댁, 이런 호칭인 셈이죠. 그렇다고 카라바조를 아무 전제 없이 미켈란젤로의 뒷줄에 세우는 게 당연한 건 아닙니다. 카라바조가 후배들과 미술사에 끼친 영향이 어마어마하기 때문이죠.

그림으로 돌아가 볼까요. 다윗은 오른손에 칼을, 왼손엔 골리앗의 머리를 들고 있습니다. 칼날에는 H-AS OS라는 철자가 새겨져 있는데요. 라틴어 경구 'Humilitas occidit superbiam(겸손함이 오만함을 이긴다)'의 준말입니다. 중세 신학자 성 아우구스티누스가 「시편」에 달았던 주석에서 가져온 문장인데요. 다윗의 승리가 우리에게 주는 교훈을 잘

다윗의 손에 들려 있는 골리앗 얼굴은 카라바조 초상화와 많이 닮았습니다. 카라바조는 그림 속에서 스스로를 참수형에 처한 셈입니다.
왼쪽: 〈골리앗의 머리를 들고 있는 다윗〉의 골리앗 머리.
오른쪽: 오타비오 레오니Ottavio Leoni, 〈카라바조의 초상화〉, 1621년경(카라바조가 죽은 뒤 기억에 의존해서 그렸을 것으로 추정함), 피렌체, 마루첼리아나 도서관Biblioteca Marucelliana.

전달하고 있습니다.

다윗은 자신이 참수한 골리앗의 머리를 내려다보고 있습니다. 표정에서 경멸의 기색이 느껴지는데요. 골리앗의 잘린 목에서는 빨건 피가 뚝뚝 떨어지고 돌에 맞아 움푹 들어간 이마에서는 핏줄기가 흐릅니다. 그런데 이게 어찌 된 일인가요. 골리앗의 얼굴이 화가 카라바조와 닮았습니다. 카라바조 초상화와 비교해 보면 알 수 있는데요. 이 부렁게나 헝클어뜨린 검은 곱슬머리, 덥수룩한 검은 수염, 부리부리하게 뜬 눈과 검은 눈동자, 위로 치솟은 눈썹, 두툼한 입술이 서로 비슷합니다. 골리앗 얼굴에 화가의 자화상이 들어 있는 셈입니다.

많은 화가들이 성경이나 신화 장면에 자신의 얼굴을 슬쩍 집어넣곤 했는데요. 이렇게까지 처참한 몰골로 그린 경우는 흔치 않습니다. 미켈란젤로의 성 바돌로매 살가죽 얼굴과 쌍벽을 이룰 만한데요. 죽어서도 감지 못한 눈, 이빨이 보일 정도로 크게 벌린 입, 잔뜩 찌푸린 미간이 섬뜩합니다. 부검의들의 말에 따르면 사람은 죽을 때의 감정이 얼굴에 사진처럼 찍힌다고 합니다. 카라바조는 사람이 갑작스럽게 죽을 때 짓게 되는 표정을 잘 알고 있었던 것 같습니다. 거친 로마 뒷골목을 누비며 사람을 직접 죽이기까지 했던 그에게 주검은 낯설지 않았던 겁니다. 그런데 더 놀라운 주장이 있습니다. 다윗의 얼굴이 소년 시절 카라바조의 얼굴을 하고 있다는 설인데요. 그렇다면 이 그림은 청년 카라바조가 장년 카라바조를 참수한 장면을 그린 이중 초상화가 됩니다.

이런 주장은 카라바조가 죽고 40년이 지난 1650년에 등장했습니다. 작가 자코모 마닐리Giacomo Manilli는 『빌라 보르게세에 대한 기록Villa Borghese fuori di Porta Pinciana』에서 다음과 같이 썼습니다.

> "카라바조가 골리앗의 얼굴을 자신으로 묘사했고 다윗은 카라바지노Caravaggino를 모델로 해서 그렸다."

카라바지노란 카라바조를 귀엽게 변형한 말입니다. 이탈리아 단어

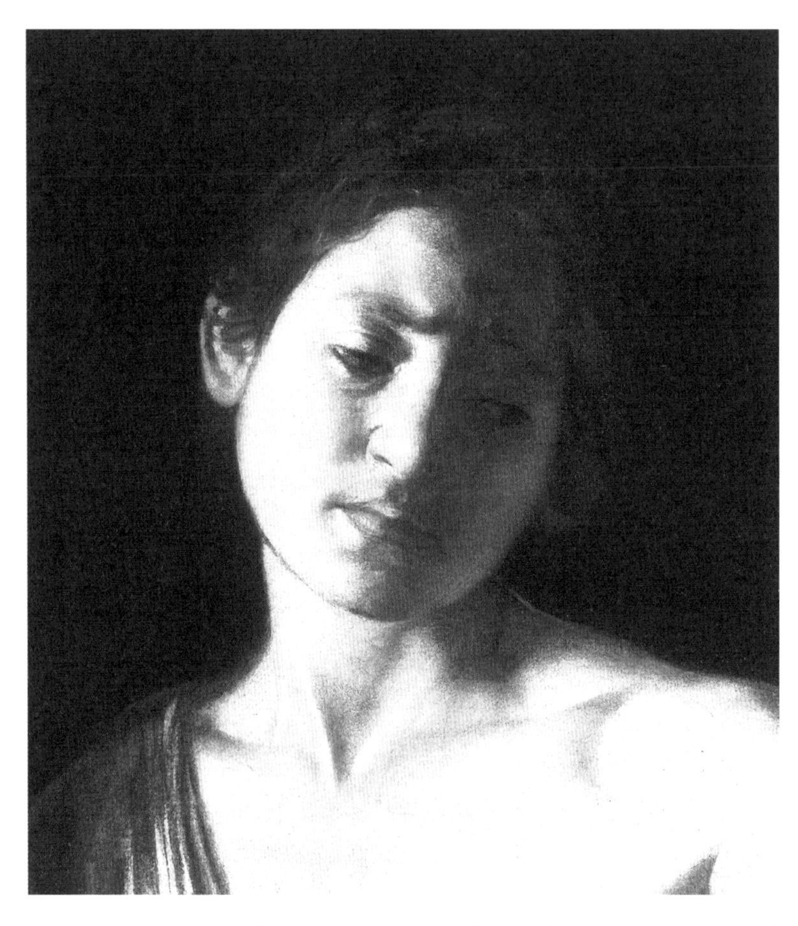

다윗의 얼굴이 카라바조의 젊은 시절 얼굴을 닮았다는 의견이 꾸준히 제기되었습니다. 이 설이 맞다면 그림은 청년 카라바조가 장년 카라바조를 참수한 장면이 됩니다.
〈골리앗의 머리를 들고 있는 다윗〉의 다윗.

끝에 ino를 붙이면 '작은' 또는 '귀여운' 어감을 지니게 됩니다. 연구자들 사이에서는 카라바지노를 어떻게 해석할지를 두고 의견이 갈리는데요. 어떤 연구자들은 '카라바조의 귀여운 소년'이라고 해석하면서 카라바조가 동성애자였으며 자신의 동성 연인을 다윗의 모델로 삼았다고 주장합니다. 반면에 다른 연구자들은 '어린 시절의 카라바조'라고 해석하면서 동성애 설을 부인하고 이중 초상화 설을 지지합니다. 청년 카라바조가 세월에 타락해 버린 장년 카라바조를 죽이는 그림으로 해석하는 겁니다.

이중 초상화 설을 믿지 않는다 해도, 카라바조가 자신을 목이 잘린 골리앗으로 그렸다는 점만은 부인하기 어렵습니다. 화가는 그림을 통해 스스로를 참수형에 처한 셈인데요. 카라바조는 왜 이런 자학적인 그림을 그렸을까요? 그는 이 그림을 완성한 해에 39세의 나이로 죽습니다. 자신의 이른 죽음을 예견하기라도 한 걸까요? 아니면 자신이 떨쳐 내지 못한 죄의식을 반영한 걸까요? 이 그림은 그가 살인을 저지르고 도망자 신분으로 이탈리아 남부를 떠돌아다닐 때 그려졌기 때문입니다. 카라바조는 어떤 사연으로 살인이라는 끔찍한 범죄를 저질렀던 걸까요?

젊은 나이에 얻은 명성과 방탕한 생활

카라바조는 1571년 밀라노(또는 그 근처 소도시 카라바조)에서 태어납니다. 아버지가 귀족은 아니었지만 권세를 누리던 스포르차 가문의 집사이자 건축가였기 때문에 살림이 넉넉한 편이었는데요. 곧 불행이 시작되었습니다. 카라바조가 다섯 살이던 1576년 밀라노에 흑사병이 퍼지자 그곳에 살던 가족은 카라바조로 이주하는데요. 피신한 보람도 없이 다음 해에 할아버지, 아버지, 삼촌이 모두 흑사병으로 사망합니다.

집안 남자들이 줄줄이 세상을 뜨자 가족 생계는 어머니 몫이 되었는데요. 어머니는 1584년 13세의 어린 아들 카라바조를 밀라노에서 활동하던 화가 시모네 페테르자노Simone Peterzano의 공방으로 보냅니다. 카라바조는 여기서 4년간 도제 생활을 한 뒤 1588년 고향으로 돌아옵니다. 1590년 어머니마저 세상을 떠나자 유산을 처분한 뒤 1592년 21세의 나이에 로마로 향합니다.

로마에 정착하는 일은 만만치 않았는데요. 가지고 있던 돈은 곧 바닥났습니다. 카라바조는 생활고를 해결하기 위해 여러 곳을 전전합니다. 몸이 아파 6개월간 자선병원에 입원하기도 했습니다. 이 시기에 그린 그림이 〈바쿠스Bacco〉인데요. 퀭한 눈, 누런 피부, 핏기 없이 푸르스름한 입술, 갈비뼈가 드러날 정도로 앙상한 등살 때문에 〈병든 바쿠스Bacchino malato〉로도 불립니다. 들고 있는 포도조차 시들고 창백한 빛깔을 띠고 있습니다.

그리스 로마 신화에 등장하는 바쿠스는 술의 신, 포도의 신, 다산과 풍요의 신입니다. 그러니 혈색 도는 뺨에 보기 좋게 살이 오른 모습으로 그려지는 게 일반적입니다. 포도주 잔을 내밀며 감상자에게 술 한잔 권하는 듯한 자세를 취하기도 하는데요. 그 주변으로 다양한 과일들이 쌓여 있어 풍요를 나타냅니다. 카라바조가 후원자를 만나 경제적 안정을 찾은 뒤에 그린 〈바쿠스〉는 딱 이런 모습입니다. 바쿠스를 어떻게 그려야 하는지 알고 있었던 겁니다. 그런데 왜 〈병든 바쿠스〉에서는 전혀 다르게 그린 걸까요? 이 그림이 카라바조의 자화상이기 때문입니다.

〈병든 바쿠스〉가 자화상이라는 증거는 여러 군데에서 발견할 수 있습니다. 1642년 조반니 발리오네Giovanni Baglione는 당대 예술가들의 전기를 펴내면서 자신과 경쟁 관계였던 카라바조에 대한 기록도 남겼는데요. 로마에 정착한 카라바조가 거울에 비친 자신을 보면서 여러 점의 자화상을 그렸는데 그중 하나가 〈바쿠스〉라고 적습니다.

최근에는 옥스퍼드 대학에서 펴내는 의학 잡지 『임상 감염병Clinical Infectious Diseases』 2009년 1월 1일자 표지에 〈병든 바쿠스〉가 실렸는데요. 다음과 같이 오늘날 의학의 관점에서 카라바조의 병명을 추정하는 설명문까지 달렸습니다.

> "카라바조가 긴 투병 기간에 자신을 모델로 해서 작업했다는 사실을 이 그림으로 알 수 있다. 누렇게 뜬 피부색과 노르스름한 눈알은 말라리아 증상인 황달로 보인다."

카라바조가 모델 살 돈이 없어 병든 자신을 보고 바쿠스를 그린 건지, 아니면 병든 자신의 모습을 그리기 위해 바쿠스라는 주제를 끌고 왔는지는 알 수 없습니다. 어쨌든 〈병든 바쿠스〉는 "내가 지금은 이렇게 볼품없이 병들어 있지만 언젠가는 바쿠스 신처럼 우뚝 서리라" 하고 다짐하는 카라바조의 야망을 보여 줍니다.

뛰어난 재능을 가진 카라바조에게 힘든 시절은 길지 않았습니다. 1595년 그는 후원자가 되어 줄 프란체스코 마리아 델 몬테Francesco

술의 신이자 다산과 풍요의 신 바쿠스는 포도주, 풍성한 과일들과 함께 혈색 좋게 그려지는 게 일반적입니다. 하지만 카라바조는 생활고에 시달리던 시기에 병색이 뚜렷한 자신의 얼굴을 모델로 하여 병든 바쿠스를 그렸습니다.

카라바조, 〈바쿠스〉, 1596년경, 캔버스에 유채, 95×85cm, 피렌체, 우피치 미술관Gallerie degli Uffizi.

카라바조, 〈병든 바쿠스〉, 1593~1594년, 캔버스에 유채, 67×53cm, 로마, 보르게세 미술관.

Maria del Monte 추기경을 만나게 됩니다. 추기경의 호화로운 궁에서 머물며 유명 인사들과 교류하고 많은 작품을 만들어 낼 수 있었는데요. 앞에서 본 혈색 좋은 〈바쿠스〉도 이 시절에 그려집니다. 마음이 편하니 같은 주제도 다르게 느껴졌나 봅니다. 이제는 꽃길을 걸을 일만 남았는데요.

하지만 문제는 카라바조 본인에게서 생겨납니다. 추기경을 든든한 뒷배로 두게 된 카라바조는 로마 뒷골목을 돌아다니며 폭력적이고 방탕한 생활을 시작합니다. 애초에 고향을 떠나 로마로 온 것도 사고를 치고 야반도주한 것이라는 설이 있습니다. 로마 뒷골목에서 깡패들과 어울려 술집과 사창가를 전전하고, 길거리 패싸움에 끼어들기도 합니다. 사소한 일에 불같이 화를 내며 물건을 부수거나 폭력을 휘두르는 건 다반사였고요. 칼을 차고 다니다 불법 무기 소지로 여러 차례 체포됩니다. 그때마다 그를 구해 준 건 후원자 델 몬테 추기경이었습니다.

문제 많은 사생활과는 대조적으로 화가로서 명성은 점점 더 높아지는데요. 델 몬테 추기경 외에 다른 후원자들도 생겼고, 주요 성당뿐 아니라 로마 교황청까지 그림 주문을 해 옵니다. 이제 카라바조는 이름 없던 병들고 가난한 화가가 아니라 로마에서 가장 주목받는 천재 예술가로 떠오릅니다. 많은 귀족과 성직자들이 그에게 그림을 받기 위해 안달 낼 정도였습니다. 그 와중에도 카라바조는 온갖 물의를 빚는 행동을 이어 갔는데요. 불친절한 식당 종업원을 칼로 찌르고 경찰서에 돌을 던지는 등 엽기적인 사건을 일으킵니다. 공적으로는 성스러운 성화를 그리는 화가로, 사적으로는 난폭한 난봉꾼으로 이중생활을 했던 겁니다.

성경에 등장하는 '엠마오의 두 제자' 일화를 그렸다고는 하지만, 그림 속 장면은 카라바조가 살던 당시 로마에서 흔히 볼 수 있는 식사 풍경이었습니다. 카라바조는 그림 안에 성스러움과 속됨을 동시에 잘 녹여 냈는데요. 마치 성스러운 성화를 그리는 화가이자 난폭한 난봉꾼으로 이중생활을 하던 자신의 삶을 반영한 듯합니다.
카라바조, 〈엠마오에서의 저녁 식사〉, 1601년, 캔버스에 유채, 141×196.2cm, 런던, 내셔널 갤러리.

가난하고 평범한 로마 사람들을 성화에 담다

이 시기에 그려진 그림이 〈엠마오에서의 저녁 식사Cena in Emmaus〉입니다. 성경에 따르면, 예수는 십자가 처형을 당한 뒤 바위 속 무덤에 안치

되는데요. 3일이 지나 무덤을 찾은 여인들은 예수의 시체가 없어진 걸 알게 됩니다. 당황한 여인들 앞에 천사가 나타나 "어찌하여 살아 있는 자를 죽은 자 가운데서 찾느냐"(「누가복음」 24장 5절)며 예수의 부활을 알립니다. 여인들은 예수의 제자들에게 가서 이 소식을 전하지만 대부분 믿지 못합니다.

그날 두 제자가 엠마오 마을로 가면서 시체 분실 사건에 대해 이야기를 나눕니다. 그때 누군가 다가와서 그들의 대화에 끼어듭니다. 마을에 도착한 두 제자는 동행한 나그네에게 날이 저물었으니 자신들과 함께 쉬다 가시라고 제안합니다. 일행은 숙소로 들어가서 저녁을 먹는데요. 나그네가 축사를 하고 떡을 떼어 나눠 줍니다. 그제야 두 제자는 자신들과 긴 시간 함께 걸어온 나그네가 부활한 예수인 것을 알아차립니다. 성경 속 이 장면을 그린 게 〈엠마오에서의 저녁 식사〉입니다.

그림 주문자는 치리아코 마테이Ciriaco Mattei 후작이었는데요. 카라바조는 주문자의 의도와 상관없이 성경 속 일화를 자기 방식대로 풀어 나갑니다. 예수의 모습은 보통 여리여리한 체형에 긴 수염을 길러 신비와 권위를 나타냈는데요. 카라바조가 그린 예수는 수염을 기르지 않았고 얼굴과 체형도 통통한 편입니다. 당시 로마에서 흔하게 볼 수 있는 청년의 모습입니다. 식탁 앞에 앉은 두 제자 역시 카라바조가 살던 때 가난하고 평범한 로마 노동자가 입던 옷차림을 하고 있습니다(성경에 걸맞은 의상은 여관 주인이 쓴 흰 모자뿐입니다). 왼쪽에 앉은 제자의 소매는 거친 노동 때문인지 찢어져 있기까지 합니다. 식탁에 차려진 음식 역시 로마 가정에서 흔히 먹던 빵과 과일이며, 식기류는 15~16세기 이탈리아에서 자주 사용하던 마욜리카maiolica 도기입니다. 그림 속 장면은 카라바조가 살던 시절의 로마 가정식 풍경인 셈입니다. 이 그림을 본 당시 이탈리아 사람들은 성경 속 일화를 자신들의 이야기로 친근하게 받아들였을 겁니다.

이처럼 카라바조는 성화에서 신비주의라는 허울을 벗겨 냈는데요. 성자의 손톱이나 발톱에 낀 때까지 묘사했을 정도입니다. 그래서 그의 그림을 카라바조식 사실주의라고도 합니다. 너무 현실적이다 보니 그림을 주문한 수도원에서 완성작을 보고 퇴짜를 놓는 일까지 벌어졌습니다. 성자를 하찮은 인물로 묘사했다는 이유였습니다. 하지만 생각해 보면 예수의 제자들은 우리가 주변에서 흔히 볼 수 있는 생활인이었습니다. 제자가 되기 전에 베드로는 어부였고, 마태는 식민국 로마를 위해 일하던 세금징수원(세리)으로 동포들에게 매국노 취급을 당했습니다. 그러니 카라바조가 성자를 평범한 이웃으로 그린 것은 이해할 만합니다.

문제는 그 정도가 심했다는 건데요. 〈성모 마리아의 죽음Morte della Vergine〉은 성모를 마치 이웃집 아줌마처럼 표현했습니다. 신성모독이라는 비난을 받을 만했는데요. 더 큰 문제는 임신 상태로 자살한 로마 매춘부의 시체를 모델로 삼았다는 풍문이었습니다. 그녀가 카라바조의 애인일지 모른다는 추측까지 떠돌면서 파문은 커져만 갔는데요. 많은 성직자들이 분노했고 그림 주문처인 산타 마리아 델라 스칼라Santa Maria della Scala 성당은 그림을 철거하기에 이르렀습니다.

지금까지 보신 카라바조의 그림에는 두드러진 특징이 있습니다. 바로 빛과 어둠의 극적인 대비입니다. 그는 화폭을 마치 무대 장치처럼 꾸미곤 했습니다. 한쪽에서 강렬한 빛이 들어와 인물들과 사물들을 밝히는데요. 빛을 받지 못한 부분은 어둠과 그림자 속으로 묻힙니다. 덕분에 인물들은 마치 무대 위에서 스포트라이트를 받은 주인공처럼 암흑 속에서 밝은 모습을 드러내며 감상자의 시선을 사로잡습니다. 이후 많은 화가들이 카라바조의 극적인 명암대조법(키아로스쿠로chiaroscuro)에서 영향을 받았는데요. 이를 테네브리즘Tenebrism(어둠을 뜻하는 이탈리아어 tenebra에서 유래)이라고 합니다.

살인을 저지르고 도망자 신세가 되다

1605년부터 카라바조는 델 몬테 추기경의 궁에서 나와 오늘날의 비콜로 델 디비노 아모레Vicolo del Divino Amore에 거주합니다. 델 몬테 추기경이 더는 그의 비행을 참을 수 없는 지경에 이르지 않았나 싶습니다. 카라바조는 독립한 뒤에도 불법 무기 소지, 모녀 모욕, 치정에 얽힌 폭행, 하숙집 주인의 재물 손괴 등 온갖 문제를 일으킵니다. 그때마다 친구, 성직자, 귀족들이 나서서 그를 도와주었는데요. 예술 애호가라면 카라바조에게 그림 한 점 받으려고 줄을 서는 판이었습니다.

1606년 5월 28일 교황 바오로 5세 취임 1주년 기념일에 결정적인 사건이 터집니다. 카라바조는 테니스장에서 내기 게임을 하다가 패싸움을 벌이는데요. 라누초 토마소니Ranuccio Tomassoni란 사람과 결투를 하다가 자신도 큰 부상을 입은 채 칼로 상대의 배를 찌릅니다. 토마소니는 숨을 거두는데요. 이번에도 힘 있는 후원자들이 나서서 사건을 축소하려고 애를 씁니다. 하지만 어떻게 해도 살인만은 비호해 줄 방법이 없었습니다. 사형 선고가 내려지고, 카라바조는 도망자 신세가 되어

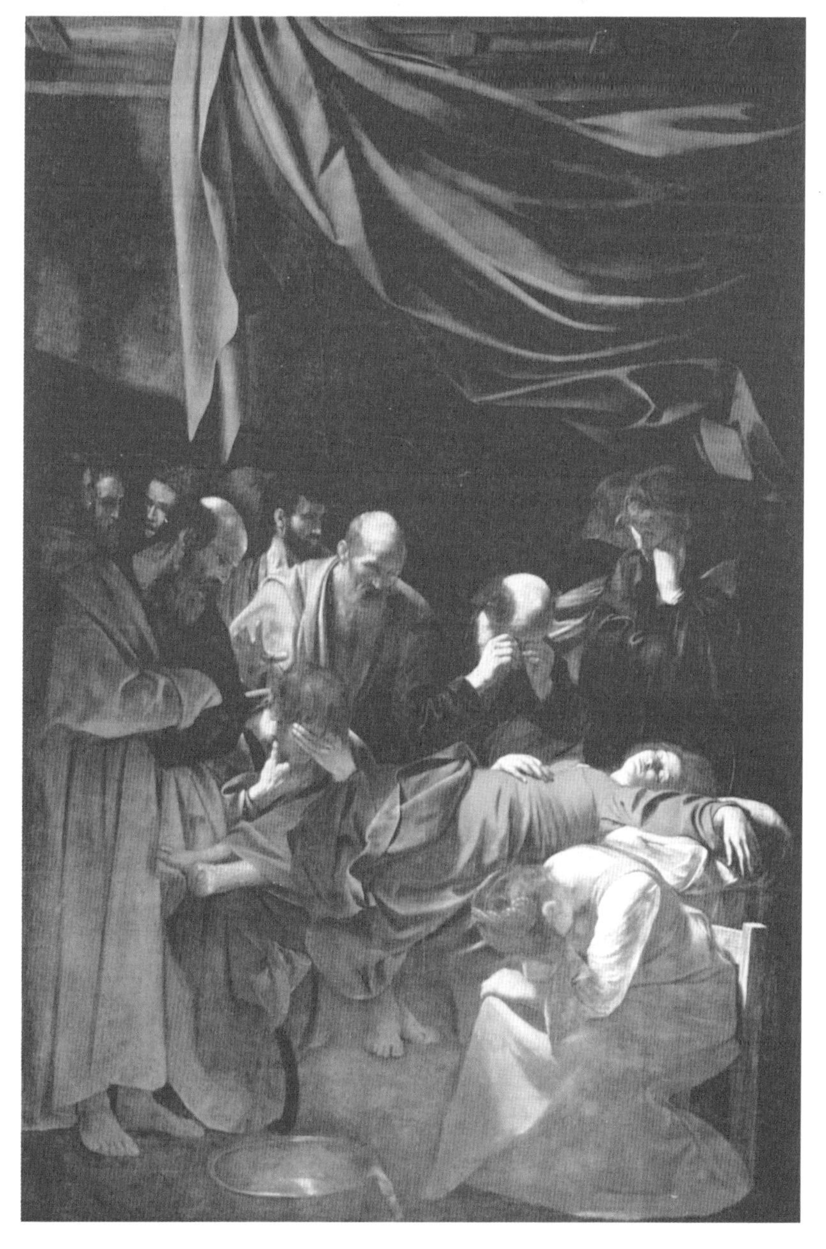

성모 마리아를 그릴 때 매춘부의 시체를 모델로 했다는 소문이 퍼지면서 그림의 명성은 땅에 떨어졌습니다. 그림의 가치를 알아보고 팔리도록 주선한 이는 화가 루벤스였습니다.
카라바조, 〈성모 마리아의 죽음〉, 1601~1606년 사이, 캔버스에 유채, 369×245cm, 파리, 루브르 박물관.

로마를 떠납니다.

이때부터 죽는 순간까지 4년간 도피 생활이 이어집니다. 처음에는 나폴리로 갔다가 이탈리아 최남단에 있는 몰타섬으로 향하는데요. 이곳에서 기사 작위를 받으면 사면 가능성이 있다고 판단했던 것 같습니다. 그 와중에도 그림 주문은 끊이지 않았는데요. 귀족들은 카라바조에게서 그림을 받기 위해 그의 도피를 적극적으로 도왔습니다. 심지어 카라바조는 살인을 저지른 범죄자 신분인데도 1608년 몰타에서 기사 작위를 받습니다. 몰타 대영주가 만족할 만한 초상화를 그려 준 대가였습니다.

도피 기간에 그린 대표적인 그림이 처음 보셨던 〈골리앗의 머리를 들고 있는 다윗〉과 〈세례 요한의 참수Decollazione di San Giovanni Battista〉입니다. 〈세례 요한의 참수〉는 몰타섬에 머물 때 몰타 기사단의 주문으로 그려진 대형 제단화입니다. 살인죄를 저지른 카라바조가 고위층의 비호를 받았다고는 하지만 죄의식과 불안감까지 떨치긴 쉽지 않았을 텐데요. 그런 심정을 엿볼 수 있는 흔적이 그림에 남아 있습니다.

그림에서 참수를 당하고 있는 세례 요한은 광야에서 낙타 털옷을 입고 메뚜기와 꿀로 연명하며 복음을 전하던 예언자인데요. 육촌 사이인 예수가 사적인 삶을 끝내고 공적인 삶을 시작할 때 세례를 준 인물로도 유명합니다. 갈릴리의 헤롯(헤로데) 왕이 동생의 아내 헤로디아와 결혼하는 일이 벌어지자, 세례 요한은 두 사람을 비판하고 감옥에 갇힙니다. 세례 요한에게 앙심을 품은 헤로디아는 딸 살로메(성경엔 헤로디아의 딸로만 기록되어 있지만 당시 역사책에 살로메란 이름이 나옵니다)에게 헤롯 왕 앞에서 춤을 추게 합니다. 의붓딸의 춤이 마음에 들었던 헤롯 왕은 뭐든 원하는 것을 말하면 나라 절반이라도 주겠노라고 약속합니다. 어머니의 사주를 받은 살로메는 세례 요한의 머리를 쟁반에 담아 달라고 말합니다. 헤롯 왕은 내키지 않아 하지만 많은 사람들 앞에서 한 약속이다 보니 취소하지 못합니다. 결국 세례 요한은 목을 잘리게 되는데요. 성경 속 이 장면을 그린 게 〈세례 요한의 참수〉입니다.

여기서 카라바조는 지금까지 다른 그림들에서는 하지 않은 행동을 하는데요. 그림 안에 자신의 서명을 남긴 겁니다. 그것도 세례 요한의 잘린 목에서 흘러나온 피로 자기 이름 '미켈란젤로(정확히는 f. Michelang.o)'를 씁니다. 마치 성인의 성스러운 피로 자신의 더러워진 이름을 씻고자 하는 심정을 담은 것처럼 말이죠.

카라바조의 자학적인 그림들이 진정한 속죄와 참회의 마음으로 그려졌는지는 확신하기 어렵습니다. "내가 이렇게까지 잘못을 뉘우치고 있으니 그만 용서해 달라"는 파렴치한의 뻔뻔한 위선 같기도 합니다. 피해자에게 미안한 마음이 없이 오직 자신의 처벌을 가볍게 하려는 의도로 반성 편지를 쓰는 가해자처럼 말이죠. 실제로 이런 그림들을 그린 뒤에도 카라바조의 행동은 변하지 않았습니다.

기사 작위를 받은 카라바조는 또 물의를 일으키고 몰타의 한 감옥에 갇힙니다. 탈옥을 시도한 카라바조는 성공하고(이 일로 기사 작위는 취소됩니다), 다시 도망자 신세가 되어 시라쿠사, 메시나, 팔레르모, 나폴리를 떠돕니다. 마지막에는 교황이 사면해 줄 것이라는 희망을 품은 채 나폴리에서 로마로 향하는데요. 이 여정 중이던 1610년 7월 로마 근처의 한 해안가에서 시체로 발견됩니다. 39세의 한창나이였습니다.

카라바조가 어떻게 죽었는지는 명확하지 않은데요. 말라리아, 이

카라바조가 살인을 저지르고 도피 생활을 할 때 그린 그림 중 하나입니다. 세례 요한의 목이 잘리는 일화를 담았습니다. 헤롯 왕이 동생의 아내 헤로디아와 결혼하자 세례 요한은 두 사람을 비판합니다. 이에 헤로디아는 딸 살로메에게 매혹적인 춤으로 의붓아버지인 헤롯 왕을 홀리게 한 뒤 세례 요한의 머리를 요구하라고 시킵니다. 사형 집행인은 세례 요한의 목을 자르고 있고, 왼쪽 소녀(또는 살로메)는 세례 요한의 머리를 담을 쟁반을 준비하고 있습니다. 오른쪽 건물 창가에서 두 사람이 처형 장면을 내다보고 있습니다.

카라바조, 〈세례 요한의 참수〉, 1608년, 캔버스에 유채, 370×520cm, 발레타(몰타의 수도), 성 요한 공동대성당St. John's Co-Cathedral.

카라바조의 작품 중 유일하게 서명이 있는 그림인데요. '미켈란젤로'라는 이름이 세례 요한의 피로 쓰여 있습니다. 더러운 이름을 성인의 피로 씻고자 하는 심정을 담은 듯합니다.
〈세례 요한의 참수〉의 세례 요한.

질 혹은 매독에 걸려 죽었다고도 하고, 몰타에서 쫓아온 적들의 손에 죽임을 당했다고도 합니다. 어떤 연구자들은 카라바조가 레드 화이트 lead white(lead=납)란 흰색 물감에 들어 있는 납 성분에 중독되어 죽음에 이르렀을 것이라고 추측하는데요. 그의 이해할 수 없는 난폭성 역시 납 중독에서 기인했을 것이라는 겁니다. 2010년 토스카나에서 카라바조의 것으로 보이는 유해가 발견되었는데요. 과학자들은 이 유해에서 광기와 죽음의 원인이 될 만큼 많은 양의 납 성분을 검출했습니다.

삶의 빛과 어둠을 함께 보여 주는 예술의 힘

'만약에'라는 가정은 역사에서든 개인의 삶에서든 성립하지 않습니다. 일어나지 않은 일을 누구도 예단할 수 없기 때문입니다. 그럼에도 카라바조의 삶 앞에서는 '만약에'라는 말을 하게 됩니다. 만약에 그가 비교적 사소한 범죄들을 저질렀을 때 그에 합당한 처벌을 받았더라면, 그래서 폭력적인 성향을 교정할 수 있는 기회를 가졌더라면, 그는 살인이라는 용서받을 수 없는 범죄에 이르지 않았을지 모릅니다. 그랬더라면 자신의 예술을 더욱 발전시킬 시간을 얻었을 수 있습니다. 그가 존경했고 또한 넘어서려 했던, 자신과 이름이 같았던 스타 예술가 미켈란젤로는 66세에 최고 명작 〈최후의 심판〉을 완성했습니다. 카라바조의 때 이른 죽음이 안타까워지는 지점입니다.

그렇다고 카라바조의 업적이 보잘것없다는 말은 아닙니다. 그는 짧은 생애에도 불구하고 르네상스에서 매너리즘Mannerism(이탈리아어로는 마니에리스모Manierismo)으로 이어지던 흐름을 끝내고 바로크Baroque라는 새 바람을 일으켰습니다. 르네상스는 균형 잡힌 인체미, 황금비례(가장 아름답게 보이는 비례), 원근법 등으로 '완벽주의'를 추구하는 경향이 있었는데요. 앞서 살펴본 미켈란젤로의 그림을 떠올려 보면 짐작하실 수 있을 겁니다. 매너리즘 화가들은 이에 반기를 들었습니다. 그들은 자로 잰 듯한 완벽한 미에 갑갑함을 느끼고 개인의 감정이나 내면세계, 환상, 분위기 등을 중시했는데요. 강렬한 색채와 과장된 동작을

즐겨 사용하고 인체를 위아래로 길게 늘려 환상적인 분위기를 연출하기도 했죠.

카라바조는 이런 매너리즘에 다시 반기를 들면서 연극적 사실주의를 추구합니다. 앞에서 본 카라바조의 그림들로 돌아가 볼까요. 배경, 소품, 등장인물들의 위치와 동작, 빛의 효과 등이 연극 무대처럼 잘 짜여 있는 걸 볼 수 있습니다. 특히 성경 속 인물들은 카라바조가 살던 시대의 가난한 로마 사람들 모습을 하고 있는데요. 성인들이 특별한 존재가 아닌 평범한 나와 내 이웃으로 등장하고 있습니다. 덕분에 그들은 성스러움이라는 참을 수 없는 무거움을 벗어던지고 우리 곁에 살아 숨쉬는 인간처럼 존재하는데요. 그림의 친밀감과 생생한 현장감은 설득력 있게 우리 마음을 움직입니다. 특히 한 화면 안에 빛과 어둠이, 성인과 보통 사람이 공존하는 카라바조의 그림은 우리에게 인생의 양면성을 보여 줍니다. 이후 많은 후배 화가들이 카라바조의 드라마틱한 그림에 열광했는데요. 곧 만나 볼 아르테미시아, 벨라스케스, 렘브란트가 그런 화가들입니다.

두 순례자가 성모와 아기 예수를 찾아와 참배를 올리고 있는데요. 옷차림은 남루하고 굳은살 박힌 발바닥은 오랜 여행으로 더러워졌습니다. 가난하고 보잘것없는 이들을 위해 성모자는 문 앞에 모습을 드러내고 있습니다. 이 그림은 1602년에 죽은 에르메테 카발레티Ermette Cavalletti 후작의 유언에 따라 가족 예배당 장식용으로 그려졌습니다. 남자 순례자는 후작을, 여자 순례자는 후작의 어머니를 모델로 했는데요. 그들은 고귀한 원래 신분과 상관없이 그림에서는 이름 없는 평민으로 묘사되었습니다. 순례자의 엉덩이가 노골적으로 감상자 쪽을 향하고 있어 당시엔 성화의 품위를 갖추지 못했다는 혹평을 받았습니다. 심지어 성모의 모델은 카라바조가 사랑했던 매춘부 레나였다고 합니다.

카라바조, 〈순례자들의 성모Madonna dei Pellegrini〉 또는 〈로레토의 성모Madonna di Loreto〉, 1604~1606년, 캔버스에 유채, 260×150cm, 로마, 산타고스티노 성당Basilica di Sant'Agostino in Campo Marzio의 카발레티 예배당.

"당신은 카이사르의 정신을 가진 여자의 영혼을 보게 될 겁니다."

-아르테미시아 젠틸레스키가 후원자 안토니오 루포에게 보낸 편지(1649)에서

05

성폭력의 트라우마를 딛고 거장이 되다

아르테미시아 젠틸레스키의 복수

1612년 로마 법정에서 19세 소녀가 엄지손가락을 비트는 고문을 받습니다. 뼈마디가 으스러지는 고통 속에서도 소녀는 간절하게 외칩니다. 고통이 커질수록 목소리는 비명으로 변해 갔지만 내용은 같았는데요. 소녀가 외친 세 마디 말이 당시 법정 기록물에 남아 있습니다. "내 말은 진실입니다." "내 말은 진실입니다." "내 말은 진실입니다."

소녀가 당한 건 손가락 고문만이 아니었는데요. 치욕적인 처녀막 검사도 두 차례 받습니다. 더 놀라운 건 소녀가 가해자가 아닌 성폭행 범죄의 피해자였다는 사실입니다. 당시는 사건 당사자들의 말이 엇갈리면 진술의 신빙성을 증명(?)하기 위해 고문을 행하곤 했는데요. 극심한 고통에도 진술이 일관적이라야 사실로 받아들여졌습니다.

소녀의 이름은 아르테미시아 젠틸레스키Artemisia Gentileschi(1593~1656?). 아르테미시아는 피해자임에도 법적인 보호는커녕 고문에 각종 스캔들 등 2차 가해에 시달려야 했습니다. 성폭행 사건과 이후 재판 과정은 평생에 길친 드라우마이자 죽어서도 자신을 계속 따라다니는 꼬리표가 됩니다. 상해나 재산 피해를 입었다면 주변의 위로라도 받았을 텐데요.

아르테미시아 젠틸레스키, 〈홀로페르네스의 목을 자르는 유디트〉, 1614~1620년, 캔버스에 유채, 199×162.5cm, 피렌체, 우피치 미술관.

성폭행 피해는 각종 추문과 주변의 의심 어린 눈초리로 이어졌습니다. 미국 해병대 출신으로 2015년 외상후스트레스장애PTSD에 관한 책을 펴낸 데이비드 모리스David J. Morris는 한 인터뷰에서 "성폭행 피해자가 진단 가능한 외상후스트레스장애를 겪을 확률은 전투 피해자의 약 네 배"라고 밝힌 바 있는데요. 성폭행 피해에 2차 가해까지 더해지면서 아르테미시아의 고통은 가중되었을 겁니다.

아르테미시아의 마음속에서 가해자와 세상에 대한 분노는 걷잡을 수 없이 커져 갔을 텐데요. 아르테미시아는 이를 그림에 반영합니다. 〈홀로페르네스의 목을 자르는 유디트Giuditta che decapita Oloferne〉가 대표적입니다. 외경(성경을 만들 때 수집되었으나 마지막에 제외된 경전들) 「유딧서」의 내용을 담은 그림인데요. 아름다운 이스라엘 여성 유디트(유딧)가 적군인 아시리아 장군 홀로페르네스를 유혹해 죽이고 자기 민족을 구했다는 일화입니다. 아르테미시아는 당시 유행하던 그림 주제인 유디트로 여러 점의 그림을 그렸는데요. 이 그림이 가장 유명합니다.

유디트는 한 손으로 홀로페르네스의 머리카락을 쥔 채 다른 손으로 목을 자르고 있습니다. 칼을 쥔 모습과 얼굴 표정이 조금의 망설임도 없이 단호한데요. 그림 속 유디트는 아르테미시아의 페르소나가 분명합니다. 아르테미시아는 유디트의 얼굴을 한 채 가해자와 세상에 단죄의 칼날을 들이댄 겁니다. 그러니 설혹 얼굴이 닮지 않았다 해도 이 그림은 자화상이라 보아도 될 듯합니다.

1649년 11월 13일 아르테미시아가 후원자 돈 안토니오 루포Don Antonio Ruffo에게 보낸 편지에는 다음의 구절이 있는데요. 아르테미시아가 평생 동안 그린 여성들과 자기 자신에 대한 긍지가 드러납니다.

아르테미시아가 그린 자화상입니다. 붓 든 손을 머리 위로 치켜들고 그림 그리는 모습이 전투적으로 보입니다. 자신의 일에 얼마나 열정적으로 매달려 있는지 알 수 있습니다. 이처럼 아르테미시아는 칼 대신 붓을 들고 세상의 편견과 싸웠습니다. 이 그림은 영국 왕 찰스 1세가 생전에 소장하기도 했습니다.
아르테미시아 젠틸레스키, 〈회화의 알레고리로서 자화상Autoritratto come allegoria della Pittura〉(또는 〈회화La Pittura〉), 1638~1639년, 캔버스에 유채, 98.6×75.2cm, 런던, 영국 왕실 컬렉션Royal Collection.

"당신은 카이사르의 정신을 가진 여자의 영혼을 보게 될 겁니다."

성폭행의 피해자가 되다

사건의 전말을 살펴보기 위해 아르테미시아의 인생으로 들어가 보겠습니다. 아르테미시아는 1593년 교황령(오늘날의 이탈리아 중부)에 속해 있던 로마에서 태어났습니다. 로마에서 꽤 잘나가는 화가 오라치오 젠틸레스키Orazio Gentileschi를 아버지로 두었는데요. 1605년 어머니가 죽자 아버지는 자기 공방에서 자식들에게 직접 그림을 가르칩니다. 12살 된 아르테미시아는 남동생 셋과 동등한 교육을 받는데요. 당시 여성이 이런 기회를 갖는 건 드문 일이었습니다. 대부분은 가정에서 머물며 최소한의 교육을 받는 데 만족해야 했죠. 오라치오는 딸이 화가로 성공할 수 있도록 지원하는데요. 당시 다른 아버지들과 달리, 시대를 앞서가는 생각을 가졌던 듯합니다.

아르테미시아는 아버지의 기대에 부응해 일찍부터 예술적 재능을 나타내는데요. 남동생들보다 뛰어났다고 합니다. 하지만 1611년 5월 평생 트라우마로 남을 사건이 터집니다. 18세가 된 아르테미시아는 아버지 동료이자 자신의 그림 스승인 아고스티노 타시Agostino Tassi의 방문을 받는데요. 단 둘이 있게 되자 타시는 아르테미시아를 성폭행하고 맙니다. 유부남이었던 타시는 아르테미시아에게 "아내와 이혼하고 너와 결혼하겠다"는 약속을 합니다. 이후 몇 달간 성적 관계를 지속하는데요. 타시의 약속은 지켜지지 않았습니다. 딸이 당한 일을 알게 된 아버지는 결혼 약속마저 지켜지지 않자 사건이 일어난 지 10개월 만인 1612년 3월 타시를 고소합니다. 이때 고소당한 건 타시만이 아니고 두 사람이 더 있었는데요. 아르테미시아가 엄마처럼 따랐던 이웃 아줌마 투치아 메다글리아Tuzia Medaglia와 교황 숙소 관리인 코시모 쿠오를리Cosimo Quorli입니다. 이들은 타시의 성폭행에 가담했거나 최소한 묵인했던 것으로 알려져 있습니다.

재판은 7개월 동안 계속되었는데요. 타시와 아르테미시아 사이의 법정 공방이 이어집니다. 당시는 성폭행을 피해 여성에 대한 범죄가 아닌 그녀의 아버지나 남편의 재산상 손해로 보았습니다. 만일 미혼의 피해자가 성폭행 때 처녀가 아니었다면 재산상 피해는 없는 셈이 됩니다. 타시는 사건 당시 아르테미시아가 처녀가 아니었다고 주장하는데요. 이에 아르테미시아는 성폭행 전에 자신이 처녀였음을 증명해야 했습니다. 결국 판사는 산파를 불러 처녀막 검사까지 진행했습니다.

피해 배상 방식도 오늘날로서는 이해하기 힘든데요. 최선의 배상은 가해자가 피해자와 결혼하는 것이었습니다. 사회의 편견에서 완전히 자유로울 수 없었던 아버지도 자신과 딸의 명예 회복을 위해 결혼이 최선이라고 생각했던 것 같습니다.

하지만 재판이 진행되는 중에 타시의 다른 범죄들이 추가로 발각되었는데요. 타시가 아내를 실해하기 위해 암살범을 고용했고 오라치오의 그림을 훔치려 했다는 겁니다. 더구나 그는 근친상간을 저지르기도 했는데요. 재판 결과 타시에게 징역 2년형이 선고됩니다. 하지만 그는 8개월 만에 풀려나 아무 일 없었다는 듯이 화가로 살아갑니다.

〈수산나와 노인들Susanna e i vecchioni〉은 아르테미시아가 성폭행을

음탕한 두 장로가 젊고 아름다운 여인 수산나를 희롱하고 있습니다. 그림 속 수산나가 겪은 일이 일 년 후 화가에게 실제로 벌어집니다.
아르테미시아 젠틸레스키, 〈수산나와 노인들〉, 1610년경, 캔버스에 유채, 170×119cm, 폼메르스펠덴Pommersfelden, 바이센슈타인 성Schloss Weißenstein.

당하기 일 년 전에 그려진 그림인데요. 마치 자신의 미래를 예견한 듯합니다. 외경 「다니엘서」에 따르면 음탕한 두 장로가 목욕 중인 아름다운 유부녀 수산나를 유혹하려다 실패하는데요. 두 장로는 수산나가 젊은이와 간통했다는 거짓 증언을 합니다. 사형 위기에 처한 수산나는 선지자 다니엘의 도움으로 누명에서 벗어나고, 대신 두 장로가 무고죄로 처형당합니다.

이 그림을 그릴 당시 아르테미시아는 아버지의 공방에서 많은 남성들에게 둘러싸여 일을 했는데요. 그들이 던지는 추파, 성적인 시선과 농담에 시달렸던 게 분명합니다. 노인이 귓속말로 유혹하려 하지만 수산나는 몸서리치며 얼굴을 돌리는데요. 자신이 느꼈던 감정을 그대로 드러내고 있습니다. 수산나와 두 장로 일화는 많은 화가들이 즐겨 그렸던 주제인데요. 남성 화가들은 주로 수산나의 아름다운 몸을 보이는 데 집중했다면, 아르테미시아는 여성이 느꼈을 감정에 주목하고 있습니다. 같은 주제를 다루더라도 누구의 목소리에 귀 기울이는지에 따라 표현이 완전히 달라지는 겁니다.

화가로 성공해서 큰돈과 명성을 얻다

재판이 끝난 후 아버지는 딸을 삼류 화가 피에란토니오 스티아데시 Pierantonio Stiattesi와 서둘러 결혼시킵니다. 스캔들 때문에 더는 로마에서 머물기 어려웠던 신혼부부는 1612년 남자 쪽 고향인 피렌체로 이주하는데요. 피렌체에서 아르테미시아의 재능은 꽃을 피웁니다. 당시 여성 화가들은 집에서 취미로 그림을 그리는 데다가 누드 모델(인체를 그리는 훈련은 당시 주류 장르인 역사화에 꼭 필요한 과정이었습니다)을 구하는 게 거의 불가능했기 때문에 정물화나 초상화를 주로 그렸는데요. 아르테미시아는 달랐습니다. 아르테미시아는 대형 역사화와 종교화를 그린 거의 최초의 여성 화가였습니다. 메디치 가문의 후원을 받는 등 화가로 성공했을 뿐 아니라 여성 화가 최초로 아카데미아 델레 아르티 델 디세뇨Accademia delle Arti del Disegno 회원이 되기도 합니다. 덕분에 아르테미시아는 상류층 문화를 접하면서 많은 교양과 지식을 쌓을 수 있었는데요. 1612년 성폭행 재판에서 자신을 문맹이라고 증언한 것으로 봐서, 이 시기에 읽기와 쓰기를 배운 듯합니다.

높아지는 명성과 달리, 개인 삶은 행복하지 않았는데요. 아이 다섯을 낳았지만 둘을 제외하고는 모두 일찍 죽습니다. 사랑 없이 시작한 부부 생활에도 문제가 생깁니다. 2011년 한 미술사학자가 프레스코발디 역사기록보관소Archivio Storico Frescobaldi에서 아르테미시아가 쓴 편지 뭉치를 발견해 책으로 출간하는데요. 20대의 아르테미시아가 귀족 프란체스코 마리아 마링기Francesco Maria Maringhi에게 보낸 연애편지들이 포함되어 있습니다. 남편은 두 사람의 불륜 관계를 알면서도 묵인했는데요. 게으르고 무능했던 그는 아내의 부유한 후원자와 관계가 끊어지는 걸 두려워했던 것 같습니다. 부부는 일종의 쇼윈도 부부 생활을 했던 겁니다.

하지만 아르테미시아의 불륜 관계가 궁에 알려지고 재정 문제까지 겹치면서 1620년 아르테미시아 가족은 로마로 돌아옵니다. 과거에 아르테미시아를 내치다시피 했던 도시 로마가 이번엔 그녀에게 날개를 달아 줍니다. 교황 우르바노 8세는 여성 화가에게 대형 그림은 가당치

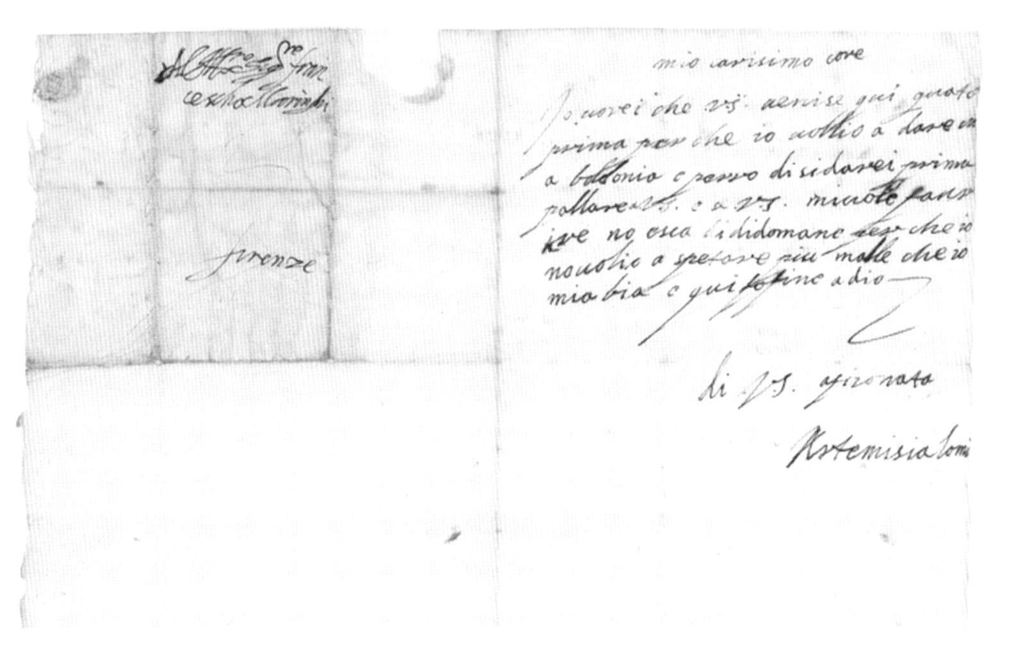

mio carissimo core

firenze

Artemisia Lomi

2011년 한 미술사학자가 프레스코발디 역사기록보관소에서 편지 뭉치를 발견하는데요. 그 편지들 중 하나입니다. 1618~1619년경 20대의 아르테미시아가 피렌체 귀족 프란체스코 마리아 마링기에게 보냈던 연애편지입니다.

않다고 생각하고 아르테미시아에게 제단화를 의뢰하지 않았습니다. 그럼에도 로마엔 그녀의 재능을 인정한 다른 후원자들이 많이 있었습니다. 아르테미시아는 돈과 명성 모두를 얻습니다. 하지만 이 시기에 남은 두 아이 중 아들마저 죽고 결혼 생활도 파탄에 이르는데요. 1623년경 남편이 더 이상 어떤 기록에도 등장하지 않는 것으로 봐서 부부는 헤어진 것으로 보입니다. 아르테미시아가 로마로 이주한 뒤에도 연인 마링기와의 편지 왕래는 꾸준히 이어졌습니다.

여성을 보호하는 여신으로 거듭나다

로마 시기에 그린 그림이 〈유디트와 홀로페르네스의 목을 든 하녀 Giuditta e la sua ancella con la testa di Oloferne〉입니다. 첫 그림 〈홀로페르네스의 목을 자르는 유디트〉의 후일담이라고 생각하시면 됩니다. 유디트와 하녀 아브라가 힘을 합쳐 적장 홀로페르네스를 죽인 뒤 벌어진 장면입니다. 유디트는 천막(또는 숙소) 밖을 살피며 망을 보고 있고, 아브라는 적장의 잘린 머리를 자루에 넣고 있습니다. 유디트의 드레스가 〈홀로페르네스의 목을 자르는 유디트〉에서처럼 노란색(소매 색은 약간 다르지만)입니다. 화가가 의도했는지는 알 수 없지만 두 그림 사이에 연속성이 느껴집니다.

아르테미시아는 카라바조의 영향을 받은 바로크 화가답게 명암대조법(키아로스쿠로)을 잘 활용했는데요. 왼쪽 초에서 흘러나오는 불빛이 유디트의 손바닥과 얼굴과 드레스, 그리고 아브라의 얼굴과 분주히 움직이는 팔에 차례로 가닿습니다. 불빛을 따라가다 보면 마지막엔 적장의 잘린 머리에 이릅니다. 나머지는 어둠에 묻혀 있는데요. 덕분에 연극 무대나 영화에서 펼쳐지는 시체 은닉 장면처럼 긴박감을 자아냅니다. 역시 카라바조의 후예답습니다.

특히 유디트의 얼굴에 드리워진 손바닥 그림자가 인상적인데요. 그림자로 인해 생긴 밝은 부분이 그믐달 모양을 하고 있습니다. 이렇게 눈썹처럼 얇게 생긴 달은 로마 신화에 나오는 달의 여신이자 사냥의 여신 디아나(그리스 신화에서는 아르테미스)를 상징하는데요. 디아나는 처녀를 지키고 출산과 다산을 돕는 등 여성을 보호하는 신이기도 합니다. 이 지점에서 다시 한번, 유디트가 아르테미시아의 페르소나이자

유디트와 하녀 아브라가 적장 홀로페르네스를 죽이고 나서 벌어진 후일담을 그린 그림입니다. 유디트는 망을 보고 있고 아브라는 적장의 머리를 자루에 넣고 있습니다.
아르테미시아 젠틸레스키, 〈유디트와 홀로페르네스의 목을 든 하녀〉, 1623~1625년경, 캔버스에 유채, 184×141.6cm, 미시간, 디트로이트 미술관Detroit Institute of Arts.

초에서 흘러나오는 불빛이 손바닥에 가려져 유디트의 얼굴에 그림자를 드리우고 있습니다. 밝게 드러난 나머지 얼굴은 그믐달 모양을 하고 있는데요. 이렇게 눈썹처럼 얇은 달은 달의 여신이자 사냥의 여신 디아나를 상징합니다. 디아나는 또한 여성을 보호하는 여신이기도 합니다. '유디트=디아나 여신=화가 자신'이라는 공식이 성립합니다.
〈유디트와 홀로페르네스의 목을 든 하녀〉의 유디트.

자화상임을 확인할 수 있습니다.

여성의 감정과 연대 관계를 표현하다

1620년대 후반에 아르테미시아는 여러 도시에서 그림 주문을 받은 듯합니다. 하나 남은 딸을 데리고 베네치아로 갔다가 나폴리로 이주합니다. 1638년엔 런던으로 건너가는데요. 영국 왕 찰스 1세의 궁정화가로 일하던 아버지 오라치오가 자신이 있는 곳으로 딸을 불렀던 겁니다(일설에 따르면 아르테미시아를 런던으로 부른 건 아버지가 아닌 찰스 1세라고도 합니다). 영국 체류 시기에 아르테미시아는 아버지와 여러 대형 작업을 협업하는데요. 오라치오는 다음 해 세상을 떠납니다. 1642년 잉글랜드 내전이 시작되자 아르테미시아는 나폴리로 돌아옵니다. 거기서 작품 활동을 하다가 1656년경 생을 마감한 것으로 추측됩니다.

죽음 이후 아르테미시아는 미술사에서 잊힌 화가가 됩니다. 카라바조의 아류로 평가된 데다 몇몇 주요 그림들이 아버지(또는 아버지 공방에서 일하던 남성 화가)의 작품으로 분류되었기 때문입니다. 20세기에 들어와서야 아르테미시아는 재평가받기 시작합니다. 여성에 대한 편견이 차고 넘치던 시절에 전 유럽에 걸쳐 그림 주문을 받고 메디치 가문의 후원을 받는 등 화가로 성공한 것도 물론 주요 업적입니다. 하지만 남성 화가들이 포착하지 못한 여성의 감정과 분노, 공감, 연대 등을 표현했다는 점이 더 중요합니다. 예술은 사람들이 깨닫지 못했던 세상의 다른 측면을 보여 줄 때 존재 가치를 가지기 때문입니다.

첫 그림 〈홀로페르네스의 목을 자르는 유디트〉로 돌아가 봅니다.

같은 주제를 카라바조도 그림으로 그렸는데요. 두 그림을 비교해 보면 차이를 느끼실 수 있습니다. 카라바조가 그린 유디트는 멀찌감치 떨어져서 꼿꼿하게 선 채로 홀로페르네스의 목을 자르고 있는데요. 저렇게 해서 과연 칼을 쥔 손에 힘이 제대로 실릴까 싶습니다. 하녀는 유디트의 행동을 방관자처럼 바라보고 있는데요. 잘린 머리를 집어넣을 자루를 손에 들고 있지만 어디까지나 수동적 역할에 그칩니다.

아르테미시아가 그린 인물들은 다릅니다. 유디트의 몸은 힘센 적장의 목을 자르기 위해 온 힘을 다하느라 옆으로 기울어져 있습니다. 그를 죽이지 않으면 조국의 운명은 고사하고 자기 목숨도 보장받기 어렵습니다. 절박한 상황인 만큼 표정은 단호하고 냉정합니다. 발버둥 치는 적장을 제압하기 위해 하녀 아브라의 도움도 받고 있습니다. 영웅 혼자가 아닌 둘이 연대해서 이룬 성과입니다. 두 사람은 자신의 모습이 감상자에게 어떻게 보일지 관심을 두지 않습니다. 오로지 적장을 죽이는 행동에만 집중하고 있습니다. 그 결과 카라바조의 그림보다 훨씬 역동적이고 극적인 장면이 만들어졌습니다.

세계적인 명성을 가진 런던 내셔널 갤러리는 2020년 10월 3일부터 2021년 1월 24일까지 약 4개월 동안 대대적으로 아르테미시아 특별전을 개최했습니다. 아르테미시아가 미술사에서 주요 예술가로 자리 잡았다는 증거였습니다. 아르테미시아는 한때 미술사에서 잊힌 존재였고, 작품보다 성폭행 피해자라는 스캔들로 더 유명했습니다. 300년 넘게 미술사의 가십거리로 취급받아 왔던 겁니다. 하지만 다른 화가의 것으로 오인되었던 그림들이 제 주인을 찾았고(작품 복원 과정에서 아르테미시아의 서명이 발견되었습니다), 그동안 주목받지 못했던 새로운 측면들

카라바조도 아르테미시아처럼 유디트가 홀로페르네스를 죽이는 장면을 그렸는데요. 두 그림을 비교해 보면 아르테미시아 쪽이 더 극적이라는 사실을 느끼실 수 있습니다.
카라바조, 〈홀로페르네스의 목을 자르는 유디트〉. 1598~1599년경 또는 1602년, 캔버스에 유채, 145×195cm, 로마, 바르베리니 궁Palazzo Barberini의 국립고전미술관Galleria Nazionale d'Arte Antica.

이 페미니즘 이론에 의해 제시되었습니다. 이제 아르테미시아는 누구도 부인할 수 없는 위대한 거장 자리에 우뚝 섰습니다.

"왕실시종관이 된 벨라스케스는
왕의 거처를 자유롭게 오갈 수 있게 되었다.
이것은 많은 기사들이 원하는 자리였다."

-디에고 벨라스케스의 장인 프란시스코 파체코가 쓴 『회화 예술Arte de la pintura』(1649)에서

06

편견과 차별을 이기고 최고 위치에 오르다

디에고 벨라스케스의 계획

디에고 벨라스케스, 〈시녀들〉, 1656년경, 캔버스에 유채, 318×276cm, 마드리드, 프라도 미술관.

이번에는 에스파냐(영어식으로는 스페인)로 가서 카라바조의 영향을 받은 또 다른 바로크 화가를 만나 볼 차례입니다. 에스파냐 왕 펠리페 4세의 궁정화가였던 디에고 벨라스케스Diego Rodríguez de Silva y Velázquez(1599~1660)입니다. 그가 그린 〈시녀들Las Meninas〉은 너무나 유명한 그림인데요. 달리, 피카소 등 쟁쟁한 후배 예술가들이 이 그림을 여러 번 따라 그렸을 정도입니다. 이렇게 존경의 의미로 선배 작품을 따라 하는 걸 영화계에서는 오마주hommage라 합니다.

〈시녀들〉의 팬덤에는 저명한 학자들도 뛰어들었는데요. 그중 한 명이 20세기 철학자 미셸 푸코입니다. 푸코는 현대 철학사에서 빼놓을 수 없는 저서인 『말과 사물Les mots et les choses』(1966)에서 아예 한 장을 통째로 〈시녀들〉을 해석하는 데 바쳤는데요. 그만큼 이 그림은 미술사뿐 아니라 철학적, 미학적으로도 중요한 작품입니다.

〈시녀들〉이 중요한 그림인 건 알겠다, 그런데 화가의 자화상은 또 어디로 갔느냐, 화가가 시녀들 중 하나란 말이냐, 이렇게 물으실 수 있겠는데요. 여기서도 스포일러를 하자면 〈시녀들〉 속에 화가 벨라스케스의 자화상이 숨어 있습니다. 화가가 어디에 숨어 있는지 찾으러 가 볼까요.

누가 진짜 주인공인가

제대로 된 질문을 해야 제대로 된 답이 나온다는 말이 있죠. 제가 〈시녀들〉을 강의할 때 항상 내놓는 질문이 있습니다. "진짜 주인공은 누구인가"입니다. 〈시녀들〉을 이해하는 데 이보다 더 좋은 질문은 없다고 생각합니다. 진짜 주인공을 찾는 과정에서 이 그림의 진정한 가치와 의미가 드러나기 때문입니다.

벨라스케스는 바로크 대가 카라바조의 후예답게 빛을 기막히게 사용합니다. 오른쪽 창에서 빛이 들어오는데, 정작 창은 그려져 있지 않습니다. 우리는 창틀에 드리워진 빛을 통해, 아, 눈에는 보이지 않지만 그림 밖 어디쯤에 창이 있겠구나, 하고 추측할 수 있을 뿐입니다. 그러니까 가상의 창인 셈인데요. 가상의 창에서 빛이 들어와 방(아마도 엘 에스코리알 궁에 있던 벨라스케스 작업실) 안 사람들을 차례로 비춘 뒤 왼쪽에 세워져 있는 캔버스 옆면에 가닿습니다.

카라바조는 빛으로 등장인물들을 무대 위 주인공처럼 돋보이게 만든다고 말씀드렸는데요. 이 그림에서 스포트라이트를 받아 가장 밝게 빛나고 있는 이가 누군지 찾아보세요. 사람들에게 둘러싸인 채 정면을 쳐다보고 있는 금발의 어린 소녀입니다. "주인공은 나야, 나!"라고 외치듯 가슴엔 빨간 장식까지 달고 있습니다. 좌우에 있는 두 여인은 소녀의 시중을 들고 있는 듯한데요. 두 여인이 바로 그림 제목인 시녀들입니다. 시녀들의 이름이 오늘날 우리에게 전해지는데요. 오른쪽에 서 있는 시녀는 이사벨 데 벨라스코Isabel de Velasco, 왼쪽에서 무릎을 꿇고 소녀에게 빨간 병을 건네는 시녀는 마리아 아구스티나 사르미엔토 데 소토마요르María Agustina Sarmiento de Sotomayor입니다. 시녀들

스포트라이트를 받는 인물은 금발의 마르가리타 공주로, 첫 번째 주인공 후보입니다. 공주 좌우로는 시중을 드는 시녀들이 있습니다.
<시녀들>의 마르가리타 공주와 두 시녀.

의 시중을 받는 어린 소녀는 높은 신분일 텐데요. 마르가리타 테레사 Margarita Teresa 공주입니다. 그녀가 첫 번째 주인공 후보입니다.

공주와 시녀들 오른쪽으로는 두 사람이 서 있는데요. 정면을 바라보는 여인은 키가 작지만 얼굴에서 연륜이 느껴집니다. 왜소증 장애인, 즉 난쟁이입니다. 궁정에서 난쟁이를 고용하는 관습은 고대 이집트와 로마 시대부터 있었는데요. 특히 중세 이후로 여러 유럽 궁정에서 난쟁

벨라스케스는 궁정에서 마주치는 난쟁이를 자주 그렸는데요. 주인공을 보조하는 인물이 아닌 하나의 독립된 인격체로 표현했습니다. 〈시녀들〉에서 정면을 보며 우리와 시선을 맞추는 난쟁이가 두 번째 주인공 후보입니다. 벨라스케스는 난쟁이를 단독으로 그린 초상화도 그렸는데요. 그 주인공인 세바스티안은 상대의 마음을 꿰뚫어 보듯 날카로운 통찰력을 가진 눈빛의 소유자로 표현되었습니다.
왼쪽: 〈시녀들〉의 난쟁이와 개.
오른쪽: 디에고 벨라스케스, 〈광대 세바스티안 데 모라의 초상〉, 1644년, 마드리드, 프라도 미술관.

이들을 많이 뽑았습니다. 1563년부터 1700년까지 에스파냐 왕실에서는 약 70명의 난쟁이를 고용했다고 합니다. '궁정화가'처럼 '궁정난쟁이'란 표현이 따로 있을 정도죠. 이들은 왕족이나 귀족의 살아 있는 장난감 노릇을 했고, 왕자나 공주의 매를 대신 맞는 시종으로 일하기도 했습니다. 행사 때는 바보스럽고 우스꽝스러운 광대로도 활동했는데요. 때로는 익살을 무기 삼아 군주에게 바른말을 하는 충신 역할을 하기도 했죠. 그렇다 해도 왕족과 귀족들의 눈에 난쟁이란 자신들에게 우월감을 느끼게 해 주는 조롱거리일 뿐이었습니다.

벨라스케스는 궁정에서 마주치는 난쟁이를 자주 그렸는데요. 그저 눈에 띄니 그렸겠지라고 하기엔 그들의 모습이 자꾸만 눈에 밟힙니다. 난쟁이를 주인공에 딸린 인물이 아닌 하나의 독립된 인격체로 묘사했기 때문입니다. 심지어 독사진 찍듯이 난쟁이를 단독으로 당당하게 그린 〈광대 세바스티안 데 모라의 초상El bufón don Sebastián de Morra〉도 있습니다. 세바스티안의 눈빛은 상대의 허세와 가면을 꿰뚫어 보려는 듯 날카로운데요. 인간과 세상에 대한 통찰력을 갖춘 지적인 인물로 보입니다. 어떤 연구자는 "난쟁이에게 철학자의 면모를 부여한 그림"이라고 평가하기도 합니다. 벨라스케스가 난쟁이를 왕이나 귀족처럼 주인공 자리에 앉힌 겁니다.

〈시녀들〉의 난쟁이 역시 정면을 바라보는 몇 안 되는 등장인물 중 하나로, 오스트리아 출신의 마리 바르볼라Mari Bárbola로 알려져 있습니다. 그림에서 정면을 보는 인물은 대개 화가인데요. 정면 응시는 화가가 자의식을 가진 존재로서 감상자와 시선을 맞추면서 교감하고 있음을 보여 줄 수 있는 장치이기 때문입니다. 그런 중요한 역할을 마리 바르볼라에게 부여한 겁니다. 그러니 그녀는 두 번째 주인공 후보의 자격이 있습니다. 마리 바르볼라 옆에서는 이탈리아 출신 난쟁이 니콜라스 페르투사토Nicolás Pertusato가 궁정에서 키우는 개의 등 위에 발을 올려놓고 있습니다.

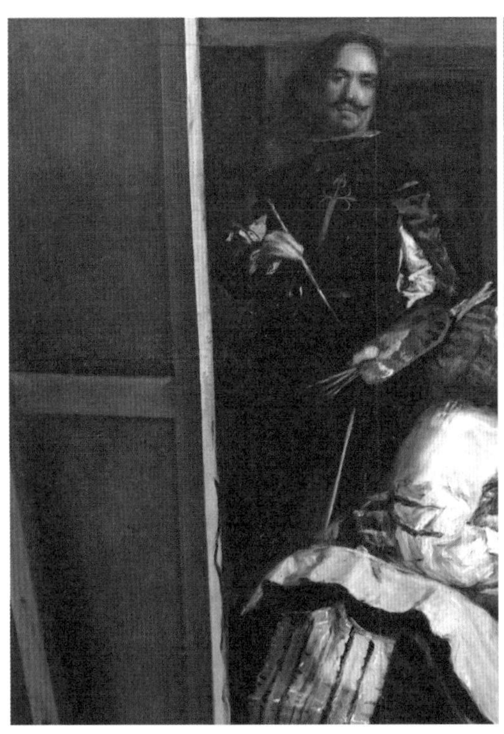

〈시녀들〉 왼쪽에는 커다란 캔버스를 앞에 둔 채 붓과 팔레트를 든 인물이 서 있는데요. 이 그림을 그린 화가 벨라스케스입니다. 목까지 늘어뜨린 검은 단발머리, 카이저수염, 넓은 이마 등을 벨라스케스의 단독 자화상과 비교해 보세요. 〈시녀들〉에 화가의 자화상이 숨어 있는 셈입니다.
왼쪽: 〈시녀들〉의 벨라스케스.
오른쪽: 디에고 벨라스케스, 〈자화상〉, 1650년경, 발렌시아, 발렌시아 미술관Museu de Belles Arts de València.

이제 그림 왼쪽으로 가 보겠습니다. 한 남자가 커다란 캔버스 앞에 서 있는데요. 검은 단발머리를 목까지 늘어뜨리고 카이저수염을 멋지게 길렀습니다. 그림 〈시녀들〉을 그린 화가 벨라스케스입니다. 우리가 그토록 찾던 자화상이 여기에 있습니다. 화가의 손엔 붓과 팔레트가

들려 있는데요. 우리는 캔버스 뒷면만 보고 있어 알 수 없지만 화가는 지금 캔버스 앞면에다 뭔가를 그리는 중입니다. 뭘 그리고 있을까요? 화가가 정면을 보면서 그림을 그리고 있으니 정답은 정면에 있는 뭔가일 텐데요. 그 실마리가 벨라스케스 뒤쪽에 그려져 있습니다.

벨라스케스 뒤쪽으로는 벽이 있는데요. 벽엔 검은 테두리의 직사각형 물건이 걸려 있습니다. 거울입니다. 그 속에 남녀가 비치는데요. 마르가리타 공주의 부모인 펠리페 4세와 오스트리아 출신 왕비 마리아나Mariana de Austria입니다. 거울 속 남녀가 왕 부부라는 사실은 벨라스케스가 그린 왕과 왕비 단독 초상화와 비교해 보면 알 수 있습니다. 이 책 첫 그림인 얀 반 에이크의 〈조반니 아르놀피니 부부의 초상〉 속 거울이 떠오르는데요. 〈조반니 아르놀피니 부부의 초상〉은 당시 에스파냐 왕실 소장품에 포함되어 있었기 때문에 벨라스케스는 오며가며 이 그림을 보았을 겁니다. '얀, 정말 기발한데, 나도 한번 거울을 이용해 볼까'라고 생각했을지 모르죠.

왕 부부는 화가 앞에서 모델 자세를 취하고 있었을 겁니다. 그들의 모습이 거울에 비치고, 또 화가에 의해 캔버스 앞면에 그려지고 있을 텐데요. 그렇다면 우리에겐 안 보이는 캔버스 앞면에는 거울 속 모습이 그대로 그려지고 있을 겁니다. 놀랍게도 벨라스케스는 그려진 형상들(캔버스 뒷면, 화가, 거울, 거울에 비친 왕 부부 형상) 사이의 관계를 교묘하게 이용해서 그려지지 않은 형상들(실제 왕 부부, 캔버스 앞면)을 연상할 수 있도록 장치해 놓았습니다.

처음에는 주인공처럼 보였던 마르가리타 공주는 부모의 초상화가 그려지는 걸 보러 온 구경꾼에 불과합니다. 시녀들 역시 마찬가지고요.

벨라스케스 뒤쪽 벽엔 검은 테두리의 직사각형 물건이 걸려 있는데요. 거울입니다. 거울엔 벨라스케스가 지금 캔버스에 그리고 있는 인물들이 반사되어 있는데요. 펠리페 4세 왕과 마리아나 왕비입니다. 왕과 왕비의 단독 초상화와 비교해 보면 거울 속 인물들의 정체를 알 수 있습니다. 왕 부부가 세 번째 주인공 후보입니다.
왼쪽: 〈시녀들〉의 거울. 가운데: 벨라스케스가 그린 마리아나 왕비. 오른쪽: 벨라스케스가 그린 펠리페 4세.

그렇다면 그림의 진짜 주인공은 누구일까요. 실제 모습이 그려지지 않고 거울에 반사된 모습으로만 존재하지만 이 방 안의 모든 사람들을 모이게 만든 숨은 권력자. 펠리페 4세 왕 부부가 세 번째 주인공 후보입니다.

하지만 반론이 있을 수도 있습니다. 검은 테두리의 직사각형 물건이 거울이라고 어떻게 확신하느냐, 왕 부부의 초상화를 걸어 둔 것일

수도 있지 않느냐. 네, 그럴 수도 있겠네요. 뒷벽에 걸린 건 거울이 아니라 왕 부부 초상화라고 가정해 봅시다. 그렇다면 우리는 그림 속 관계 설정을 다시 해야 합니다. 캔버스에 뭔가를 그리고 있는 화가는 정면을 쳐다보고 있습니다. 정면 자리엔 지금 누가 있나요? 화가가 쳐다보고 있는 건 누구인가요? 그림 감상자인 우리입니다. 그렇다면 화가의 캔버스에 그려지고 있는 건 화가와 시선을 맞추고 있는 우리(감상자)라는 가정이 성립할 수 있습니다. 네 번째 주인공 후보는 〈시녀들〉을 보고 있는 우리(감상자)입니다. 놀랍게도 〈시녀들〉은 미래의 감상자까지 스스로의 이야기 안으로 끌어들이고 있습니다.

그런데 간과한 사실이 하나 있습니다. 이야기를 하는 중에 계속 등장한 인물이 있다는 건데요. 바로 화가 벨라스케스입니다. 〈조반니 아르놀피니 부부의 초상〉에서 진짜 주인공은 거울 속에 그려진 화가 자신일 수 있다고 말씀드렸는데요. 이 그림에서도 화가가 숨은 주인공일 수 있습니다. 화가 벨라스케스가 다섯 번째 주인공 후보입니다.

화가가 스스로를 주인공으로 생각했을 것이라는 가설에는 증거도 댈 수 있습니다. 1696년 폴란드 미술사가 펠릭스 다 코스타Felix da Costa는 〈시녀들〉이 "벨라스케스 자신의 초상화(당시는 자화상이란 단어가 없어 이렇게 표현했습니다)처럼 보인다"고 씁니다. 전문가 눈에도 〈시녀들〉은 왕실 초상화를 빙자한 화가의 자화상으로 보였던 겁니다. 또 다른 증거는 화가의 가슴 부위에 그려진 빨간 십자가 문장紋章, coat of arms입니다. 문장이란 특정 국가·가문·단체 등을 상징하는 문양으로, 마상시합이나 전쟁터 등에서 소속이 어딘지를 알려 주는 표식 역할을 합니다. 오늘날로 치면 축구팀 엠블럼이나 자동차 로고 같은 겁니다.

벨라스케스는 작위가 없는 하급귀족(이달고hidalgo) 출신이었는데요. 작위가 있는 진짜 귀족이 되고 싶어 했습니다. 그는 그토록 원하던 산티아고 기사 작위를 1659년에 받습니다. 〈시녀들〉에서 화가가 가슴에 자랑스럽게 달고 있는 빨간 십자가가 산티아고 기사단 문장입니다. 기사단의 일원이 되었다는 뜻이죠. 그런데 이게 어찌 된 일인가요. 〈시녀들〉이 완성된 건 1656년으로, 벨라스케스가 기사 작위를 받기 3년 전입니다. 벨라스케스가 미래를 내다보는 예지력이라도 가졌던 걸까요? 아니면 영화 〈기생충〉의 대사처럼 "난 이게 위조나 범죄라고 생각하지 않아. 3년 뒤엔 꼭 기사가 될 거거든"라고 하면서 빨간 십자가를 그려 넣었던 걸까요? 연구자들은 벨라스케스가 기사 작위를 받은 1659년

화가가 가슴에 달고 있는 빨간 십자가는 산티아고 기사단 문장입니다. 화가는 그림이 완성되고 3년 뒤 기사 작위를 받는데요. 기사가 된 후 그림에 기사단 문장을 추가로 그려 넣은 것으로 보입니다. 다섯 번째 주인공 후보는 화가입니다.
〈시녀들〉의 빨간 십자가.

이후에 빨간 십자가를 추가로 그려 넣었을 것이라고 추측합니다. 자신을 그림의 카메오 정도로 생각했더라면 하지 않았을 행동입니다.

여러분은 진짜 주인공이 누구라고 생각하시나요? 정답은 없습니다. 모두가 주인공일 수도 있고 모두가 아닐 수도 있습니다. 중요한 사실은 주인공을 찾는 과정에서 그림이 다양하게 해석되었다는 점인데요. 이런 해석들이 모여 그림의 의미를 더욱 풍성하게 만들고 재미있는 이야깃거리를 제공해 줍니다. 철학자 푸코는 〈시녀들〉이 보이는 것과 보이지 않는 것, 그리는(또는 감상하는) 시선과 그려진 얼굴 등의 관계를 정교하게 설정해서 재현 그 자체를 재현하고 있다고 말합니다. 과거엔 그림이란 모델을 닮게 그리는 것이라고 전제했다면, 〈시녀들〉은 닮게 그린다는 게 어떤 장치들로 이루어져 있는지를 펼쳐 보여 준다는 겁니다. 움직이는 로봇을 단순히 가지고 노는 행위와 그 로봇을 분해해서 움직이는 작동 원리를 파악하는 행위의 차이 정도로 이해하시면 될 듯합니다. 〈시녀들〉은 그림에 대한 그림, 좀 어렵게 표현하자면 메타meta 그림인 셈입니다. 〈시녀들〉이 걸작으로 평가되는 이유가 여기에 있습니다.

편견과 차별을 극복하는 벨라스케스만의 계획

벨라스케스는 1599년 에스파냐 남부 도시 세비야에서 태어납니다. 오페라 〈세비야의 이발사〉의 배경 도시가 된 바로 그곳입니다. 아버지는 포르투갈계 하급귀족(이달고) 출신으로, 콘베르소converso의 피를 이어받았을 것으로 추정됩니다. 벨라스케스는 기회가 있을 때마다 자신이 콘베르소 혈통이 아니라고 주장했는데요. 연구자들은 출셋길에 방해가 될까 봐 거짓말을 한 것으로 보고 있습니다.

벨라스케스의 거짓말을 이해하기 위해서는 역사 지식이 약간 필요합니다. 중세 때 이베리아반도에는 카스티야-레온, 아라곤, 나바라, 포르투갈(이상 가톨릭 왕국), 그라나다(무어인 왕국) 등 여러 왕국이 공존하고 있었는데요. 1492년에 가톨릭 왕국의 이사벨 1세와 페르난도 2세 부부왕이 포르투갈을 제외한 나머지 지역을 한 나라로 통일합니다(이를 '레콩키스타Reconquista의 완성'이라 부릅니다). 이것이 오늘날 에스파냐입니다. 부부왕은 통일 후 이교도를 배척하는 정책을 펴는데요. 가톨릭을 믿지 않는 이교도가 통합에 방해된다고 판단했던 겁니다(하지만 많은 학자들은 이교도 탄압 정책이 오히려 에스파냐의 발전을 방해했다고 평가합니다). 이때 추방이나 죽음을 피하기 위해 많은 이교도들이 개종을 선택했는데요. 유대교에서 가톨릭교로 개종한 유대인들을 콘베르소라 하고, 이슬람교에서 가톨릭교로 개종한 무어인들을 모리스코morisco라 합니다. 개종자들은 자신들의 개종을 증명하기 위해 유대교와 이슬람교에서 금지하는 돼지고기를 공공장소에서 먹거나 집 밖에다 걸어 두었는데요. 이 음식이 바로 하몽입니다. 당시 이교도 탄압이 얼마나 극심했는지를 알 수 있죠. 벨라스케스가 평생 귀족이 되길 꿈꾸었던 것도 어쩌면 뼈아픈 이교도 역사와 관련 있을지 모릅니다.

1611년 벨라스케스의 아버지는 12세 된 아들을 화가 프란시스코 파체코Francisco Pacheco의 공방에 들여보냅니다. 벨라스케스는 6년의 도제 생활을 거쳐 18세가 된 1617년에 화가 면허증을 따고 세비야 화가 길드에 소속되었는데요. 이제 독립해서 그림 주문을 받을 수 있다는 뜻이었습니다. 1618년 스승 파체코의 딸과 결혼하고 1620년 자기 공방을 엽니다.

출세를 간절히 바랐던 벨라스케스는 1623년 궁에 들어갈 기회를 얻는데요. 그가 그린 궁중사제 초상화가 왕 펠리페 4세에게 전달되었던 겁니다. 초상화가 마음에 들었던 왕은 벨라스케스를 궁으로 불러들여 자신의 초상화를 그리게 합니다. 이 일로 벨라스케스는 겨우 24세 나이에 궁정화가로 임명되는데요. 당시 궁정화가들은 50대 이상이었습니다. 왕은 자신과 나이 차이가 6살밖에 나지 않아 말이 통하고 초상화 실력마저 탁월한 벨라스케스를 각별하게 대했는데요. 왕의 총애는 벨라스케스가 죽을 때까지 이어집니다. 벨라스케스가 이탈리아 여행으로 오래 자리를 비웠을 때도 자신과 왕족 초상화를 다른 화가에게 맡기지 않고 기다릴 정도였습니다.

벨라스케스가 초기에 받은 월급은 20두카트(약 400만 원)로, 다른 궁정화가들과 같았습니다. 하지만 특별상여금에 궁정의사 진료를 무료로 받는 등 여러 특혜가 뒤따랐습니다. 동료 궁정화가들이 '굴러온 젊은 돌'을 시기하고 헐뜯기 시작했는데요. 적들은 점점 늘어났습니다. 벨라스케스는 주위 시선에 아랑곳하지 않고 승진을 하기 위해 안간힘을 썼는데요. 아무리 왕의 신임을 받고 있더라도 당시 궁정화가의 지위와 보수는 안정적이지 않았습니다. 기록에 따르면 벨라스케스의 급여는 자주 연체되었고, 심지어 20년 전 수당이 제대로 지급되지 않아 뒤늦게 청구한 기록도 있습니다. 벨라스케스는 그림 그리는 일보다 안정적인 궁 관리직에 욕심을 냈습니다. 그 결과 지위는 점점 높아졌는데요. 1636년 의복시종관, 1638년 왕실시종관, 1643년 왕의 예술품 관리부장, 1651년 시종장, 1652년 마부장 자리에 오릅니다. 그리고 1659년 드디어 진짜 귀족이 되었다는 징표로 산티아고 기사 작위를 받습니다.

기사가 되는 과정은 쉽지 않았는데요. 펠리페 4세가 벨라스케스에게 기사단 제복을 하사했는데도 반대는 사그라들지 않았습니다. 기사단은 벨라스케스의 기사 수여가 적합한지 심사에 들어갑니다. 심문 대상이 된 증인만 148명에 달했다고 하는데요. 기사단 일원이 될 수 있는 자격은 꽤 까다로웠습니다. 무어인이나 유대인 혈통이 섞이지 않을 것, 오래된 가톨릭교 가문일 것, 가족 모두가 이달고 계급 이상일 것

펠리페 4세가 벨라스케스에게 보인 총애는 유별났는데요. 벨라스케스가 여행으로 오래 자리를 비웠을 때도 초상화를 다른 화가에게 맡기지 않고 기다릴 정도였습니다. 왕의 신임이 깊어질수록 주변의 적들은 늘어났습니다.
디에고 벨라스케스, 〈갈색과 은색 옷을 입은 펠리페 4세Felipe IV de castaño y plata〉, 1635년, 캔버스에 유채, 199.5×113cm, 런던, 내셔널 갤러리.

엑스레이 검사 결과, 〈시녀들〉 최초본에서는 화가가 지금보다 캔버스 쪽으로 치우치게 그려졌다는 사실이 밝혀졌습니다. 수정 과정에서 화가의 위치가 왕족들과 좀 더 가까워진 겁니다. 화가는 자신을 주변 인물이 아닌 주인공 중 하나로 자리매김하고 싶었던 것 같습니다.
〈시녀들〉 부분.

등이 자격 요건이었습니다. 상업이나 수공업 종사자는 탈락이었는데요. 앞에서 여러 번 이야기했듯이 당시 화가는 수공업자로 분류되었습니다. 무엇보다도 벨라스케스는 콘베르소, 즉 유대인 혈통으로 의심받았습니다. 기사단 심사 때 본인은 아니라고 적극적으로 부인했지만요.

교황청의 특별허가증, 펠리페 4세의 귀족증명서를 받고 나서야 벨라스케스는 겨우 기사단 제복을 입을 수 있었습니다. 그토록 원하던 귀족이 된 것이었는데요. 하지만 일 년 뒤인 1660년 건강했던 벨라스케스는 갑자기 숨을 거둡니다. 비슷한 시기에 동료와 아내가 모두 사망한 것으로 봐서 전염병이 아닐까 추측합니다.

20세기에 와서 〈시녀들〉은 엑스레이 촬영 분석에 들어가는데요. 엑스레이로 인체 내부를 찍듯이 그림 표면 아래에 보이지 않는 층을 찍어 분석하는 작업입니다. 이 과정에서 물감 성분과 두께 등 재료의 특성뿐 아니라 물감을 덧입혀 수정하기 전 그림 상태도 알아낼 수 있는데요. 〈시녀들〉을 분석한 결과, 최초본에서는 화가의 모습이 지금보다 캔버스 쪽으로 치우쳐 있었다는 사실이 밝혀졌습니다. 벨라스케스는 수정 작업을 하면서 자신을 좀 더 다른 등장인물들에 가깝게, 그리고 시선은 정면을 향하도록 고쳤던 겁니다. "나는 창조자"라는 자의식과 자긍심을 드러내면서 말이죠. 화가는 자신을 주변 인물이 아닌 주인공 중 하나로 자리매김하고 싶었던 것 같습니다.

오늘날 우리가 보는 〈시녀들〉 최종본에서 벨라스케스는 마치 왕실 가족의 일원처럼 보입니다. 자신을 왕족이나 귀족이 서 있을 법한 자리에 둔 겁니다. 심지어 왕 부부는 화가에 비해 작고 희미하게 거울 속에 그려져 있죠. 펠리페 4세는 자신을 존재감 없이 그린 것에 개의치 않고 이 그림을 칭찬했다고 합니다. 최고 권력자가 인정하는데, 다른 누가 토를 달 수 있었겠습니까. 벨라스케스를 콘베르소 출신이라고 차별하고 깎아내리던 적들에게 이보다 더 통쾌한 복수가 있을까요. 벨라스케스에겐 다 계획이 있었나 봅니다.

"렘브란트는 생의 마지막에 가까워지면서 선해졌다."

-시인 장 주네의 『렘브란트의 비밀Le Secret de Rembrandt』(1968)에서

07

쇠락해 가는 노년의 시간들을 담담히 기록하다

렘브란트 판 레인의 자세

1669년 네덜란드 공화국 암스테르담에서 가난하고 외진 요르단 지구인 로젠흐라흐트Rozengracht의 한 허름한 집에서 노인이 그림을 그리고 있습니다. 지금 있는 곳은 1년 임대료 225길더(약 1,600만 원)짜리 사글세집이지만, 10여 년 전만 해도 노인은 신트 안토니스브레이 거리Sint Antoniesbreestraat(오늘날의 요덴브레이 거리Jodenbreestraat)의 1만 3,000길더(약 10억 원)짜리 5층 호화 주택을 소유하고 있었는데요. 심한 부채에 시달리다가 집을 남의 손에 넘긴 겁니다.

노인이 그리고 있는 건 거울에 비친 63세의 자신입니다. 노인의 이름은 렘브란트 판 레인Rembrandt Harmenszoon van Rijn(1606~1669). 그림 속 렘브란트는 어둠에 휩싸인 채 지치고 노쇠한 모습을 드러내고 있습니다. 명암대조법(키아로스쿠로)이 카라바조의 그림에서는 연극적인 순간을 강조했다면, 이 자화상에서는 세상 풍파를 이기지 못하고 쇠락해 가는 패배자의 어두운 심정을 그대로 전달해 줍니다. 이마의 주름과 하얗게 센 머리카락, 서글퍼 보이는 눈빛, 두 손을 맞잡은 모습이 어딘지 애잔한데요. 그가 평생 지녔던 외모의 특징인 커다랗고 뭉툭한 코는 추위 때문인지 붉게 변해 있습니다.

렘브란트 판 레인, 〈63세의 자화상〉, 1669년, 캔버스에 유채, 86×70.5cm, 런던, 내셔널 갤러리.

렘브란트가 행복했던 시절에 그린 자화상입니다. 30대에 이미 성공을 이룬 화가의 자신감과 여유가 느껴집니다. 걸치고 있는 의상도 품위 있고 값비싸 보입니다.
렘브란트 판 레인, 〈34세의 자화상〉, 1640년, 캔버스에 유채, 91×75cm, 런던, 내셔널 갤러리.

렘브란트는 자신의 말년이 이렇게 초라하리라곤 예상하지 못했을 텐데요. 5층 집을 구입한 1639년만 해도 그는 30대 초반의 젊은 나이에 거장으로 인정받은 화가였습니다. 그가 그린 그림은 조국 네덜란드 공화국뿐 아니라 해외까지 팔려 나갔는데요. 몰려드는 그림 주문과 제자가 되겠다고 찾아온 사람들 때문에 몸이 여러 개라도 모자랄 지경이었죠. 무엇보다도 렘브란트 곁에는 사랑하는 아내 사스키아 판 아윌렌뷔르흐Saskia van Uylenburgh가 있었습니다. 부부 사이에서 태어난 아이 셋이 모두 일찍 죽었지만, 5층 집으로 이사 온 지 얼마 되지 않아 넷째 티튀스Titus van Rijn가 태어났죠. 렘브란트는 새 집에서 단란하게 지낼 가족의 미래를 꿈꿨을 겁니다.

행운이 영원할 것처럼 부와 명예, 사랑을 마음껏 누리다

당시 그렸던 〈34세의 자화상〉을 보면 렘브란트가 거머쥐었던 명성과 부를 확인할 수 있습니다. 걸치고 있는 모자와 옷은 한눈에 봐도 값비싼 고급품인데요. 나무 난간에 팔을 걸치고 있는 자세에서 자신감과 여유가 느껴집니다. 마치 자신을 품격 있는 귀족이나 부유한 부르주아처럼 표현한 겁니다.

렘브란트는 유별난 수집 취미를 가지고 있었는데요. 경매장이나 시장을 자주 돌아다니며 그림 소재가 될 만한 독특한 의상이 눈에 띄면 무조건 사들이고 봤습니다. 〈34세의 자화상〉에서 입고 있는 옷도 그중 하나였을지 모릅니다. 수집 대상은 옷만이 아니었는데요. 각종 드로잉과 판화는 물론이고, 갑옷, 투구, 각종 무기, 메달, 고대 악기, 박제

술과 여자에 빠진 탕아의 모습을 통해 도덕적 교훈을 주려는 의도로 그린 그림입니다. 하지만 당시 렘브란트 부부가 만끽했던 호사스러운 생활도 엿볼 수 있게 해 줍니다.
렘브란트 판 레인, 〈사스키아와 함께 있는 자화상〉 또는 〈선술집의 탕아〉, 1635년, 캔버스에 유채, 161×131cm, 드레스덴, 옛 거장 미술관Gemäldegalerie Alte Meister.

동물, 조가비, 산호, 모피 등 잡다했습니다. 수집 습관은 보관 장소가 넉넉한 새 집으로 이사 온 뒤부터 더 심해졌습니다. 그림 소재로 이용할 목적이었다곤 하지만 자신의 명성과 부를 과시하려는 욕구도 컸을 겁니다.

지나친 낭비벽이라 하더라도 잘나가던 화가 렘브란트에게는 큰 문제가 되지 않았는데요. 부유한 상류층 출신 아내 사스키아가 가져온 재산도 한몫했습니다. 사스키아의 친정에서는 그녀가 허영심 때문에 유산을 흥청망청 쓴다고 비난했을 정도인데요. 부부가 같이 호사스러운 생활을 맘껏 즐겼던 것 같습니다. 당시 부부의 면모를 잘 보여 주는 그림이 있습니다. 〈사스키아와 함께 있는 자화상Zelfportret met Saskia〉 또는 〈선술집의 탕아De verloren zoon in een herberg〉라 불리는 그림입니다.

화려하게 차려입은 남자(렘브란트)가 긴 술잔을 치켜들며 방탕한 생활에 만족스러운 웃음을 짓고 있습니다. 테이블에는 사치와 허영심을 상징하듯 공작이 놓여 있고요. 남자의 왼손은 여자(아내 사스키아)의 허리를 감싸고 있는데요. 누가 봐도 술 취한 호색한의 모습입니다. 렘브란트는 초상화뿐 아니라 성경 이야기를 자주 그렸는데요. 이 그림도 술과 여자로 인생을 낭비하는 탕아를 비난하면서 도덕적 교훈을 주려는 의도로 그렸을 겁니다. 하지만 우리는 이 그림에서 렘브란트가 즐겼던 호사스러운 생활도 읽을 수 있습니다. 사치를 방탕이라고까지는 말할 수 없겠는데요. 하지만 그가 자신에게 찾아온 명예와 부, 그리고 아내로 인해 얻은 재산과 사회적 지위에 한껏 취해 있었던 것만은 분명해 보입니다. 마치 모든 행운이 영원히 이어질 것같이 여기면서요.

불행은 한꺼번에 찾아온다

하지만 불행은 곧바로 찾아옵니다. 그것도 하나만 온 게 아니라 밀물처럼 한꺼번에 밀어닥칩니다. 1642년 병약했던 아내가 한 살 된 아들 티튀스를 남기고 죽습니다. 자신의 재산 절반은 남편에게, 남은 절반은 아들에게 남기는데요. 유언장에 따르면 어린 아들의 재산은 성년이 될 때까지 남편 렘브란트에게 맡기지만 남편이 재혼할 경우에는 무효가 된다는 단서를 답니다. 이후 렘브란트는 두 명의 여자와 사실혼 관계를 맺지만 정식 결혼은 하지 않는데요. 아내의 유언장 때문인 듯도 합니다.

아내가 죽은 해에 렘브란트는 〈야간 순찰De Nachtwacht〉을 그리는데요. 이 그림으로 그의 명성과 이력은 내리막길로 접어듭니다. 렘브란트의 대표작이라고 하면 〈야간 순찰〉을 떠올리는 우리로서는 이해하기 어려운 사실인데요. 당대엔 제대로 평가받지 못했던 비운의 걸작인 셈입니다.

이 그림은 〈야간 순찰〉 또는 줄여서 〈야경〉이라고 불리는데요. 사실은 잘못된 제목입니다. 원래 제목은 〈프란스 바닝크 코크 대위와 빌럼 판 라위턴뷔르흐 중위의 민병대De compagnie van kapitein Frans Banninck Cocq en luitenant Willem van Ruytenburgh〉입니다. 바로크 걸작답게 명암대조법(키아로스쿠로)으로 그려져서 어두운 부분이 많은 데다 표면에 바른 니스 칠이 긴 세월을 거치는 동안 검게 변했는데요. 사람들이 그림을 밤 장면으로 오해하면서 잘못된 별칭을 붙였던 겁니다. 20세기에 와서 니스 칠을 벗겨 내자 낮 장면이라는 사실이 밝혀졌습니다. 하지만 한 번 붙은 제목은 쉽게 떨어지지 않아 오늘날에도 원래의 긴 제목 대신

프란스 바닝크 코크 대위와 민병대원 17명의 주문으로 그려진 그림인데요. 스포트라이트를 받아 빛나는 인물은 엉뚱하게도 소녀입니다. 그림값을 낸 대부분의 민병대원들은 어둠 속에 묻혀 있습니다. 이 그림 이후로 렘브란트에게 오던 초상화 주문은 크게 줄었습니다.

렘브란트 판 레인, 〈야간 순찰〉 또는 〈프란스 바닝크 코크 대위와 빌럼 판 라위턴뷔르흐 중위의 민병대〉, 1642년, 캔버스에 유채, 380×453cm, 암스테르담, 암스테르담 국립미술관Rijksmuseum.

당시 다른 화가들이 그린 단체 초상화는 사람들을 일렬횡대에 가깝게 배치했습니다. 이렇게 해야 모든 사람들의 얼굴이 잘 보이기 때문입니다.
니콜라스 피커노이Nicolaes Pickenoy, 〈얀 클라스 판 플로스베이크 대위와 헤릿 휘더 중위가 지휘하는 암스테르담 4구역 부대Officieren en andere schutters van wijk IV in Amsterdam onder leiding van kapitein Jan Claesz van Vlooswijck en luitenant Gerrit Hudde〉, 1642년, 암스테르담, 암스테르담 국립 미술관.

〈야간 순찰〉로 불립니다.

그림을 주문한 건 코크 대위와 17명의 민병대원들이었는데요. 새로 짓는 민병대 건물인 화승총병회관Kloveniersdoelen에 걸 그림이 필요했던 겁니다. 그림값은 민병대 18명이 나눠 냈는데요. 손님이 왕이라는 말이 있듯, 돈 낸 사람들의 얼굴이 모두 잘 보여야 하는 건 두말할 필요도 없겠죠. 당시 다른 화가들이 그린 단체 초상화는 사람들을 일렬 횡대에 가깝게 배치합니다. 이렇게 해야 누구 하나 튀지 않고 거의 같은 크기로 얼굴도장 찍듯이 등장시킬 수 있기 때문입니다. 수학여행이나 소풍에서 찍는 단체 사진을 연상하시면 될 듯합니다. 얼굴이 가려지는 사람이 있으면 사진사 아저씨가 서 있는 위치를 조정해 주죠. 누구 하나 빼놓지 않고 다 잘 보여야 사진을 찍습니다.

그런데 〈야간 순찰〉은 다릅니다. 민병대가 대장의 명령으로 행진을 준비하는 어수선한 순간을 포착하고 있는 듯한데요. 검은 옷에 빨간 띠를 두른 코크 대위와 곁에 있는 흰색 옷차림의 부하 빌럼 판 라위턴뷔르흐 중위를 제외하곤 대부분의 민병대원들이 어둠에 묻혀 있습니다. 얼굴은 간신히 드러나 있지만, 그마저 흐릿하게 표현되었습니다. 이 그림에서 스포트라이트를 받아 밝게 빛나고 있는 인물은 엉뚱하게도 소녀입니다. 소녀는 민병대원들과 반대 방향으로 가고 있는데요. 허리엔 큰 발톱을 가진 닭이 거꾸로 매달려 있습니다. 네덜란드어로 새 발톱을 뜻하는 단어 Klauw는 화승총병을 뜻하는 Klovenier와 발음이 비슷한데요. 소녀가 '화승총병'으로 구성된 민병대를 상징하는 마스코트인 셈입니다.

아무리 그렇다 해도 돈을 내는 민병대원들 입장에서는 그림 속 지분을 문제 삼으며 화를 냈을 법도 한데요. 중요도에 따라 비용을 달리했는지, 아니면 다른 이유 때문인지 알 수 없지만 특별한 불만이 제기되지는 않았다고 합니다. 그림은 예정대로 화승총병회관 벽에 걸려

스포트라이트를 받는 소녀의 허리엔 큰 발톱을 가진 닭이 거꾸로 매달려 있는데요. 네덜란드어 발음으로 새 발톱은 화승총병과 비슷합니다. 소녀가 화승총병 민병대를 상징하는 마스코트인 셈입니다. 〈야간 순찰〉의 소녀.

70여 년 동안 자리를 지켰고요. 문제는 렘브란트의 평판이 조금씩 나빠졌다는 점인데요. 〈야간 순찰〉이 완성된 뒤부터 초상화 주문이 줄어들기 시작합니다. 1678년 제자 사뮈엘 판 호흐스트라턴Samuel van Hoogstraten이 쓴 다음 글은 렘브란트와 〈야간 순찰〉에 대한 당시 평가를 전해 줍니다.

"…… 많은 이들이 이렇게 말했다. 렘브란트는 개인 초상화를 주문받으면 자기 멋대로 그려 댔는데, 이 대형 그림에서는 그 증상이 더 심해졌다고. ……"

렘브란트의 그림 스타일이 애초에 단체 초상화와는 맞지 않았던 걸까요? 그런 건 아닙니다. 10년 전에 26세의 그를 일약 스타덤에 올린 그림 역시 단체 초상화였으니까요. 바로 〈니콜라스 튈프 박사의 해부학 강의De anatomische les van Dr. Nicolaes Tulp〉입니다. 암스테르담 외과 의사 길드에 속한 조합원들이 해부학 수업을 받는 모습을 담았는데요. 당시 이 그림은 획기적인 단체 초상화로 엄청난 인기를 끕니다. 앞에서도 말씀드렸듯이 당시 단체 초상화는 인물들을 일렬횡대에 가깝게 배치하는 지루하고 획일적인 방식으로 그려졌는데요. 렘브란트의 그림은 혁신적이었습니다.

검은 모자를 쓴 튈프 박사가 주인공처럼 가장 먼저 눈에 띄는데요. 해부 도구로 절개된 손의 근육과 힘줄을 들어올리고 있습니다. 이를 자세히 보려고 앞줄 사람들은 허리를 숙이고 있고, 뒷줄 사람들은 고개를 내밀고 있습니다. 덕분에 피라미드 같은 구조가 만들어졌습니

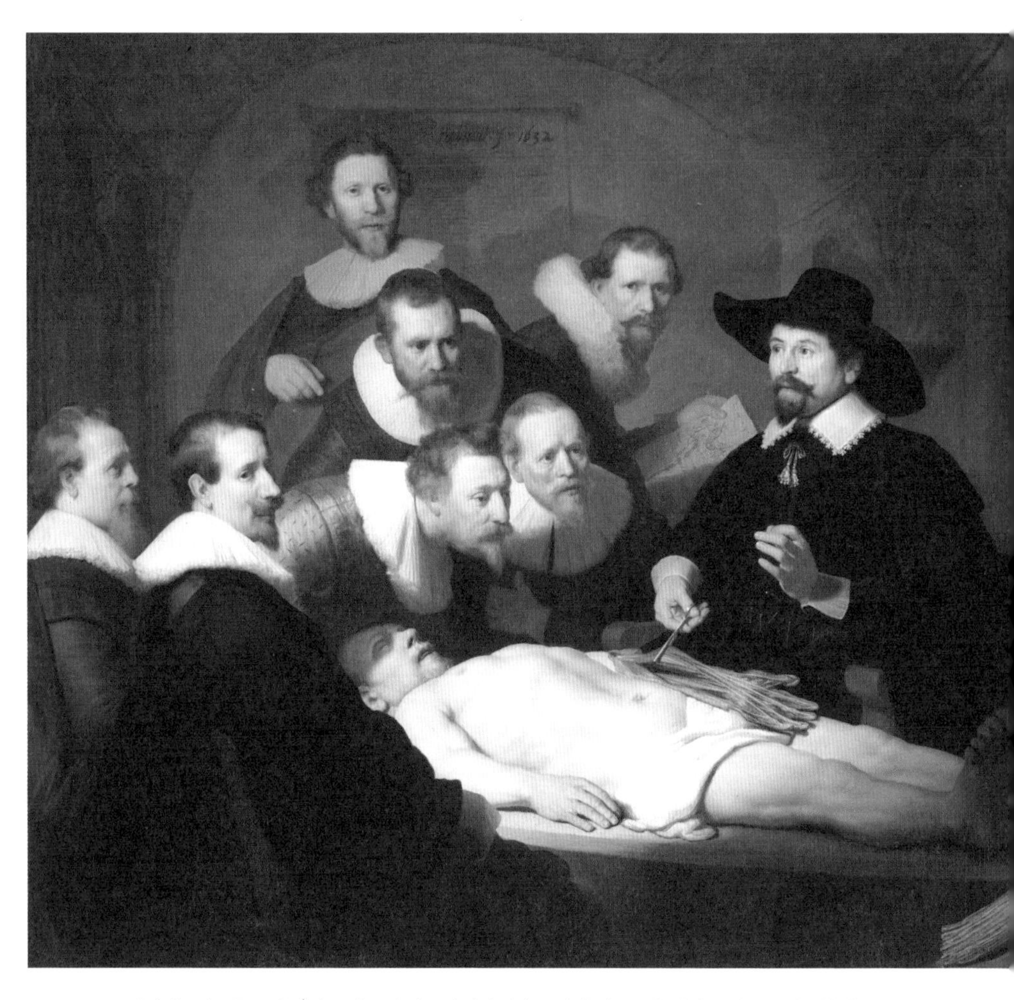

26세의 렘브란트를 스타 화가로 만든 단체 초상화입니다. 초상화 인물들을 일렬로 세우는 지루한 방식 대신에 극적이고 역동적인 피라미드 구조를 이용해서 인기를 끌었습니다.
렘브란트 판 레인, 〈니콜라스 튈프 박사의 해부학 강의〉, 1632년, 캔버스에 유채, 169.5×216.5cm, 헤이그, 마우리츠하위스 미술관Mauritshuis.

다. 화가의 시선을 의식한 듯 곁눈질을 하거나 시선을 정면으로 마주치는 사람도 있는데요. 강의에 열중하거나 딴짓을 하고 있는 사람들의 모습이 너무 생생해서 마치 우리도 해부학 강의실에 동석하고 있는 기분입니다.

해부 대상은 교수형에 처해진 레이던 출신 범죄자입니다. 그를 해부하는 튈프 박사는 암스테르담 외과의사 길드의 교수로 당시 해부학 수업을 맡고 있었는데요. 본명은 클라스 피터르스존Claes Pieterszoon이었지만 성인이 된 뒤에 튤립을 뜻하는 튈프로 성을 바꾸고, 가문 문장도 튤립으로 했습니다. 이후 튈프 박사는 환자를 만나러 갈 때면 튤립 문장이 달린 마차를 타고 다녔다 합니다. 강의에 참석한 나머지 7명은 외과의사로 일하던 길드 조합원입니다. 이들 8명이 그림값을 나눠 지불했고 그림 소장은 암스테르담 외과의사 길드에서 했습니다.

10년의 간격을 두고 렘브란트에게 명성을 선사한 것도, 명성을 빼앗은 것도 모두 단체 초상화라는 사실이 아이러니한데요. 우리가 그림 주문자라고 생각하고 두 그림을 비교해 보면 이해할 법도 합니다. 〈니콜라스 튈프 박사의 해부학 강의〉는 등장인물 각자의 개성이 잘 드러나게 살렸다면, 〈야간 순찰〉은 그림 전체 효과를 위해 다수의 등장인물을 어둠 속에 파묻어 버렸으니까요. "그림 완성도를 위해 당신 얼굴을 좀 가려야겠습니다"라는 식의 태도에 예비 주문자들은 지갑을 닫고 발길을 돌렸을 게 분명합니다. 렘브란트는 〈야간 순찰〉 이후로 인기를 조금씩 잃고 경제적 어려움에 처하게 되는데요. 이는 렘브란트 개인만의 문제가 아닌, 17세기 네덜란드의 사회적·경제적 변화와도 관련이 있습니다.

벨라스케스 이야기에서 에스파냐가 15세기 후반에 통일을 이룬 뒤 가톨릭만 인정하고 이교도를 탄압했다고 말씀드렸는데요. 이는 자신들이 식민 지배를 하고 있던 네덜란드에서도 마찬가지였습니다. 네덜란드 신교도들은 오랫동안 극심한 박해를 받았는데요. 결국 폭동이 일어나 에스파냐로부터 독립을 선언합니다. 1581년 네덜란드 7개 주 대표가 모여 네덜란드 공화국을 세우고 80여 년에 걸친 긴 전쟁 끝에 완전한 독립을 거머쥐는데요. 이 전쟁을 네덜란드 독립전쟁(1567~1648)이라 합니다.

네덜란드 공화국은 에스파냐와 달리 종교 자유를 허용하면서 17세기 황금 시대를 맞이합니다. 종교 탄압을 피해 다른 나라에서 이민 온 많은 인재들을 포용했기 때문입니다. 네덜란드 공화국은 유럽뿐 아니라 아메리카, 아프리카, 심지어 아시아까지 광범위한 지역을 오가며 국제 무역을 주도합니다. 이때 네덜란드 동인도 회사도 세력을 크게 확장합니다. 네덜란드의 번영에는 운도 따르는데요. 이탈리아와 독일 금융업자들이 파산하는 바람에 금융 중심지가 네덜란드 암스테르담으로 이동하면서 엄청난 부가 쌓인 겁니다. 이 과정에서 네덜란드 상공업자들은 지배 계급으로 성장합니다. 이렇게 유럽의 무역 중심지이자 금융 중심지가 된 네덜란드에서는 자본주의가 일찍 꽃핍니다. 자본주의로 인한 여러 현상과 부작용도 나타나기 시작했는데요. 튤립 투기가 과열되어 가격이 엄청나게 치솟다가 급락하는 바람에 파산자들이 속출한 튤립 파동도 이때 일어난 일입니다.

네덜란드에서 초기 자본주의가 형성되면서 그림 주문자 역시 교회, 성직자, 왕족, 귀족에서 부유한 시민 계급으로 확장됩니다. 이제 그림은 주문해서 그려지는 것이 아니라 미리 그려진 뒤 미술 시장에 나와서 팔리기를 기다리는 상품이 됩니다. 주문품이던 그림이 기성품으로 변한 것이죠(미술 시장이 처음 등장한 건 14세기 후반이었지만 그 기능이 보편화한 건 이 시기인 17세기입니다). 그림 구입에는 소시민과 농부들까지 뛰어드는데요. 미술품이 괜찮은 투자처임을 알게 되었던 것이죠. 그림 수요가 늘자 예술가들도 많이 등장하는데요. 문제는 그림 공급이 수요를 넘어서면서 예술가들 사이에 치열한 경쟁이 시작되었다는 점입니다. 렘브란트가 활동했던 시기가 바로 이때입니다.

저명한 역사학자이자 미술사학자인 아르놀트 하우저Arnold Hauser는 예술 생산을 통제하던 길드, 궁전, 국가의 기능이 무너지자 예술 시장의 경쟁은 과열되었고, 렘브란트처럼 개성 강하고 독창적인 예술가들이 어려움에 처했다고 지적합니다. 그림 소비자는 고전주의 그림을 선호했는데요. 렘브란트의 그림은 바로크에서 벗어나 주관성을 강조하면서 점점 더 현대 미술 쪽으로 가까워졌다는 겁니다. 렘브란트가 현대 미술에 끼치는 영향력이 커질수록 당대 인기는 하락하는 역현상이 나타난 것이죠. 현대 화가들이 처한 딜레마라고 볼 수 있겠는데요. 그림 소재와 그리는 방식을 선택할 자유는 얻었지만 경제적 안정을 보장해 주던 후원자는 잃었던 겁니다. 이런 현상은 뒤에서 이야기할 빈센트 반 고흐에게서도 두드러집니다.

여자 문제로 평판이 더 나빠지다

렘브란트의 몰락에는 여자 문제도 있었습니다. 그는 아내가 죽자 한 살 된

빚과 생활고에 시달리던 시기의 자화상입니다. 부쩍 많아진 이마 주름과 모든 걸 체념한 듯한 눈빛, 검소해진 옷차림이 눈에 띕니다.
렘브란트 판 레인, 〈자화상〉, 1659년경, 캔버스에 유채, 52.7×42.7cm, 에든버러, 스코틀랜드 국립 미술관Scottish National Gallery.

아들 티튀스를 돌보기 위해 유모를 들이는데요. 헤이르터 디르크스Geertje Dircx라는 과부였습니다. 헤이르터는 렘브란트의 연인이 되는데요. 렘브란트는 그녀에게 죽은 아내 사스키아의 보석을 남에게 주지 않는다는 조건으로 사용해도 된다는 허락까지 합니다. 이들의 밀월은 길지 않았는데요. 얼마 지나지 않아 헨드리커 스토펠스Hendrickje Stoffels란 젊은 여자가 가사 도우미로 들어오면서 삼각관계가 형성되었기 때문입니다. 헤이르터는 쫓겨나고 맙니다.

버림받은 헤이르터는 혼인 빙자 간음죄로 렘브란트를 고소합니다. 서로 간의 고소와 맞고소가 이어진 끝에 렘브란트가 헤이르터에게 매년 200길더(약 1,500만 원)씩 주는 것으로 결론 납니다. 여기서 멈췄더라면 양쪽 모두에게 좋았을 텐데요. 헤이르터의 손에 넘어간 보석이 문제였습니다. 1648년 그녀는 보석을 티튀스에게 남긴다는 유언장을 썼는데요. 보석 사용권은 주되 소유권은 주지 않으려 했던 렘브란트의 의사가 반영된 걸로 보입니다. 하지만 쫓겨난 마당에 헤이르터가 뭘 못하겠습니까. 그녀는 보석을 전당포에 맡겼고 렘브란트와의 분쟁이 다시 이어집니다. 1650년 헤이르터는 어떤 소송에 휘말리면서 감호소로 가게 되는데요. 이 과정에 렘브란트가 일조했거나 최소한 묵인했던 것으로 보입니다.

1654년 두 번째 내연녀 헨드리커가 딸을 낳습니다. 금욕적인 신교국가 네덜란드에서 인정받기 어려운 일이 벌어진 겁니다. 교회는 결혼하지 않고 자식까지 둔 헨드리커에게 여러 차례 소환장을 보냅니다. 그녀는 네 번째 소환장을 받고 나서야 위원회에 나갔고, 성찬식(예수 수난을 기념하는 기독교 의식) 참여를 금지당합니다. 신교도에게는 날벼락 같은 처분이었습니다. 두 사람이 결혼을 했더라면 모든 문제가 해결되었을 텐데요. 헨드리켜는 죽을 때에 이르러서야 렘브란트의 아내로 불릴 수 있었습니다. 그것도 법적인 보호를 받는 정식 결혼이 아닌 명목상으로만요.

주변을 떠들썩하게 만들었던 두 차례의 여자 문제는 렘브란트의 몰락에 부채질을 합니다. 그림 주문은 날이 갈수록 줄어드는데 렘브란트의 씀씀이는 그대로였습니다. 여전히 많은 작품과 희귀한 물건들을 사들여 댔던 겁니다. 재정 상태는 악화되었고 결국 파산에 이릅니다. 1656년 파산처리위원회가 렘브란트의 남은 재산을 정리하는데요. 재산과 함께 그가 모아 둔 진기한 수집품들이 4년에 걸친 경매로 뿔뿔이 팔려 나갑니다. 아내 사스키아와 미래를 꿈꾸었고 그토록 지키고 싶어 했던 신트 안토니스브레이 거리 5층 집은 1660년 새 주인에게 넘어갑니다(5층 집은 오늘날엔 렘브란트 생가 박물관Museum Het Rembrandthuis으로 운영되고 있습니다). 렘브란트는 내연녀 헨드리켜, 아들 티튀스, 딸 코르넬리아Cornelia와 함께 허름한 요르단 지구인 로젠흐라흐트 사글세집으로 이사합니다.

당시 렘브란트가 속해 있던 성 누가 길드에는 까다로운 조항이 생겼는데요. 자산을 경매에 부친 자는 자기 그림이든 남의 그림이든 거래를 할 수 없다는 내용이었습니다. 이 조항에 따르면 렘브란트는 자기 그림을 판매할 수 없었습니다. 가족인 헨드리켜와 티튀스가 미술상회를 열어 판매를 대신해 주었는데요. 렘브란트는 내연녀와 아들 덕분에 그림 작업에 열중하고 제자들도 가르칠 수 있었습니다. 예전보다 많이 줄었지만 그림 주문도 계속되었고요.

사랑하는 가족을 잃다

가난해진 렘브란트 곁에는 내연녀 헨드리켜, 아들 티튀스와 어린 딸 코르넬리아가 있었습니다. 네 가족은 힘을 합쳐 그럭저럭 살아 나가고 있었는데요. 불운이 또 다시 찾아옵니다. 1663년 헨드리켜가 30대의 한창나이에 죽습니다. 암스테르담에 퍼진 전염병이 죽음의 원인으로 보입니다. 1668년에는 아들 티튀스마저 세상을 떠납니다. 혼자가 된 며느리는 시아버지 렘브란트가 집구석에 틀어박혀 손녀의 재산을 축낸다고 구박하는데요. 불행인지 다행인지 천덕꾸러기 생활은 길지 않았습니다. 렘브란트는 아들이 죽고 일 년 만인 1669년 63세 나이로 세상을 떠납니다. 며느리도 6주 뒤 시아버지 뒤를 따라가는데요. 렘브란트 집안에는 (법적으로 사생아인) 어린 딸 코르넬리아와 손녀 티티아Titia만 남게 됩니다. 렘브란트가 이런 미래를 알았더라면 편히 눈을 감지 못했을 겁니다.

첫 그림 〈63세의 자화상〉으로 돌아가 봅니다. 렘브란트가 죽은 해에 그린 그림입니다. 사랑하는 아내 사스키아, 아기 때 죽은 세 자식, 자신을 이해해 준 내연녀 헨드리켜, 든든한 버팀목이 되어 준 아들 티튀스……. 사랑하던 이들을 모두 잃고 나서의 렘브란트입니다. 가지고 있던 재산과 명성은 바람 앞의 먼지처럼 흩어져 버리고, 혈기 왕성하던 젊은 시절은 지나가 버렸습니다. 자신했던 건강마저 손에 쥔 모래처럼 빠져나갑니다. 그림 속 눈빛은 과거를 회상하듯 회한에 젖어 있는데요. 자신이 처한 상황과 내면을 이렇게까지 솔직하게 그려 낸 화가는 없습니다. 렘브란트가 많은 초상화와 종교화, 풍경화를 그렸지만, 자화상의 화가로 기억되는 건 이 때문입니다.

재산과 명예, 사랑하는 가족까지 모두 잃고 나서의 얼굴입니다. 과거를 회상하는 듯한 눈빛이 회한에 젖어 있습니다.
〈63세의 자화상〉 부분.

젊은 시절부터 죽기 직전까지 그가 그린 자화상은 80여 점에 이릅니다. 드로잉, 에칭, 유화 등 형식도 다양합니다. 패기와 야망 넘치는 청년기, 거장 자리에 오른 전성기, 파산에 이른 장년기, 사랑하는 가족을 잃고 병약해진 노년기까지, 렘브란트는 일기를 쓰듯 그림에 자신의 삶을 충실하게 기록해 나갔는데요. 덕분에 우리는 누군가의 긴 인생 역경을 함께한 듯합니다. 렘브란트의 자화상이 감동적인 건 우리 삶도 그와 크게 다르지 않기 때문입니다.

우리도 일에서 실패하고 사람들에게 비난받고 사랑하는 사람의 죽음을 경험하고 경제적 어려움에 처합니다. 어리석은 잘못을 저지르고 그것을 고칠 기회를 안타깝게 놓치곤 합니다. 무엇보다도 늙고 병드는 순간이 언젠가 우리를 찾아옵니다. 살아 있는 생명이라면 누구도 피할 수 없는 숙명입니다. 그럼에도 자신에게 닥친 늙고 쇠락해 가는 시간을 담담하게 바라볼 수 있는 사람은 많지 않습니다. 그리고 그 순간 순간을 기록으로 남기는 사람은 더 드뭅니다. 화가 렘브란트는 그렇게 했습니다. 그렇기에 그는 인생에서 실패했는지 모르지만 그림에서는 실패하지 않았습니다. 렘브란트의 자화상 앞에 서면 가슴이 먹먹해지며 우리네 인생을 되돌아보게 되는데요. 그것이 렘브란트가 실패하지 않았다는 증거입니다.

20대 초반(1628년경)

20대 초반(1629년경)

29세(1635년)

30세(1636년)

렘브란트가 혈기 왕성한 청년기부터 죽기 직전까지 그린 80여 점의 자화상 중 일부입니다. 그는 일기를 쓰듯 자화상으로 자신의 삶을 기록해 놓았습니다.

40대 후반(1655년경)

52세(1658년)

24세(1630년)

26세(1632년)

27세(1633년)

30대 초반(1639년경)

30대 초반(1640년경)

39세(1645년)

50대 중반(1662년경)

60대 전후(1665~1669년)

63세(1669년)

“이성이 잠들면 괴물이 깨어난다.”

-프란시스코 데 고야의 동판화집 『변덕』(1799) 43번 작품 제목

08

인간이 만든 지옥 같은 세상을 경험하다

프란시스코 데 고야의 암흑

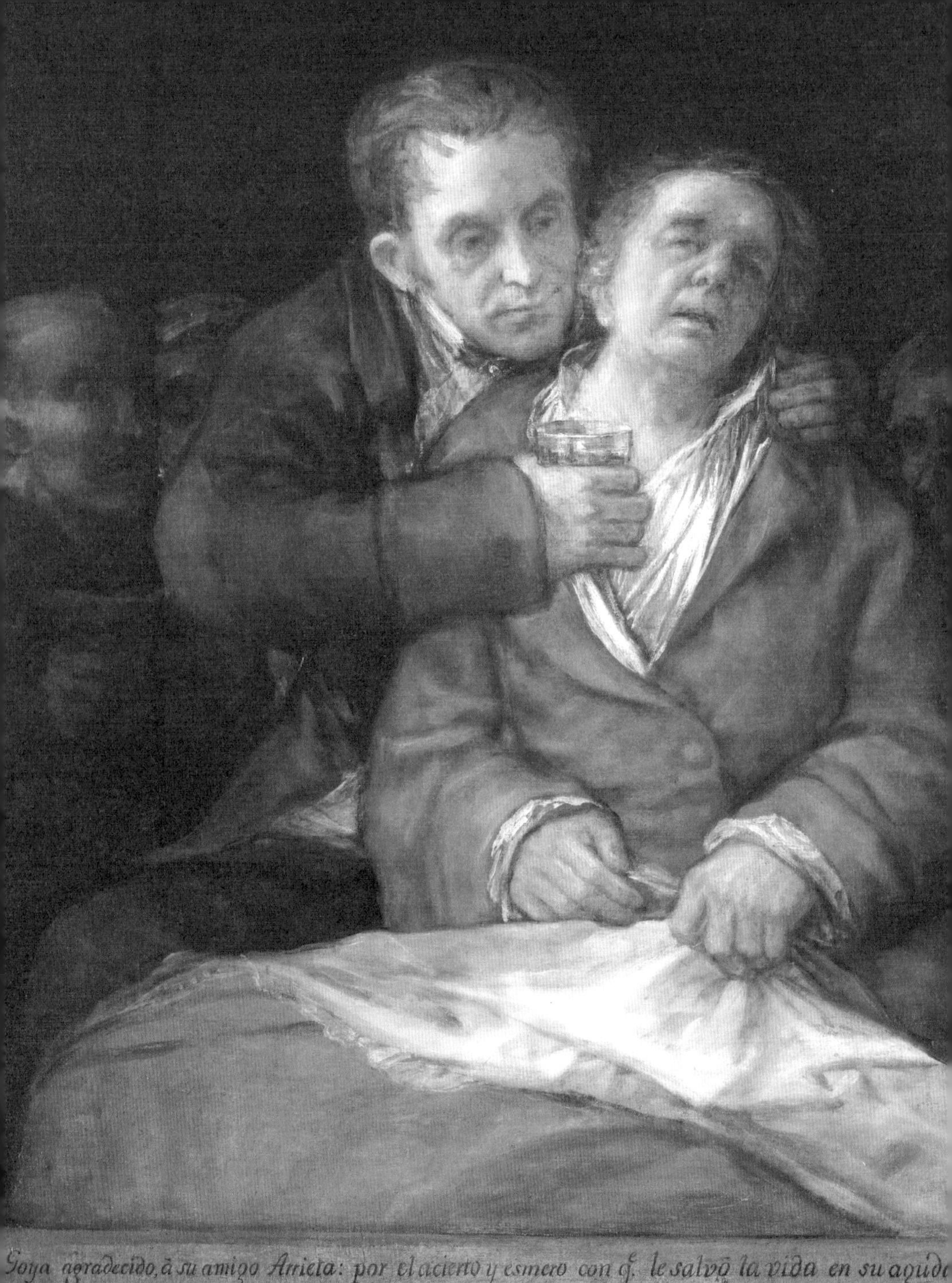
Goya agradecido, ā su amigo Arrieta: por el acierto y esmero con q. le salvō la vida en su aguda
peligrosa enfermedad, padecida ā fines del año 1819. a los setenta y tres de su edad. Lo pintō en

이번에는 벨라스케스의 후배 예술가를 만나러 에스파냐로 돌아가 보겠습니다. 벨라스케스가 죽고 약 100년 뒤에 태어난 프란시스코 데 고야Francisco José de Goya y Lucientes(1746~1828)입니다. 그림에서 이불을 덮고 있는 남자가 고야인데요. 금방이라도 뒤로 쓰러질듯 많이 아파 보입니다. 곁에서 그를 부축한 채 약 또는 물을 먹이려는 남자는 의사이자 친구인 에우헤니오 아리에타Eugenio García Arrieta입니다. 그래서 그림 제목이 〈의사 아리에타와 함께 있는 자화상Goya a su médico Arrieta〉입니다.

이 그림이 그려지기 약 30년 전인 1792년, 46세의 고야는 목숨을 잃을 뻔한 중병을 앓습니다. 구토, 복통, 어지럼증, 섬망증, 환각, 청각과 시각 장애를 동반한 중증 상태였는데요. 당시는 매독에 걸렸다는 소문이 돌았지만 오늘날에는 수막염을 앓았을 것으로 추측합니다. 고야는 건강을 회복했지만 이때부터 청각을 상실하게 되었습니다. 약 30년 뒤인 1819년 73세의 고야는 또 한 번 중병을 앓습니다. 두 차례의 혹독한 병치레를 경험한 뒤에 〈의시 아리에타와 함께 있는 자화상〉을 그린 겁니다. 그림 아래쪽에는 다음의 문구가 쓰여 있어 그림이 그려진 이유

프란시스코 데 고야, <의사 아리에타와 함께 있는 자화상>, 1820년, 캔버스에 유채, 114.62×76.52cm, 미네소타, 미니애폴리스 미술관Minneapolis Institute of Art.

Goya agradecido, á su amigo Arrieta: por el acierto y esmero con q. le salvó la vida en su aguda
peligrosa enfermedad, padecida á fines del año 1819. a los setenta y tres de su edad. Lo pintó en

그림 아래쪽에는 침대 틀을 연상시키는 나무 질감 면이 그려져 있고 그 위로 글자가 쓰여 있는데요. 자신의 중병을 치료해 준 친구 아리에타에게 고마운 마음을 담아 그림을 그렸다는 제작 의도가 적혀 있습니다. 고야는 이 그림을 아리에타에게 선물로 주었습니다.
<의사 아리에타와 함께 있는 자화상>의 글.

를 설명해 줍니다.

> "고야가 친구 아리에타에게 고마움을 전하며: 1819년 말에 지독한 중병을 앓던 73세의 나를 연민 어린 손길로 정성스럽게 치료해 생명을 구해 주었다. 이때 일을 1820년에 그렸다."

어두운 심연에서 우리를 쳐다보는 것들

여기까지는 이해하기 어렵지 않습니다. 죽을 고비를 넘게 도와준 친구에게 뭔가 해 주고 싶어서 그린 우정 어린 선물이라는 건데요. 그런데 서늘한 기분이 드는 건 왜일까요. 그림을 다시 들여다봅니다. 이상한 게 눈에 띄네요. 배경에 어른거리는 기분 나쁜 저것들은 뭘까요? 어둠 속에서 도깨비 같은 것들이 하나도 아니고 셋씩이나 있는데요. 음흉한 사람 얼굴 또는 허상 같기도 하고 지옥에서 튀어나온 악마 같기도 합니다. 그들은 허약해진 고야의 영혼을 지옥에라도 끌고 가려는 듯 주시하고 있습니다. 아무리 사랑하는 친구가 애정으로 선물한 것이라 해도 이 그림을 거실이나 침실에 걸어 두긴 힘들 듯합니다. 불 꺼진 밤에 화장실이라도 가려다가 음산한 그림과 눈이 마주친다면 흠칫 놀라 나자빠질 게 뻔하니 말이죠. 친구 아리에타는 선물을 어디다 두었을지 궁금해집니다.

심하게 아프면 비관적이 되기 쉽고 우울한 생각에 사로잡히곤 하는데요. 더구나 고야는 병으로 인한 환각 증상에 시달리고 있었습니다. 그렇다면 사경을 헤매면서 보았던 환영이라도 표현한 걸까요? 아니면 기도를 해 주기 위해 찾아온 성직자라거나 심부름꾼을 그려 넣은 것에 불과할까요? 여러 의견이 있는데요. 비슷한 시기에 그려진 다른 그림과 연관시켜 설명하는 설이 가장 그럴듯해 보입니다. 《검은 그림들 Pinturas negras》(1819~1823)이라고 불리는 14점의 연작 그림인데요. 검은색, 황토색, 갈색, 회색 물감을 주로 사용해서 화면이 어둡고 음산한 데다 내용까지 암울하고 기이해서 후대 사람들이 붙인 이름입니다.

《검은 그림들》 중 하나를 살펴볼까요. 〈국을 떠먹는 두 노인Dos viejos comiendo sopa〉입니다. 마치 〈의사 아리에타와 함께 있는 자화상〉의 배경 속 괴이한 존재들이 주인공으로 등장한 것 같네요. 고야의 그림에는 이런 형상들이 자주 등장하는데요. 사람인지 해골인지, 남자인지 여자인지 구분할 수 없는 존재들입니다. 하나는 이빨이 다 빠져 합죽이가 되었고 다른 하나는 두개골만 남아 있습니다. 그런데도 그들의 식욕은 사라지지 않았나 봅니다. 오히려 좀비처럼 변해 버려서 식탐이 더한 걸까요. 살았는지 죽었는지 알 수 없는 존재들이 국을 떠먹으며 무언가를 탐욕스럽게 바라보고 있습니다. 이렇게 괴기스럽고 섬뜩한 장

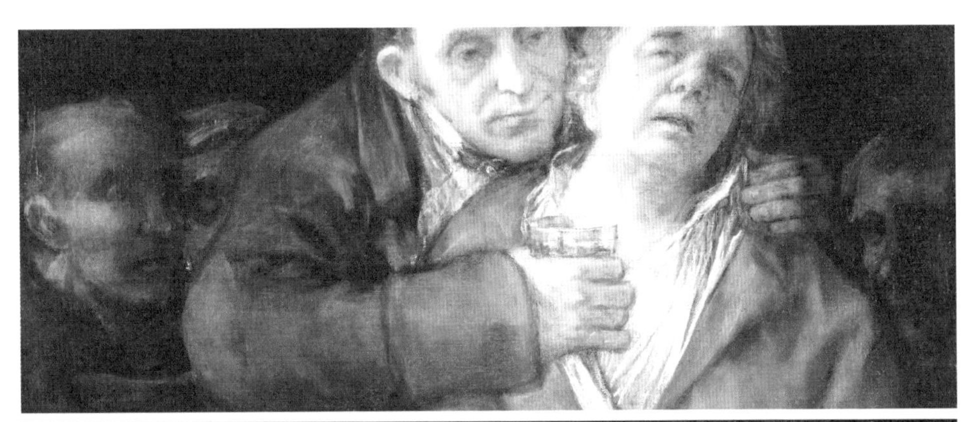

고야와 아리에타의 등 뒤로 기분 나쁜 것들이 어른거립니다. 허상 같기도 하고 악마 같기도 한 것들이 허약해진 고야의 영혼을 노리고 있습니다. 그 모습이 <국을 떠먹는 두 노인>에 등장하는 존재들과 흡사합니다.

위: <의사 아리에타와 함께 있는 자화상> 부분.

아래: 프란시스코 데 고야, <국을 떠먹는 두 노인>, 《검은 그림들》 14점 중 하나, 1819~1823년경, 벽화를 캔버스에 옮김(1874~1878년 사이), 49.3×83.4cm, 마드리드, 프라도 미술관.

마드리드 변두리에 위치했던 '귀머거리의 집'의 1900년경 모습입니다. 고야는 이곳에 살면서 벽에다 15점의 《검은 그림들》을 그렸습니다. 그중 14점의 벽화가 1874~1878년 사이에 캔버스로 옮겨져 프라도 미술관으로 들어갔고, 집은 1909년에 철거되어 오늘날에는 볼 수 없습니다.

면들로 이루어진 게 《검은 그림들》입니다.

1819년 73세가 된 고야는 마드리드 변두리에 위치한 주택을 구입하는데요. 전 주인이 고야처럼 청각장애인이어서 '귀머거리의 집Quinta del Sordo'이라 불리던 곳이었습니다. 집 이름에서 고야는 운명적인 느낌을 받았을지도 모르겠습니다. 귀머거리의 집으로 이사 온 고야는 공적인 활동을 모두 접은 채 무엇에라도 사로잡힌 듯 벽에다 그림을 그리는데요. 이것이 《검은 그림들》입니다.

여행을 좋아하는 분이라면 마드리드에 가서 귀머거리의 집을 방문해야지, 생각하실 수 있겠는데요. 이 집은 1909년 철거되었습니다. 벽에 그려진 15점의 《검은 그림들》 중 14점이 캔버스로 옮겨져(1874~1878년 사이) 지금은 프라도 미술관에 소장되어 있습니다. 예술을 좋아하는 분이라면 아쉬울 수 있겠는데요. 고야가 실제로 거주했던 귀머거리의 집에서 그의 작품들을 본다면 전혀 다른 느낌을 받았을 테니 말이죠. 한번 상상해 보세요. 음산하고 불길하고 때로 잔인하기까지 한 그림들이 벽에 잔뜩 그려진 집에서 밥을 먹고 잠을 자고 휴식을 취한다면 어떤 기분일까요. 당시 고야의 정신 건강 상태가 궁금해집니다.

연구자들은 70대에 이른 고야가 우울증과 대인기피증에 빠져 있었을 것이라고 추측합니다. 발병 이유를 신체적 이유 즉 청각 장애에서 찾기도 하는데요. 물론 이것도 하나의 원인일 수 있겠습니다. 하지만 장애를 입은 시기가 약 30년 전인 40대이니 이것을 유일한 이유라고 보긴 어려울 듯합니다. 무엇이 고야를 좌절과 환멸, 바닥 없는 추락의 늪으로 밀어 넣은 걸까요? 답을 찾기 위해 고야의 삶으로 들어가 보겠습니다.

군주제가 낳은 무능과 허세, 탐욕을 마주하다

고야는 1746년 에스파냐 사라고사 근처에 있는 작은 시골 마을 푸엔데토도스Fuendetodos에서 태어납니다. 아버지는 재주 많은 도금사였고 어머니는 가난한 소귀족 출신이었는데요. 고야는 자신의 피 절반이 귀족임을 드러내고 싶어 한 듯합니다. 30대부터 서명을 할 때 귀족 이름에 쓰이는 de를 붙여 Francisco de Goya로 썼습니다.

14세 때 호세 루산의 공방에 도제로 들어가면서 그림을 시작합니다. 다른 거장들처럼 처음부터 천재의 싹을 보인 건 아니었는데요. 마드리드, 로마 등 여러 도시를 돌아다니며 그림 실력을 쌓고 유명 미술 대회들에도 참가하지만, 고야에게 상을 주는 곳은 없었습니다. 작은 성과라면 고향 사라고사에서 "로마 물 좀 먹은 화가"로 알려지기 시작했다는 것이죠. 덕분에 1771년 25세 때 엘 필라르 대성당El Pilar의 작은 성가대석 천장화를 주문받습니다. 이때부터 서서히 길이 열리기 시작합니다. 주문이 이어지고 후원자도 생겼던 겁니다.

고야가 조금씩 명성을 얻자 중매도 들어옵니다. 스승 프란시스코 바예우Francisco Bayeu가 자기 여동생 호세파 바예우Josefa Bayeu를 소개시켜 준 건데요. 성공을 꿈꾸던 고야에게도 괜찮은 제안이었을 게 분명합니다. 스승 바예우가 카를로스 3세의 궁정화가로, 왕실 사정을 훤히 꿰고 있었기 때문이죠. 1773년 고야는 27세의 나이로 호세파와 결혼하고 1775년 마드리드에 정착합니다.

고야는 처남 바예우 덕에 왕실 태피스트리(다양한 색실로 그림을 수놓아 벽에 걸어 두는 장식용 직물)를 맡을 수 있었고, 1786년 40세 때 왕전속화가로 임명됩니다. 하지만 처남은 출세의 디딤돌이자 걸림돌이기도 했는데요. 고야가 궁정화가에 오르려 할 때는 방해했기 때문입니다. 처남은 12살 아래의 제자인 고야가 자기와 같은 자리에 있는 걸 원치 않았습니다. 고야가 궁정화가 자리에 오른 건 카를로스 3세가 죽고 아들 카를로스 4세가 왕위에 오른 뒤인 1789년이었습니다.

왕족 모두가 화려한 의상을 차려입고 위엄 있는 자세를 취하고 있지만 얼굴이 어딘지 어색하고 공허해 보입니다. 이렇게 기괴하게 그려진 왕실 초상화는 또 없을 겁니다.
프란시스코 데 고야, <카를로스 4세의 가족>, 1800~1801년, 캔버스에 유채, 280×336cm, 마드리드, 프라도 미술관.

궁 생활과 궁정화가라는 직책은 고야에게 평생에 걸친 고민거리를 안겨 주었던 것 같습니다. 경제적 안정과 명예는 주었지만 개인의 신념과 가치관과는 끊임없이 충돌했기 때문입니다. 고야는 30대에 '계몽한 사람들'이라는 뜻을 가진 사회단체 '일루스트라도스Ilustrados'에 가입하는데요. 유럽에 퍼진 계몽주의 사상으로 낡은 에스파냐를 개혁하려던 진보 지식인 단체였습니다. 고야는 시대착오적인 절대왕정을 넘어서려는 자유주의 개혁가들과 한 배를 탄 셈입니다. 그러니 왕족을 받들어야 하는 처지에 마음이 편치 않았을 겁니다. 1781년 고야가 쓴 편지 내용은 궁 생활이 어떠했는지를 잘 보여 줍니다.

"음모 꾸미는 일에 몰두하는 궁 사람들은 그냥 그렇게 진흙탕 속에서 살라고 해. 탐욕스러운 그들은 살아 있는 게 아닐 거야."

고야의 내면 갈등을 잘 보여 주는 그림이 〈카를로스 4세의 가족La familia de Carlos IV〉입니다. 〈카를로스 4세의 가족〉은 선배 화가 벨라스케스의 〈시녀들〉을 오마주하고 있습니다. 〈시녀들〉처럼 왼쪽에 화가 자신과 캔버스를 그려 넣었는데요. 그림에 고야의 자화상이 숨어 있는 셈입니다. 그런데 〈시녀들〉과 달리, 화가가 하는 역할은 크지 않습니다. 어둠에 파묻혀 있어 행인 1, 2, 3처럼 단역 정도의 역할을 하고 있습니다. 하긴 왕실 초상화이니 왕족들이 주인공인 게 정상이겠죠. 그런데 주인공들의 표정이 영 이상합니다. 옷을 화려하게 차려입고 번쩍이는 훈장을 단 채 근엄하게 서 있지만 마치 가면을 쓰고 있는 듯 어색한데요. 어딘지 공허하고 멍청해 보이기까지 합니다.

〈카를로스 4세의 가족〉이 그려진 건 프랑스에서 혁명이 일어나 루이 16세를 처형한 지 7~8년이 지난 때였습니다. 이웃 나라의 격렬한 정치·사회 변화에도 아랑곳없이 카를로스 4세는 자신의 왕권과 왕실 권위가 굳건함을 알리기 위해 이 왕실 초상화 제작을 명령한 건데요. 당시 유럽 왕족들은 프랑스에서 일어난 혁명이 자신들 나라에까지 영향을 미치지 않을까 두려워하며 오히려 왕권 체제를 강화하고 있었습니다. 고야는 겉으로는 왕의 명령에 따랐지만 마음속으로는 이렇게 한탄하지 않았을까요. '시민 혁명으로 역사가 바뀌고 있는데, 난 여기서 적폐의 주역들이나 그리고 있구나' 하고요.

어떤 연구자들은 이 왕실 초상화가 이상해 보이는 건 고야의 마음속 갈등 때문이 아니라 고야의 예리하고 정확한 시선 때문이라고 주장합니다. 고야가 카를로스 4세의 왕실이 가지고 있던 모순과 갈등을 제대로 포착해 냈다는 건데요. 중심을 차지한 사람은 왕 카를로스 4세가 아닌 왕비 마리아 루이사María Luisa de Parma입니다. 통치 능력이 부족하고 정치에 관심이 없었던 카를로스 4세는 총리 마누엘 데 고도이Manuel de Godoy에게 국정을 맡기다시피 했는데요. 고도이는 왕비의 애인이었습니다. 무능한 왕과 부패한 총리와 방탕하고 사치스러운 왕비가 찰떡궁합으로 에스파냐를 말아먹고 있었던 겁니다. 당시 에스파냐 사람들은 왕과 왕비, 총리를 묶어 '불경스런 지상의 삼위일체'라 부를 정도였습니다. 왼쪽 맨 앞줄에 서 있는 파란 옷의 남자는 왕 부부의 장남인 페르난도 왕자인데요. 결국 아버지 카를로스 4세는 이 그림이 그려진 지 채 10년도 지나지 않아 아들 페르난도에 의해 왕권을 박탈당합니다.

초상화 중앙을 차지한 건 왕 카를로스 4세가 아닌 왕비 마리아 루이사입니다. 무능한 왕은 왕비의 애인인 고도이 총리에게 통치를 맡겼는데요. 에스파냐는 사치스러운 왕비와 부패한 총리에 의해 혼란에 빠집니다. 결국 초상화가 그려진 지 10년도 지나지 않아 왕은 아들 페르난도 왕자에 의해 왕권을 빼앗깁니다.
<카를로스 4세의 가족> 부분(왼쪽부터 페르난도 왕자, 마리아 루이사 왕비, 카를로스 4세 왕).

인간의 어리석음이 만들어 낸 지옥, 종교재판과 전쟁

에스파냐에서 정치와 함께 또 다른 문제는 종교였습니다. 중세가 끝난 지 300여 년이나 지났지만 에스파냐는 아직 그 시절에서 벗어나지 못했습니다. 15세기 말 에스파냐가 통일을 이루고 나서 이슬람교와 유대교를 혹독하게 탄압했다고 말씀드렸는데요. 16세기 개신교가 등장하자, 종교재판소는 공격 대상을 무어인과 유대인에서 개신교도로 바꿉니다. 이단자나 마녀로 낙인찍힌 사람들은 지하 감옥으로 끌려가서 온갖 끔찍한 고문을 받았습니다. 고통에 못 이겨 자신이 이단자나 마녀라고 '고백'하면 화형당했고, 부인하면 죽을 때까지 이어지는 고문을 다시 받아야 했습니다. 무고한 사람들이 처절한 비명과 고통 속에 사그라져 갔습니다. 고야도 〈옷 입은 마하〉와 〈옷 벗은 마하〉란 한 쌍의 그림 때문에 외설 혐의로 1815년 종교재판을 받은 당사자였습니다(재판 대상이 된 실제 이유가 진보 인사들과의 친분 관계 때문이란 설도 있습니다). 당시 종교재판소는 죄 없는 사람이라도 한 번 들어가면 멀쩡히 걸어 나오기 힘든 장소였는데요. 고야는 어떤 이유에서인지 알 수 없지만 무사히 돌아왔습니다.

〈이성이 잠들면 괴물이 깨어난다El sueño de la razón produce monstruos〉는 방금 본 왕실 초상화 〈카를로스 4세의 가족〉과 비슷한 시기에 만들어진 작품인데요. 같은 화가의 작품이라고 보기 어려울 정도로 전혀 다른 느낌을 줍니다. 동판화집 『변덕Los caprichos』에 실린 80점 중 43번째 판화로, 당시 정치·사회·종교 현실을 비판하고 있습니다.

한 남자가 책상에 얼굴을 파묻고 쪽잠을 자고 있는데요. 고야의 페르소나라고 볼 수 있습니다. 그 뒤로는 부엉이인지 박쥐인지 정체를

잠든 인물 뒤로 괴상한 생물체들이 날아오르고 있습니다. 이성이 마비되었을 때 벌어지는 끔찍한 현상을 상징하고 있습니다.
프란시스코 데 고야, 〈이성이 잠들면 괴물이 깨어난다〉, 『변덕』의 43번째 판화, 1799년경, 21.5×15cm, 마드리드, 프라도 미술관.

알 수 없는 생명체들이 기지개를 펴며 날아오릅니다. 잠들어 있는 남자의 내면에서 튀어나온 것들이거나 남자가 지금 꾸고 있는 악몽 장면일 듯합니다. 바닥에는 남자를 노려보는 고양이 닮은 생명체도 있습니다. 작품 제목과 연결시킨다면 남자는 이성 또는 이성을 잠재운 인간일 테고, 기괴한 생명체들은 깨어나기 시작한 괴물들일 겁니다. 고야는 진보적이고 계몽적인 자유주의자들과 친하게 지냈다고 말씀드렸는데요. 그런 그의 눈에는 무능하고 시대착오적인 전제군주제, 죄 없는 사람들을 닥치는 대로 고문하고 죽이는 종교재판, 미신과 선동에 휩쓸리는 대중이 바로 이성이 잠들자 깨어난 괴물이었을 겁니다.

〈이성이 잠들면 괴물이 깨어난다〉가 실려 있는 판화집 『변덕』이 판매를 시작한 1799년, 또 다른 악몽이 다가오고 있었습니다. 이 해는 고야가 수석 궁정화가로 승진한 때이기도 했는데요. 프랑스에서는 나폴레옹 보나파르트가 쿠데타를 일으켜 총재 정부를 무너뜨립니다. 유럽 전체를 지배하려는 한 남자의 야심이 시작되고 있었죠. 나폴레옹 군대는 1805년 러시아-오스트리아 연합군을 이깁니다. 같은 해 트라팔가르 해전에서 에스파냐와 연합해 영국을 치지만 실패합니다. 나폴레옹은 영국을 경제적으로라도 고립시키기 위해 1806년 대륙봉쇄령을 발표하는데요. 하지만 산업혁명을 성공시킨 영국과 교역을 하지 않는다는 건 영국보다 다른 유럽 국가들에 더 큰 피해였습니다. 포르투갈, 스웨덴, 덴마크 등 몇몇 나라는 대륙봉쇄령에 따르지 않는데요. 나폴레옹은 이들을 응징하기로 마음먹습니다.

나폴레옹은 포르투갈 공격에 앞서 에스파냐 총리 고도이와 협력을 약속하는데요. 이때 나폴레옹 군대는 "포르투갈을 치기 위해서"라는 명분으로 에스파냐 땅에 들어옵니다. 우리식으로 말하자면 "명나라를 치러 가야 하니 조선 땅을 빌려 달라"는 일본 권력자 도요토미 히데요시의 말을 고도이 총리가 들어준 셈입니다. 1807년 포르투갈 리스본을 점령한 나폴레옹군이 에스파냐 땅에서 철수했을까요? 그럴 리가요. 나폴레옹의 다음 목표는 에스파냐가 됩니다.

외세의 위협을 앞두고 에스파냐 내부 정세도 심상치 않았는데요. 1808년 3월 에스파냐 민중은 부패한 카를로스 4세와 고도이 정권에 반대하고 왕자 페르난도를 지지하는 폭동을 일으킵니다. 페르난도는 아버지 카를로스 4세를 폐위시키고 왕위에 올라 페르난도 7세가 됩니다. 하지만 에스파냐마저 손에 넣기로 마음먹은 나폴레옹이 그를 그냥 놔둘 리 없었습니다. 나폴레옹은 에스파냐 왕실의 갈등을 해결하기 위해 회담 자리를 마련했다며 카를로스 4세와 페르난도 7세를 프랑스 도시 바욘으로 불러들입니다. 그런 뒤에 그들을 감금하다시피 하고, 비어버린 왕좌에는 자신의 형 조제프 보나파르트를 앉힙니다. 에스파냐 왕이 된 조제프는 자신의 이름을 호세 1세로 공포합니다.

에스파냐 민중은 처음에는 자신들의 땅에 들어온 나폴레옹 군대를 환영했습니다. 프랑스 혁명 정신이 폭정에 시달리던 자신들을 구원해 줄 것이라고 믿었던 건데요. 외세의 검은 속내를 알아채는 데 오랜 시간이 걸리지 않았습니다. 나폴레옹이 에스파냐 왕실 사람들을 프랑스로 불러들이자 분노한 민중은 1808년 5월 2일 대대적인 폭동을 일으킵니다. 나폴레옹 군대가 이들을 잔인하게 진압하고 다음 날 시위자들을 처형하는데요. 이날의 역사적 사건을 기록한 그림이 〈1808년 5월 3일 마드리드El 3 de mayo de 1808 en Madrid〉입니다.

에스파냐 왕족들이 볼모처럼 프랑스로 불려가자 에스파냐 민중은 외세란 구원자가 될 수 없다는 사실을 깨닫고 폭동을 일으킵니다. 이를 잔인하게 진압한 사건을 그린 게 이 그림입니다.
프란시스코 데 고야, 〈1808년 5월 3일 마드리드〉, 1814년, 캔버스에 유채, 268×347cm, 마드리드, 프라도 미술관.

실제 처형은 낮에 있었지만 고야는 극적인 순간을 강조하기 위해 그림 속 시간대를 밤으로 설정했습니다. 오른쪽은 학살자 프랑스 나폴레옹 군대의 영역입니다. 똑같은 군복에 똑같은 자세로 총을 겨누고 있습니다. 그들은 얼굴 없는 살인 기계입니다. 그들의 총구가 향한 왼쪽 영역에는 얼굴을 드러낸 에스파냐 민중이 있습니다. 얼굴에는 두려움,

에스파냐 사람들의 얼굴 표정을 얼굴 없는 군인들과 비교해 보세요. 두려움, 공포, 저항, 체념, 절망, 신을 향한 간절한 믿음 등 너무나 다양한 걸 알 수 있습니다. 이들이 살아 있는 인간이란 증거입니다.
〈1808년 5월 3일 마드리드〉 부분.

흰 셔츠에 노란 바지를 입은 남자의 손바닥 상처입니다. 십자가에 못 박혀 죽은 죄 없는 남자 예수 그리스도가 떠오릅니다.
〈1808년 5월 3일 마드리드〉 부분.

공포, 저항, 체념, 절망, 신을 향한 간절한 믿음 등 인간이라면 가질 수 있는 다양한 표정이 나타나 있습니다. 그들이 살아 있는 인간이라는 증거입니다.

특히 학살자들을 향해 두 팔을 치켜들고 있는 한 남자가 인상적인데요. 흰 셔츠에 노란 바지 차림이라 어두운 배경에서 도드라져 보입니다. 남자는 항복의 의미로 손을 들어 올린 걸까요? 아니면 학살 행위를 말리고 있는 걸까요? 남자의 행동에 단서가 될 만한 게 있습니다. 손바닥에 난 상처입니다. 우리는 역사를 통틀어 손바닥에 상처를 가진 가장 유명한 이를 알고 있습니다. 손바닥에 못 박혀 십자가에 매달린 남자, 인류를 위해 죄 없이 죽어 간 예수 그리스도입니다. 화가 고야는 프랑스 군사들에 의해 이름 없이 죽어 간 에스파냐 사람들을 예수에 비유하고 있는 겁니다.

인간의 마음에 사는 괴물을 마주하다

1808년 5월 2일 나폴레옹 군대에 맞서 일어난 에스파냐 민중 봉기는 전국적인 게릴라전으로 확산됩니다. 싸움은 1814년까지 6년간 이어지는데요. 이를 '에스파냐 독립전쟁' 또는 이베리아반도에서 일어났다고 해서 '반도전쟁'이라 부릅니다. 훗날 나폴레옹이 유배지에서 자신의 몰락 원인을 두고 "반도전쟁에서 발이 묶인 것"이라고 말했을 정도로 에스파냐 사람들의 저항은 거셌는데요. 결국 나폴레옹의 형 호세 1세가 쫓겨나고 페르난도 7세가 돌아옵니다. 혼란의 시기에 진보적인 자유주의자들은 에스파냐를 입헌군주국으로 선언하는 카디스 헌법(1812)을 발표하는데요. 민중은 새로 출발한 정권에 많은 기대를 걸었을 겁니다. 하지만 왕위를 되찾은 페르난도 7세는 카디스 헌법을 무효화하고 자유주의자들을 숙청한 뒤 절대왕정과 종교재판소를 부활시킵니다.

격동의 시기에 고야는 큰 타격을 입지 않았는데요. 그는 정권이 바뀔 때마다 카를로스 4세, 호세 1세, 페르난도 7세의 궁정화가로 살아남았습니다. 기회주의자라고 비판을 받을 만한 행보였습니다. 하지만 마음까지 마냥 편했던 건 아닌 듯한데요. 이후에 그가 그린 그림들이 증거입니다.

고야는 전쟁 기간에 많은 사람들이 경험하고 목격한 일들을 바탕으로 82점의 연작 판화를 만들어 내는데요. 이를 《전쟁의 참화Los desastres de la guerra》(1810~1820)라 합니다. 이 연작 판화는 당시에는 정치적·외교적 문제를 발생시킬 소지가 있었기 때문에 출판되지 못하다가 고야가 죽고 35년 뒤인 1863년에야 정식 출간됩니다. 너무 잔인하고 처참한 19금 장면들이 많아 오늘날에도 대중적으로 보여 주기 어려운 점이 있습니다만, 기회가 된다면 꼭 찾아보시기 바랍니다. "아우슈비츠(나치 수용소) 이후에도 시를 쓴다는 건 야만적"이라는 철학자 테오도르 아도르노의 말이 저절로 가슴에 새겨집니다.

이제 첫 그림 〈의사 아리에타와 함께 있는 자화상〉의 어두운 배경에 어른거리는 존재들의 정체를 어렴풋하게나마 짐작하실 수 있을 겁니다. 고야는 1828년 82세의 나이로 세상을 떠날 때까지 인간이 지닌 수많은 얼굴을 보았습니다. 탐욕, 어리석음, 우매함, 비열함, 광기, 잔인함, 처참함……. 그런 것들을 경험한 뒤에도 꽃의 아름다움과 사랑의 기쁨을 노래한다는 건 도저히 할 수 없는 일이었을 겁니다. 그래서였을

고야는 전쟁 기간에 많은 사람들이 경험하고 목격한 일들을 바탕으로 연작 판화를 제작합니다. 그중 하나로, 프랑스 군인이 교수형에 처한 남자를 올려다보고 있습니다. 희생자의 바지는 무릎까지 흘러내렸고, 그 뒤로는 또 다른 희생자가 나무에 매달려 있습니다.
프란시스코 데 고야, 〈이 역시 아니다Tampoco〉, 《전쟁의 참화》 36번째 판화, 1810년, 15.6×20.7cm, 뉴욕, 메트로폴리탄 미술관.

까요. 고야는 《전쟁의 참화》 연작에 뒤이어 귀머거리의 집 벽에다 《검은 그림들》을 미친 듯이 그려 냈습니다. 멀쩡한 정신으로는 버틸 수 없기에 더욱 벽화에 매달렸을 겁니다.

고야가 친구 마르틴 사파테르Martín Zapater에게 보낸 1784년 편지에는 다음과 같은 구절이 있습니다. 전쟁을 치르기 전에 쓴 편지이지만 인간이 가지고 있는 악을 이미 간파하고 있었던 것 같습니다.

"나는 마녀, 도깨비, 유령, 허풍 떠는 거인, 악당, 무뢰한 같은 건 무섭지 않네. 인간 외에 다른 어떤 존재도 두렵지 않아."

페르난도 7세가 시대를 거스르는 절대왕정을 부활시키자 1824년 고야는 휴가를 내고 프랑스로 건너갑니다. 병 요양을 핑계로 댔지만 사실은 아예 이주할 생각이었던 것 같습니다. 친구들이 많이 사는 보르도에 자리 잡은 고야는 조국으로 돌아가 왕에게 은퇴 의사를 밝힌 뒤 보르도로 돌아옵니다. 이곳에서 말년을 보내다 1828년 82세의 나이로 세상을 떠납니다.

고야의 그림은 한 가지 미술사조로 설명하기 어렵습니다. 바로크, 로코코, 신고전주의, 낭만주의, 사실주의, 표현주의, 초현실주의 등 여러 사조를 넘나들기 때문입니다. 초상화에서는 바로크와 로코코, 신고전주의 양식이 엿보인다면, 전쟁의 잔인함을 드러낸 판화에서는 사실주의, 인간의 내면과 환상을 표현한 그림에서는 낭만주의, 미래에 등장할 표현주의와 초현실주의 성향까지 보입니다. 이런 고야를 두고 연구자들은 근대 화가의 시작이라고 평가합니다. 고야가 궁정화가에 만족했다면 이룰 수 없었을 성과들입니다.

《검은 그림들》의 또 다른 그림 〈몽둥이 결투Duelo a garrotazos〉를 소개해 드리는 것으로 고야 이야기를 끝맺고자 합니다. 두 남자가 황량한 벌판에서 상대를 향해 몽둥이를 내리치고 있습니다. 한쪽 남자의

얼굴에서 빨건 피가 흐르고 있는데요. 다른 쪽 남자의 얼굴은 잘 보이지 않지만 비슷한 상태일 겁니다. 두 남자 모두 다리가 무릎까지 땅에 파묻혀 있는데요. 누가 파묻어 놓은 건지 알 길이 없습니다. 질문은 멈추지 않고 계속 꼬리를 뭅니다. 그들은 누구인지, 왜 여기 있는지, 싸우는 이유는 뭔지, 언제까지 싸울지, 누가 하나가 죽어야 멈출지, 누구 하나가 죽으면 다른 하나는 자유로워질지 궁금한데요. 그림은 어떤 정보도 전달해 주지 않습니다. 그저 싸움 자체에 몰두해 있는 처절한 장면

두 남자가 결투를 벌이는 장면입니다. 당시 에스파냐에서 일어난 왕정주의자와 자유주의자 간의 싸움으로 보는 입장도 있는데요. 전쟁, 마녀사냥, 종교재판 등을 겪은 고야가 인간성 자체에 대한 환멸과 절망감을 표현했다고 보는 게 더 타당하겠습니다.
프란시스코 데 고야, 〈몽둥이 결투〉, 1820~1823년경, 벽화를 캔버스에 옮김(1874~1878년 사이), 123×266cm, 마드리드, 프라도 미술관.

만 보여 줄 뿐입니다. 그래서 더욱 막막하고 절망적이고 비참합니다. 마녀사냥, 종교재판, 전쟁을 겪은 에스파냐 사람들 역시 같은 심정이지 않았을까요. 사람이 사람에게 어디까지 진인해질 수 있는지, 사람이 사람에게 얼마나 악해질 수 있는지 한탄하면서요.

"난 게으르게 앉아서 아무것도 안 하는 쪽보다
차라리 실패하는 쪽을 택하겠어."

-1885년 7월 뉘넌Nuenen에서 빈센트 반 고흐가 동생 테오에게 보낸 편지에서

09

주변의 냉소와 멸시에 굴하지 않고 나의 길을 가다

빈센트 반 고흐의 노력

Vincent

미술에 별 관심 없는 분이라도 빈센트 반 고흐Vincent Willem van Gogh(1853~1890)라는 이름은 잘 아실 텐데요. 레오나르도 다 빈치, 파블로 피카소와 함께 많이 알려진 미술가 중 하나일 겁니다. 성탄일 이틀 전에 자기 귀를 자른 충격적 사건과, 생전엔 그림을 거의 팔지 못했지만 지금은 엄청난 몸값을 가진 비운의 화가란 사실이 사람들의 흥미를 자극했기 때문일 텐데요. 관심도에 비례해서 빈센트의 자화상도 인기가 높습니다. 빈센트가 그린 많은 자화상 가운데 제가 꼽는 최고 자화상은 〈빈센트의 의자Vincent's Chair〉(또는 〈반 고흐의 의자〉)입니다.

화가의 얼굴은 또 어디로 가고 이번엔 의자 타령이냐, 이런 식으로 갖다 붙인다면 화가가 그린 모든 그림을 다 자화상이라고 말할 수 있는 거 아니냐, 이렇게 반박하실 수 있겠는데요. 네, 그 말씀도 맞습니다. 그럼에도 저는 여전히 이 의자 그림은 자화상의 좋은 예라고 주장하고 싶은데요. 의자 그림이 얼굴을 그린 어떤 자화상보다 빈센트의 성격과 인생관을 잘 보여 주고 있기 때문입니다.

의자는 투박한 나뭇결이 그대로 드러난 등받이와 네 다리, 골풀로 짠 좌판으로 이루어진 단순한 구조입니다. 군더더기 없이 기능에 충실

빈센트 반 고흐, 〈빈센트의 의자〉, 1888년, 캔버스에 유채, 92×73cm, 런던, 내셔널 갤러리.

의자 좌판 위에 빈센트의 기호품인 담배 파이프와 연초 덩어리가 놓여 있습니다. 의자 뒤쪽에 놓인 양파 상자 옆면에는 빈센트의 서명이 있습니다.
〈빈센트의 의자〉 부분.

하게 만들어진 것이라 볼 수 있겠는데요. 소박하고 직선적인 빈센트의 성격이 잘 드러나 있습니다. 좌판 위엔 빈센트가 즐기던 기호품인 담배 파이프와 연초 덩어리가 놓여 있습니다. 의자 뒤로는 양파 상자가 놓여 있는데요. 그 옆면에 'Vincent'라는 서명이 선명하게 쓰여 있습니다. 바닥에는 수수한 갈색 타일 또는 나무판 격자가 깔려 있습니다.

고집불통의 직진남 vs. 거만한 이기주의자

〈빈센트의 의자〉를 제대로 이해하기 위해서는 다른 그림이 필요합니다. 같이 그려진 〈고갱의 의자Gauguin's Chair〉입니다. 〈빈센트의 의자〉는 영국 런던의 내셔널 갤러리에, 〈고갱의 의자〉는 네덜란드 암스테르담의 반 고흐 미술관에 소장되어 있는데요. 개인적으로는 두 그림이 한자리에 있어야 진가를 발휘한다고 생각합니다.

〈고갱의 의자〉는 한껏 멋을 낸 흔적이 역력합니다. 다리는 단순한 일직선이 아니라 중간에서 한 번 꺾이는 사치를 부렸고 등판은 부드럽게 휘어 곡선을 이루고 있습니다. 팔걸이까지 달려 있어 호사스러운 느낌을 줍니다. 좌판에는 불 켜진 초와 지성을 상징하는 책 두 권이 놓여 있고, 뒤쪽 벽에는 조명이 켜져 있어 사람들의 이목을 집중시킵니다. 바닥은 화려한 무늬의 카펫이라도 깔아 놓은 듯 알록달록합니다. 〈빈센트의 의자〉에 비해 의자와 배경 모두 호화롭고 장식적입니다. 〈빈센트의 의자〉가 빈센트의 자화상인 것과 마찬가지로, 이 그림은 고갱의 초상화라고 볼 수 있겠는데요. 노란색과 푸른색 위주의 〈빈센트의 의자〉가 낮 시간대로 밝고 환하다면, 붉은색과 녹색 위주의 〈고갱의 의자〉는 밤 시간대로 어둡고 사색적입니다. 태양과 별, 자연을 사랑했던 고집불통의 빈센트와, 지적이지만 계산적이고 거만했던 고갱의 성격을 그대로 드러내고 있습니다.

1888년 2월 빈센트는 대도시 파리를 떠나 남부의 아를Arles 지방에 정착하는데요. 5월에는 라마르틴 2번가에 위치한 방 4개짜리 노란 집을 임대합니다. 월세 15프랑(약 25만 원)으로 저렴한 집이었는데요. 빈센트는 이곳에다 화가 공동체를 꾸리겠다는 꿈을 꾸면서 친분 있는 화가들에게 초대 편지를 보냅니다. 퐁타벤Pont-Aven에 머물고 있던 고갱은 편지를 받고 아를에 가기로 결심하는데요. 그가 빈센트의 편지에 반응을 보인 유일한 사람이었습니다. 고갱의 결정에는 빈센트의 동생 테오가 큰 역할을 한 것으로 알려져 있습니다. 당시 테오는 파리의 미술품

장식적이고 화려한 의자는 고갱의 거만했던 성격을 반영하고 있는 듯합니다.
빈센트 반 고흐, 〈고갱의 의자〉, 1888년, 캔버스에 유채, 90.3×72.5cm, 암스테르담, 반 고흐 미술관Van Gogh Museum.

중개상이었는데요. 그가 고갱의 그림을 구입해 주고 지속적인 재정 지원도 약속했던 겁니다. 원래 고갱은 주식 중개인으로 일하며 취미로 그림을 그리다가 35세에 전업화가가 되었는데요. 당시 프랑스 주식시장이 주가 대폭락으로 붕괴하자 반강제로 떠밀리다시피 한 선택이기도 했습니다. 고갱은 화가로 금방 유명해질 것이라고 자신했지만 생각보다 일이 잘 풀리지 않았습니다. 경제적 어려움에 시달리던 차에 테오의 제안을 받았던 거죠. 테오 입장에서는 정신적으로 불안정한 형에게 동료이자 보호자를 붙여 준다는 심정이었을 겁니다.

빈센트는 평소에 존경하던 고갱이 자신의 집에 온다고 하자 흥분 상태에 빠집니다. 고갱에게 내줄 방을 청소하고 단장하는데요. 호두나무 침대를 장만하고 자신이 그린 해바라기 그림을 벽에 걸어 둡니다. 1888년 10월 23일 노란 집에서 동거 생활에 들어간 그들은 함께 그림을 그리고 예술에 대한 생각도 나누게 되는데요. 얼마 지나지 않아 사사건건 부딪치면서 서로 맞지 않는다는 사실을 깨닫습니다. 날이 갈수록 갈등은 커지고 서로에 대한 불신이 깊어집니다. 오만한 고갱은 빈센트를 가르치려 들었고 고집불통의 빈센트는 따르려 하지 않았습니다. 앞에서 본 〈빈센트의 의자〉와 〈고갱의 의자〉가 이 시기에 그려집니다.

빈센트와 고갱은 모두 후기 인상주의자로 불리는데요. 빛에 따라 시시각각 변하는 사물의 색채를 재현한 인상주의에서 출발해서 결국 그것을 넘어서려 했기 때문입니다. 인상주의는 눈에 보이는 현상을 그리려 했다면, 빈센트와 고갱은 현상 너머 눈에 보이지 않는 것(즉 본질)을 포착하고자 했죠. 하지만 인상주의에서 벗어나 자신만의 화풍을 발전시키는 과정에서 둘은 서로 다른 해법을 취합니다. 빈센트는 주관적인 '감정'을 표현하려 했다면, 고갱은 '관념과 상징'을 나타내려 했습니다. 추상적인 설명이어서 감이 잘 오지 않을 수 있겠는데요. 두 사람의 논쟁을 들여다보면 그 차이를 어느 정도 짐작할 수 있습니다. 고갱은 빈센트에게 "기억과 상상력에 의존해서 작업해야 해"라고 충고했는데요. 하지만 빈센트는 실제 자연을 직접 대하면서 거기서 느껴지는 내면의 감정을 그림에 담으려고 노력하는 쪽이었죠. 갈등이 해결될 기미를 보이지 않으니 고갱은 빈센트를 떠나야겠다고 생각했을 겁니다.

12월 23일 빈센트는 노란 집을 떠나려는 고갱을 말리다가 면도칼로 위협합니다. 놀란 고갱이 도망쳐 나와 인근 호텔에서 하룻밤을 보냅니다. 혼자 남게 된 빈센트는 자기 왼쪽 귓불을 잘라서 신문지로 포장한 뒤 매춘업소에 갑니다. 그곳에서 일하는 하녀 라셸(혹은 가비)에게 "잘 보관해 줘요"라는 말과 함께 신문지 뭉치를 주고 돌아옵니다. 신문지를 열어 본 라셸이 얼마나 놀랐을지는 짐작할 만한데요. 다음 날 라셸의 신고를 받은 경찰이 노란 집에 들이닥쳤을 때 빈센트는 사방에 피를 튀긴 채 잠들어 있었습니다. 노란 집으로 돌아온 고갱은 경찰로부터 상황을 전해 듣고 파리에 있는 테오에게 전보를 칩니다. 테오가 달려왔지만 빈센트는 이미 아를 시립병원에 입원한 상태였습니다. 짧은 만남 뒤로 테오는 고갱과 파리로 돌아갑니다.

여기까지가 고갱이 전한 그날의 내막인데요. 빈센트가 면도칼로 위협했다는 건 어디까지나 고갱의 진술로, 사실이 아니라는 설도 있습니다. 고갱은 한때 복싱과 펜싱선수로 활약했던 운동 마니아였는데요. 그런 그가 빈센트 한 명을 제압하지 못했을 리 없다는 것이죠. 고갱의 진술이 사건 발생 15년이 지나서, 그러니까 진실을 말해 줄 당사자 빈센트가 죽고 나서 이루어졌다는 점도 진술의 신빙성을 의심하게 만듭니다. 최근에는 빈센트의 귀를 자른 건 펜싱 칼을 가지고 있던 고갱이라는 주장까지 나왔습니다. 상해 정도에 대해서도 귓불만 잘랐다, 귓불만 남기고 대부분의 귀를 잘랐다 등등 설이 분분합니다. 오늘날에는 진실이 무엇인지 알 길이 없는데요. 분명한 사실은 빈센트의 정신 상태가 안정적이지 않았고 두 사람의 관계는 돌이킬 수 없는 파경을 맞았다는 점입니다. 이렇게 동거 생활은 9주 만에 끝장납니다.

그렇다고 둘의 관계가 완전히 끊어진 건 아니었는데요. 파리로 떠난 고갱은 빈센트에게 두고 온 짐을 부쳐 달라는 편지를 쓰면서 자기 방에 걸려 있던 해바라기 그림도 함께 보내 달라고 부탁합니다. 빈센트는 고갱의 부탁을 들어주지 않은 듯한데요. 하지만 해바라기 그림의 가치를 인정받았다고 생각했는지 방에 걸린 것과 똑같은 해바라기 그림을 그립니다. 두 사람의 편지 왕래는 이후에도 계속됩니다. 무엇보다도 둘은 결별 이후 상대방의 주장을 일부 받아들여 자신의 그림에 반영합니다. 빈센트는 여전히 자연을 보고 그리되 기억과 상상력을 동원했고, 고갱은 밝은 색채(특히 노란색)를 도입했을 뿐 아니라 해바라기 그림도 그립니다. 둘의 동거가 서로에게 나쁜 영향만 끼친 건 아니었나 봅니다.

빈센트는 귀 절단 사건 직후에 그날의 결과를 두 점의 자화상으로 남기는데요. 그중 하나가 〈귀에 붕대를 매고 담배 파이프를 피우는 자화상Self-Portrait with Bandaged Ear and Pipe〉입니다. 배경의 주황색과 붉은색, 안쪽으로 쏠린 눈동자가 여전히 불안정한 정신 세계를 드러내고 있습니다. 빈센트가 잘라 낸 건 왼쪽 귓불이었는데요. 거울 속 자기 모

성탄일 이틀 전에 일어난 귀 절단 사건을 상기시켜 주는 자화상 중 하나입니다. 배경의 주황색과 붉은색, 안쪽으로 쏠린 눈동자가 불안정한 정신 세계를 드러내고 있습니다. 빈센트가 잘라 낸 건 왼쪽 귓불이었는데요. 거울 속 자기 모습을 보고 그리다 보니 그림에서는 다친 귀가 오른쪽으로 바뀌어 있습니다.
빈센트 반 고흐, 〈귀에 붕대를 매고 담배 파이프를 피우는 자화상〉, 1889년, 캔버스에 유채, 51×45cm, 취리히, 취리히 미술관Kunsthaus.

습을 보고 그리다 보니 그림에서는 다친 귀가 오른쪽으로 바뀌어 있습니다. 동생 테오에게 안심하라는 안부 인사 대신에 그린 그림이었다고 하는데요. 하지만 우리에겐 성탄일 이틀 전에 일어난 충격적인 사건을 상기시키는 상징이 되었습니다.

두 사람의 결별 원인을 이기적이고 오만한 고갱 탓으로 돌리는 경우가 많습니다. 하지만 모든 문제가 고갱에게서 비롯되었다고 보긴 어렵습니다. 극단적인 성격을 가진 빈센트 역시 주변 사람들과 어울리지 못하고 끊임없이 갈등을 만들어 냈기 때문입니다. 지인들과의 잦은 불화에는 빈센트의 콤플렉스와 정신병도 어느 정도 원인을 제공한 것으로 보입니다.

정신발작, 실연, 사회 부적응으로 고통받다

빈센트 빌럼 반 고흐Vincent Willem van Gogh는 1853년 네덜란드 남부의 작은 마을 쥔더르트Zundert에서 목사의 맏아들로 태어납니다. 원래는 일 년 전에 사산 상태로 태어난 형이 있었는데요. 빈센트가 그 형의 이름 '빈센트 빌럼'을 물려받았습니다(나중에는 동생 테오의 아들이 이 이름을 물려받습니다). 어머니는 빈센트에게 "네가 형의 삶을 대신 살고 있는 것"이란 말을 자주 했다고 하는데요. 이것이 빈센트의 정서에 안 좋은 영향을 끼친 것으로 보입니다.

1864년 부모는 11세의 빈센트를 제벤베르헌Zevenbergen 기숙학교에 입학시키는데요. 이때 영어, 프랑스어, 독일어를 배워 능숙하게 할 수 있게 되었습니다. 1866년 13세 때는 틸뷔르흐Tilburg의 빌럼 2세 국립

중학교에 입학하는데요. 이곳에서 미술 수업을 들은 것으로 알려져 있습니다. 하지만 2년 뒤인 1868년에 자퇴를 하고 집으로 돌아옵니다. 빈센트의 정신발작이 이때 시작되었다는 설도 있고, 가족의 생활고로 학비를 지불하기 어려워졌다는 설도 있습니다.

1869년 16세의 빈센트는 큰아버지 센트(본명은 빈센트)의 주선으로 구필 화랑Goupil & Cie의 헤이그 지점에서 일하기 시작합니다. 이때 보게 된 밀레의 그림에 큰 감명을 받는데요. 이후 밀레의 생애와 작품 세계는 빈센트에게 큰 영향을 끼칩니다. 빈센트는 초기엔 꽤 유능한 직원이었는데요. 곧 동생 테오도 구필 화랑의 브뤼셀 지점에서 일하게 됩니다. 1873년 20세의 빈센트는 런던 지점으로 발령이 납니다. 이때부터 손님과 그림 논쟁을 벌이는 등 자주 문제를 일으킵니다. 이 시기에 런던 노동자들의 비참한 현실을 직접 목격한 충격과 하숙집 주인 딸 외제니 로예Eugénie Loyer에게 거절당한 짝사랑 때문에 미술품 중개상 일에 전념하지 못하고 종교에 빠졌다는 의견도 있습니다. 이유야 어쨌든 빈센트는 파리 본사로 옮겨 갔다가 1876년 결국 해고당합니다.

이후 가난한 사람들과 노동자를 위해 일하겠다는 생각에 목사가 되기로 결심하는데요. 1877년 아버지는 빈센트가 목사 시험을 칠 수 있도록 암스테르담에 사는 이모부인 요하네스 스트리커Johannes Stricker 목사에게 보냅니다. 빈센트는 열의를 갖고 시험 준비를 하지만 암스테르담 신학대학에 불합격합니다. 아버지는 아들을 전도사 양성학교에 보내고, 빈센트는 그곳에서 벨기에 보리나주Borinage 탄광촌으로 파견되어 평신도 자격으로 전도 활동을 합니다. 그는 비참한 환경에 놓인 광부들에게 지나친 헌신과 열정을 보이며 거지나 다름없는 생활을 하는데요. 이에 부담을 느낀 학교 당국은 1879년 빈센트의 계약 연장을 하지 않기로 결정합니다. 결국 빈센트는 성직보다 가난한 사람들을 그리는 화가가 되겠다고 결심한 뒤 브뤼셀에 갔다가 가족들이 사는 에텐 Etten집으로 향합니다.

1881년 8월 스트리커 이모부의 딸 케이Kee(본명은 코르넬리아 아드리아나 보스스트리커Cornelia Adriana Vos-Stricker)가 남편을 잃고 당분간 빈센트가 사는 에텐 집에 머물게 됩니다. 빈센트는 사촌인 케이에게 사랑을 느끼고 고백하는데요. 놀란 케이가 암스테르담 자기 집으로 돌아갑니다. 빈센트는 편지로 스토커 짓을 벌인 끝에 케이의 집까지 따라가는데요. 케이가 만나 주지 않자 촛불에 손을 지지는 자해 소동을 벌입니다. 하지만 돌아온 것은 케이의 냉정한 거절 편지와 이모부의 경고였습니다. 12월 빈센트는 암스테르담을 떠나 헤이그로 향합니다.

빈센트는 헤이그에서 사촌의 남편인 안톤 마우베Anton Mauve에게 그림을 배웁니다. 당시 동생 테오는 미술품 중개상으로 제법 자리를 잡아서 빈센트에게 정신적, 물질적 지원을 해 주고 있었는데요. 1882년 빈센트가 딸을 하나 둔 매춘부 시엔Sien(본명은 클라시나 마리아 호르닉 Clasina Maria Hoornik)과 함께 살기 시작하면서 집안이 발칵 뒤집힙니다. 당시 시엔은 다른 남자의 아이를 임신한 상태였는데요. 목사 아버지와 동생 테오를 포함해 주변 사람들이 모두 시엔과 헤어질 것을 강요합니다. 시엔 집안에서도 경제적으로 무능한 빈센트를 반대하는데요. 결국 시엔과는 파경을 맞습니다.

1883년 빈센트는 뉘넌으로 이사 간 아버지 집으로 향하는데요. 아버지의 목사관 뒤뜰 헛간에서 그림을 그리며 지냅니다. 이 시기에 마르

빈센트는 헤이그에서 애 딸린 매춘부 시엔을 만나 동거를 시작하는데요. 시엔을 모델로 한 그림 중에서 가장 유명한 작품입니다. 두 사람은 양쪽 집안의 반대로 결국 헤어집니다.
빈센트 반 고흐, 〈슬픔Sorrow〉, 1882년, 검은 분필, 44.5×27cm, 월솔, 월솔 뉴 아트 갤러리
The New Art Gallery Walsall.

홋 베허만Margot Begemann이란 10살 연상의 여자가 빈센트에게 집착하다가 독약을 마시는 사건이 일어나는데요. 얼마 뒤인 1885년 3월 아버지가 갑자기 세상을 뜨면서 빈센트는 가족들의 비난을 또 받게 됩니다.

1886년 빈센트는 동생 테오를 찾아 파리로 갑니다. 파리에서 자신의 그림이 유행에 뒤떨어져 있다고 느끼고 변화를 시도하는데요. 인상주의 그림과 일본 판화인 우키요에를 접하면서 그림 색깔을 밝고 환하게 바꿉니다. 하지만 곧 대도시에 싫증을 느낀 빈센트는 1888년 2월 남부 지방인 아를로 향합니다. 아를의 강렬한 태양에 매료된 빈센트는 이곳에다 화가 공동체를 세우겠다는 희망에 들떴는데요. 10개월 만인 1888년 12월 23일 고갱과 싸우고 정신발작을 일으키면서 공동체에 대한 꿈은 사라집니다. 이후 자살할 때까지 2년 동안 정신병원을 전전하는데요. 이때 빈센트의 그림은 최고 정점에 이릅니다. 정신병에 시달리던 시기에 아이러니하게도 예술 세계는 활짝 꽃을 피운 건데요. 우리가 아는 빈센트의 명작 대부분이 이 2년간 그려집니다.

세상의 냉대에도 자신의 일을 묵묵히 해 나가다

빈센트는 귀를 자른 사건으로 아를 시립병원에 입원했다가 1889년 1월 7일 퇴원합니다. 그러나 발작이 재발하면서 2월 7일 재입원합니다. 마을 사람들은 빈센트가 이웃에 심각한 위협이 된다는 탄원서를 제출하는데요. 빈센트는 독방에 갇히고 노란 집은 폐쇄됩니다. 빈센트는 테오에게 다른 병원으로 가고 싶다고 말하고, 테오는 형이 그림을 그릴 수 있는 환경의 병원을 알아봅니다. 1889년 5월 8일 빈센트는 생레미Saint-

언뜻 광기에 사로잡힌 사람이 붓을 휘갈긴 그림처럼 보이는데요. 실제로는 밤하늘에 반짝이는 별과 수직으로 치솟은 사이프러스 나무의 강렬한 느낌을 강조하기 위해 치밀하게 계획한 붓질들로 이루어져 있습니다.
빈센트 반 고흐, 〈별이 빛나는 밤〉, 1889년, 캔버스에 유채, 73.9×92.1cm, 뉴욕, 뉴욕 현대미술관.

Rémy의 생폴드모솔 정신병원Hôpital Saint-Paul-de-Mausole으로 가게 됩니다. 이렇게 입원과 퇴원을 반복하면서도 그림은 멈추지 않았습니다. 빈센트의 〈붉은 포도밭〉이 400벨기에 프랑(약 250만 원)에 팔린 것도 이때로, 이것은 빈센트가 살아 있을 때 팔린 거의 유일한 그림이 됩니다.

생레미 시절에 그린 가장 유명한 그림이 〈별이 빛나는 밤The Starry Night〉입니다. 요양 시절과 겹치다 보니 그림에서 빈센트의 정신병 징후를 읽으려는 시도가 많은데요. 강렬한 색채, 두꺼운 물감 층, 짧고 굵은 선들로 이루어진 소용돌이가 마치 미친 사람이 붓을 휘갈겨 그린 듯 강한 인상을 주긴 합니다. 하지만 실제로 정신발작 상태에서 이런 그림을 그리기란 불가능합니다. 어두운 하늘에서 굽이치는 회오리, 사방으로 빛을 발산하는 별들과 달무리, 불길처럼 하늘로 치솟는 사이프러스 나무를 표현하기 위해 한 획 한 획 찍은 붓질을 자세히 들여다보세요. 질서 정연한 선들을 반복해 찍어서 감상자에게 격렬한 느낌을 전달할 수 있도록 일부러 의도한 겁니다. 빈센트는 밤하늘의 반짝이는 별과 수직으로 치솟은 사이프러스 나무에서 느껴지는 자기만의 감성과 느낌을 그림에 담아내기 위해 여러 점의 스케치와 유화를 그렸는데요. 이렇게 연구에 연구를 거듭한 결과물이 이 그림입니다. 정신병 때문에 강렬한 그림을 그린 게 아니라, 정신병에도 불구하고 강렬한 느낌을 줄 수 있는 그림을 치밀하게 계획해서 그린 겁니다.

1890년 5월 빈센트는 생폴드모솔 정신병원에서 퇴원해서 파리 인근 도시 오베르쉬르우아즈Auvers-Sur-Oise로 요양을 갑니다. 동료 화가 피사로가 오베르에 있는 정신과 의사 폴 가셰Paul Gachet를 추천했기 때문인데요. 가셰 의사는 아마추어 화가이기도 해서 빈센트와 좋은 우정을 쌓았습니다. 빈센트는 가셰의 치료엔 큰 기대를 하지 않았던 것 같습니다. 가셰도 우울증을 앓고 있었기 때문입니다. 이곳에서도 빈센트의 붓은 쉬지 않았는데요. 그는 작업에 열의를 보이며 새 희망을 찾은 듯 보였습니다.

하지만 병이 너무 깊었던 걸까요. 아니면 자신의 이름을 딴 조카 빈센트에게 더는 짐이 되고 싶지 않았던 걸까요. 7월 27일 빈센트는 목격자가 아무도 없는 밀밭(또는 헛간)에서 7mm 구경의 핀파이어 리볼버 권총으로 자기 가슴을 쏩니다. 총알이 심장을 비켜 박혀서 목숨을 구한 빈센트는 피투성이가 된 채 숙소인 라부 여인숙Auberge Ravoux으로 돌아오는데요. 가셰 의사와 또 다른 의사가 달려왔지만 총알이 심장 가까이에 박혀 있어 빼내지 못합니다. 다음 날 테오가 찾아옵니다. 이때까지는 빈센트가 담배를 피우며 대화를 나눌 정도로 상태가 괜찮았는데요. 곧 몸속에 남아 있던 총알이 감염을 일으켜 30시간 만인 7월 29일 새벽에 세상을 떠납니다. 빈센트의 나이 37세였습니다. 형의 죽음에 충격을 받은 테오는 우울증을 앓다가 6개월 뒤인 1891년 1월 34세의 나이로 생을 마칩니다.

2020년 네덜란드의 흐로닝언 대학 의료센터Universitair Medisch Centrum Groningen 연구진은 빈센트의 수백 통 편지들과 의료 기록을 바탕으로 정신 감정을 실시한 뒤 그 결과를 『국제 조울증 학술지International Journal of Bipolar Disorders』에 발표했습니다. 빈센트는 그동안 양극성장애(조울증)와 경계성인격장애, 조현병 등을 앓았을 것으로 추정해 왔는데요. 연구 결과에 따르면 조현병 가능성은 거의 없으며, 극심한 우울증, 초점 간질, 알코올 금단 증상으로 인한 섬망 등에 시달렸던 것으로 보입니다. 또한 우리나라의 이영식 중앙대 의과대학 교수는 19세기 많은 예술가들이 즐겨 마셨으나 중독성과 환각성이 강해 오늘날에는 판매 금지된 압생트에 빈센트가 중독되어 있었을 것이라는 의견을 제시했습니다.

비극적인 현대 예술가의 선형이 되나

빈센트의 죽음에 대해서도 여러 설이 제기되었는데요. 자살이 아니라 동네 청년들이 장난으로 쏜 총에 맞았다, 총을 쏜 사람은 사실은 고갱이다, 테오의 아내(그러니까 제수씨)가 빈센트의 자살을 부추겼다 등등 그럴듯한 근거를 대는 주장부터 터무니없는 주장까지 다양합니다. 하지만 결정적 증거가 나오기 전까지 우리는 자살설을 부인하기 어렵습니다. 그렇다면 빈센트는 왜 자살이라는 극단적 선택을 했을까요.

빈센트의 불운했던 삶을 더 큰 틀에서 이해하기 위해서는 역사학자 아르놀트 하우저의 설명이 필요합니다. 렘브란트 이야기에서 독창적인 예술가가 대중의 외면을 받는 자본주의 시대가 시작되었다고 말씀드렸는데요. 하우저는 인상주의 시대가 되면 '사회에서 소외된 예술가'라는 현대 예술가상이 더 두드러진다고 지적합니다. 예술가들은 점점 더 대중에게 이해받을 수 없는 존재가 되어 간다는 겁니다. 이제 예술가는 두 종류로 나뉘는데요. 하나는 보헤미안(방랑자)이고 다른 하나는 서구 문명에서 벗어나 원시 세계로 떠나는 도망자입니다. 후자의 경우로는 타이티섬에서 삶을 마친 고갱을 들 수 있겠습니다. 그렇다면 빈센트는 어떨까요. 하우저는 정신병원을 전전했던 빈센트야말로 세계를 떠돌아다닌 방랑자이자 부랑아라고 말합니다. 빈센트와 비슷한 시기를 살았던 시인 랭보는 37세에 구호병원에서 객사했고 동료 화가 툴루즈로트레크는 빈센트처럼 정신병원에 입원한 적이 있습니다. 빈센트뿐 아니라 이 시기 많은 예술가들이 사회에 적응하지 못한 보헤미안으로 살아갔던 겁니다.

그렇다면 왜 예술가들은 극단적인 상태로 자신을 몰아넣었던 걸까요? 그들이 부르주아 사회가 낳은 인간 소외 현상에 가장 예민하게 반응했기 때문일 겁니다. 대도시 인파에 둘러싸여 있는 현대인은 그럴수록 고립되어 있고 혼자 버려져 있다는 느낌을 강하게 받습니다. 더구나 예술가란 인생을 묘사해야 하지만 그 인생에서 쫓겨나 있는 존재라는 역설적 상황에 놓인다고 하우저는 말합니다. 빈센트 역시 삶을 그림에 담고자 했지만 정작 보통 사람들의 삶에는 편입될 수 없는 이방인으로 살아야 했던 겁니다.

〈까마귀가 있는 밀밭Wheatfield with Crows〉은 빈센트가 죽은 해에 그린 그림입니다. 그의 마지막 작품들 중 하나이기 때문에 많은 사람들이 이 그림에서 죽음을 읽습니다. 하늘은 폭풍이 몰아칠 듯 불길한 푸른빛을 띠고, 허공에는 죽음을 상징하는 검은 까마귀가 날고, 길은 막다른 곳에서 갑자기 끊어집니다. 하지만 몇몇 연구자들은 빈센트가 까마귀를 죽음뿐 아니라 부활의 상징으로도 보았다고 지적합니다. 빈센트는 1890년 7월 10일자 편지에서 이 그림이 "슬픔과 극단적인 외로움"을 표현했지만 동시에 "시골 풍경이 가지고 있는 건강함과 기운을 북돋는 힘"을 보여 준다고도 썼습니다. 심지어 이 그림을 "가능한 한 빨리 파리에 있는 너(테오)에게 가져가겠다"는 말까지 덧붙였습니다.

이토록 작업에 열의를 보였던 빈센트가 어떤 심정으로 스스로에게 방아쇠를 당겼는지는 알 수 없습니다. 자신을 평생 괴롭혔던 정신발작이나 환각 현상이 그 순간 나타났을 수도 있고, 우울증이 도지는 바람에 모든 게 비관적으로 느껴졌을 수도 있습니다. 하지만 확실한 사실 하나는 그가 죽기 직전까지 자신의 일을 멈추지 않고 계속해 나갔다는 점입니다. 빈센트는 10년이라는 짧은 작업 기간(1880~1890년)에

빈센트가 죽은 해에 그린 그림입니다. 많은 사람들이 검은 까마귀와 폭풍이 몰아칠 듯 어두운 하늘, 갑자기 끊어진 길에서 죽음을 읽는데요. 빈센트가 남긴 편지에 따르면 그는 이 그림에 고독과 희망을 동시에 담고자 했습니다.
빈센트 반 고흐, 〈까마귀가 있는 밀밭〉, 1890년, 캔버스에 유채, 50.5×103cm, 암스테르담, 반 고흐 미술관.

스케치를 포함해 2,000여 점의 그림을 그렸습니다. 이틀에 한 점 이상씩 그림을 완성한 셈입니다. 날마다 규칙적으로 작업하지 않았다면 불가능한 양입니다. 빈센트가 남긴 편지들은 자기 그림에 대한 노력과 확신, 자신감을 전해 줍니다.

그렇다고 모든 문제가 해결되는 건 아닙니다. 한 개인의 노력과 확신이 사회에서 항상 받아들여지는 건 아니기 때문입니다. 자본주의 사회에서 유능함이란 자신의 노력을 돈으로 치환하는 능력을 말합니다. 노력의 결과가 보상으로 이어지지 않으면 '헛짓거리'를 한 것에 불과합니다. 이런 점에서 빈센트는 낙오자이자 사회 부적응자였습니다. 그가 자기 후반부 인생을 거의 바치다시피 한 그림으로 벌어들인 돈 총액이

겨우 몇 달 생활비 정도였으니까요. 그의 생활비 대부분은 동생 테오의 주머니에서 나왔습니다.

그런데 이상한 일이 벌어집니다. 빈센트가 자살한 지 딱 100년이 지난 1990년, 뉴욕 크리스티 경매장에서 그의 그림이 당시 최고가인 8,250만 달러(약 1,000억 원)에 낙찰됩니다. 그가 자살한 해에 그린 〈가셰 의사의 초상Portrait of Dr. Gachet〉이었습니다. 그림을 구입한 사람은 일본 사업가 사이토 료에이齊藤了英였는데요. 다음 해에 료에이의 유언이 세상에 알려집니다. 자신이 죽으면 자기 소유인 반 고흐, 르누아르의 그림과 함께 화장해 달라는 내용이었습니다. 나중에 유언을 취소하긴 했지만 두 화가를 사랑하는 사람들에게 아찔한 기억으로 남아 있습니다. 〈가셰 의사의 초상〉은 료에이의 죽음 이후 어딘가로 팔려 간 것으로 예상되는데요. 정확한 행방은 아직 알려지지 않았습니다(가셰 의사를 그린 또 다른 그림이 파리 오르세 미술관에 소장되어 있다는 게 그나마 다행이라고 해야 할까요).

한때 자본주의의 버림받은 자식이었던 빈센트가 한 세기 만에 재벌가의 천박한 부 과시용으로 이용당할 만큼 유명해진 건데요. 〈사이프러스 나무가 있는 밀밭Wheat Field with Cypresses〉은 1993년 5,700만 달러(약 600억 원)에 팔리는 등, 오늘날 빈센트는 몸값이 가장 비싼 화가들 중 한 명입니다. 어떻게 이런 일이 벌어졌을까요.

빈센트가 죽고 6개월 뒤 동생 테오마저 세상을 떠나자 빈센트의 그림은 테오 아내인 요한나 반 고흐-봉어르Johanna van Gogh-Bonger에게 상속됩니다. 요한나는 한 살 된 아들을 데리고 살아갈 길이 막막했을 텐데요. 그럼에도 '골칫덩어리인 빈센트 그림'을 다 처분해 버리라는 주위 충고를 무시한 채 작품을 잘 보관하고 빈센트와 테오가 주고받은 편지들을 모읍니다. 고향 네덜란드로 돌아가서 암스테르담에 하숙집을 차린 뒤 벽에 시아주버니의 그림들을 걸고 사람들에게 소개합니다. 미술계의 혹평에도 흔들림 없이 네덜란드 여러 도시를 돌아다니며 전시회를 열고, 빈센트와 테오의 편지들을 책으로 출판하고, 네덜란드 위트레흐트에 묻혀 있던 테오의 유해를 프랑스 오베르쉬르우아즈에 있는 빈센트 묘 곁으로 옮기기도 합니다. 책을 읽고 전시를 본 사람들은 두 형제의 우애에 감동했고 일찍 꺼져 버린 빈센트의 삶과 예술 세계에 주목하기 시작했습니다. 이렇게 비극적인 현대 예술가의 전형이라는 '빈센트 반 고흐 신화화 작업'이 이루어졌는데요. 빈센트는 몰랐고 알았더라도 활용할 주변머리가 없었을 자본주의 기술, 즉 마케팅과 홍보 작업을 요한나가 기막히게 해냈던 겁니다.

오늘날 예술가들은 빈센트처럼 작업에 최선을 다하되 거기서 멈추지 않고 요한나의 마케팅과 홍보 감각까지 장착하려 합니다. 비극적인 예술가 이미지가 더는 훈장이 아닌 시대가 되었기 때문입니다. 이제 자신과 자신의 작품을 포장해서 사람들에게 소개하는 일까지가 예술 역량으로 평가됩니다. 대중매체와 언론에 노출되는 걸 즐기는 예술가들도 등장하는데요. 뒤에서 소개해 드릴 앤디 워홀이 대표 인물입니다.

오늘날 세계 경매 시장에서 엄청난 몸값을 지닌 빈센트의 그림들입니다.
왼쪽: 빈센트 반 고흐, 〈가셰 의사의 초상〉, 1890년, 캔버스에 유채, 67×56cm, 개인 소장.
오른쪽: 빈센트 반 고흐, 〈사이프러스 나무가 있는 밀밭〉, 1889년, 캔버스에 유채, 73×93.4cm, 뉴욕, 메트로폴리탄 미술관.

"나는 죽은 자들과 함께 살아간다.
내 어머니, 누나, 할아버지, 아버지.
특히 아버지는 항상 함께 있다."

-에드바르 뭉크가 1890년에 쓴 글에서

10

삶을 덮치는 죽음의 공포와 이별의 슬픔에서 살아남기

에드바르 뭉크의 공포

빈센트 이야기에서 정신병이 화가에게 어떤 영향을 끼치는지 살펴볼 수 있었는데요. 정신병으로 고통받았던 또 한 명의 화가가 있습니다. 에드바르 뭉크Edvard Munch(1863~1944)입니다. 빈센트의 후기 인상주의는 표현주의로 이어지는데요. 표현주의의 대표 주자가 바로 뭉크이기도 합니다. 뭉크는 조국 노르웨이에서 많은 존경을 받는 국민 화가로, 1000크로네 지폐에까지 등장할 정도입니다. 우리나라 지폐 위인과 비교해 본다면 이황, 이이, 세종대왕, 신사임당과 거의 동급이라 할 수 있겠습니다.

노르웨이 지폐 위인 뭉크가 그린 자화상 중 하나가 〈지옥에 있는 자화상Selvportrett i helvete〉입니다. 그림 속 화가는 옷을 다 벗고 무방비 상태로 연약한 신체를 노출하고 있는데요. 오스고르스트란Åsgårdstrand의 여름집 정원에서 지내던 모습을 그린 것으로 알려져 있습니다. 눈, 코, 입은 분명한 형체 없이 짙은 갈색 덩어리로 뭉개져 있습니다. 얼굴은 검붉게 달아올랐고 배경은 내면의 신경증과 불안감을 반영한 듯 짧고 거친 붓질로 채워져 있습니다. 뭉크의 그림에서 종종 등장인물 못지

에드바르 뭉크, 〈지옥에 있는 자화상〉, 1903년,
캔버스에 유채, 82×66cm, 오슬로, 뭉크 미술관Munchmuseet.

않게 큰 역할을 하는 게 그림자인데요. 여기서도 괴물 같은 그림자가 화가를 집어삼킬 듯 거대하게 부풀어 올라 있습니다. 벌거벗은 화가와 함께, 검은 그림자 역시 그림의 주인공이라 할 수 있겠습니다.

〈지옥에 있는 자화상〉을 그린 1903년, 뭉크는 예술가로서도 한 남자로서도 지옥 같은 시절을 보내고 있었습니다. 당시 노르웨이 화단은 역사가 짧고 작가층이 두껍지 않았기 때문에 많은 노르웨이 화가들이 해외로 나가 활동하고 있었습니다. 뭉크 역시 유럽 여러 도시를 돌아다니며 전시를 열었는데요. 해외에서는 조금씩 평가가 좋아지고 있었지만, 조국 언론과 화단은 여전히 그의 그림을 받아들이지 못하고 비난했습니다. 그래서인지 뭉크는 동료 화가들과 싸움이 잦았습니다.

당시 뭉크는 연인과의 관계도 끝장난 상태였습니다. 〈지옥에 있는 자화상〉을 그리기 일 년 전인 1902년에 연인 툴라 라르센Tulla Larsen이 결혼을 해 주지 않으면 죽겠다며 자살 소동을 벌였는데요. 이를 말리던 뭉크가 실수로 총을 오발하면서 자기 왼손을 관통시킵니다. 결국 손가락 일부를 잃고 마는데요. 이 시기에 뭉크는 불면증, 과로, 음주 후유증을 겪습니다.

뭉크의 정신적 고통은 이때만의 문제가 아니었습니다. 어린 시절부터 시작되어 화가로 성공한 뒤에도 계속되었는데요. 빈센트 반 고흐처럼 평생을 우울증과 신경쇠약에 시달렸습니다. 또한 오늘날 의사들의 추정에 따르면 공황장애를 앓았던 것으로 보입니다. 아마도 어린 뭉크에게 닥친 너무 이른 불행 때문이 아니었을까 싶은데요. 첫 불행은 5살 때 찾아온 어머니의 죽음이었고, 다음 불행은 14살 때 어머니를 대신했던 누나의 죽음이었습니다.

사랑하는 가족의 죽음으로 고통받다

뭉크는 1863년 스웨덴-노르웨이 연합왕국(노르웨이는 1905년에 가서야 스웨덴으로부터 독립합니다)의 뢰텐Løten에서 다섯 남매 중 둘째로 태어납니다. 아버지는 명망 있는 지식인 가문에서 자란 군의관 출신이었고, 어머니는 지적이고 예술에 조예가 깊은 사람이었는데요. 1868년 뭉크가 5살 때 어머니가 결핵으로 세상을 떠납니다. 혼자가 된 아버지는 우울증을 앓으면서 종교에 광적으로 집착하기 시작했는데요. 인생의 고통과 위험, 지옥의 무시무시한 형벌 등 아이들에게 정서적으로 나쁜 영향을 끼칠 만한 훈계를 자주 늘어놓았습니다. 또한 평소에는 아이들과 잘 지냈지만 화를 낼 때면 미친 듯이 폭력을 휘둘렀습니다. 뭉크가 기댈 곳은 자신을 돌보던 이모와 누나 소피Sophie밖에 없었는데요. 1877년 뭉크가 14살 때 믿고 따르던 누나마저 어머니와 같은 병인 결핵으로 죽습니다.

뭉크 자신도 병치레가 잦아 학교를 자주 쉬어야 했는데요. 뭉크는 어머니와 누나처럼 자신도 일찍 죽지 않을까 두려워했습니다. 자신이 죽는 것도 공포스럽지만, 사랑하는 누군가가 죽으면서 혼자 남겨지는 것도 큰 고통이자 무력감을 주었습니다. 뭉크에게 유일한 위안은 그림이었습니다. 뭉크는 공학 공부를 강요하는 아버지의 뜻에 따라 16세 때인 1879년 기술학교에 들어가지만 다음 해 그만둡니다. 1881년에 크리스티아니아Kristiania(오슬로의 옛 이름)에 있는 왕립예술디자인학교 Statens håndverks- og kunstindustriskole에 입학합니다. 이후 여러 작가들과 교류하면서 전시를 여는데요. 초기에는 평론가들의 혹독한 악평 세례를 받아야 했습니다.

병든 아이를 둔 가족의 상황과 심정을 잘 드러낸 뭉크의 대표작입니다. 거친 붓질과 나이프로 긁어낸 듯한 표면 자국은 가족들이 느끼는 막막함과 절망감을 대신 전해 줍니다.
에드바르 뭉크, 〈병든 아이〉, 1885~1886년, 캔버스에 유채, 120×118.5cm, 오슬로, 오슬로 국립미술관
Nasjonalmuseet for kunst.

이 시기에 그린 그림이 〈병든 아이Det syke barn〉입니다. 뭉크는 같은 주제의 그림을 평생에 걸쳐 여러 점 그렸는데요. 병상에서 죽어 간 어머니와 누나에 대한 기억 때문으로 보입니다. 붉은 머리의 아이(또는 누나 소피)가 침대머리에 기대앉아 슬프고 지친 눈으로 어머니(또는 이모)를 쳐다보고 있습니다. 어머니는 아이의 손을 붙잡은 채 머리를 숙이고 있는데요. 기도를 하고 있는 건지 울고 있는 건지 알 수 없습니다. 얼굴을 들지 못하는 모습에서 아픈 자식을 차마 보지 못하는 부모의 절망감이 느껴집니다. 아이 발치의 탁자에는 붉은 약물이 담긴 유리컵이 놓여 있습니다. 이 약으로 아이가 건강해진다면 얼마나 좋을까요. 하지만 어머니의 모습에서 아이 상태가 심각함을 알 수 있습니다. 거친 붓질과 나이프로 긁어낸 듯한 표면 질감이 병든 아이를 둔 가족의 상황과 심정을 절절히 드러내고 있는 그림인데요. 당시에는 "물감을 조화롭지 않게 마구 칠했다"는 혹평이 지배적이었습니다.

세 번의 사랑으로 고통받다

뭉크는 1883년 20살 때부터 크리스티아니아에서 열리는 전시에 작품을 냅니다. 1889년 첫 개인전을 열고, 같은 해 10월 국비장학금을 받아 파리에 있는 레옹 보나Léon Bonnat의 미술학교로 유학을 갑니다. 하지만 12월 아버지가 죽으면서 뭉크는 우울증과 자살 충동에 시달리는데요. 물려받은 재산이 없었기 때문에 가족의 생계까지 떠맡아야 했습니다. 오늘날 의사 직업이 선망의 대상인 것과 달리, 뭉크 아버지는 박봉으로 가난에 시달렸다고 합니다. 뭉크는 스승 레옹 보나와의 사이가

지 악화되자 학교를 그만두고 고국으로 돌아옵니다. 하지만 다시 국비 장학금을 받아 파리로 돌아가는데요. 이때부터 파리, 코펜하겐, 드레스덴, 뮌헨, 베를린, 니스 등 유럽 여러 도시를 돌아다니며 그림을 그리고 전시를 열었습니다.

뭉크는 화가 경력을 쌓는 과정에서 세 명의 여자를 차례로 만났는데요. 첫사랑은 22세 때인 1885년 여름에 만난 밀리 타울로브Milly Thaulow였습니다. 뭉크는 일기장에다 밀리를 헤이베르그 부인Madame Heiberg이라고 썼는데요. 명칭에서 알 수 있듯이 밀리는 유부녀였습니다. 더 큰 문제는 밀리가 자유분방한 연애관을 가진 보헤미안으로, 뭉크뿐 아니라 여러 남자들을 동시에 만났다는 건데요. 뭉크가 파리로 유학을 떠난 1889년까지 밀리에 대한 의심과 질투는 계속되었습니다. 이때의 기억을 그린 그림이 〈인생의 춤Livets dans〉입니다.

뭉크는 1890년대에 삶, 사랑, 죽음을 주제로 수십 점의 그림들을 그리는데요. 나중에 《삶의 프리즈Livsfrisen》라는 제목으로 전시를 열면서, 이 그림 연작을 묶어 '삶의 프리즈'라 부르기 시작했습니다. 〈절규〉, 〈마돈나〉, 〈흡혈귀〉 등 우리가 아는 많은 작품이 《삶의 프리즈》 연작에 포함되는데요. 그중 하나가 〈인생의 춤〉입니다. 뭉크는 〈인생의 춤〉에 대한 기록을 일기에 다음과 같이 남겼습니다.

"난 첫사랑과 춤을 추고 있다. 그녀에 대한 기억은 이렇다. 미소 띤 금발 여자가 사랑의 꽃을 꺾기 위해 등장한다. 하지만 자신의 꽃이 꺾이는 건 허락하지 않는다. 반대편에는 검은 옷의 여자가 춤추는 남녀를 서글프게 바라보고 있다. 검은 옷의 여자는 거절당했다. 나 역시

뭉크가 첫사랑 밀리와 춤을 추었던 기억을 그린 그림입니다. 여자의 얼굴은 괴물처럼 묘사되어 있고 남자의 표정은 서글퍼 보입니다.
에드바르 뭉크, 〈인생의 춤〉, 1899~1900년, 캔버스에 유채, 125×191cm, 오슬로, 오슬로 국립미술관.

그녀(헤이베르그 부인)와의 춤에서 거절당했다."

1892년 29세의 뭉크는 베를린 미술가협회의 초청으로 베를린으로 가서 55점의 그림을 전시하는데요. 베를린의 평론가와 화가들이 이 전시를 두고 "예술에 대한 모독"이라고 비난합니다. 당황한 베를린 미술가협회는 투표를 한 끝에 전시를 8일 만에 중단시킵니다. 이에 젊고 혁신적인 베를린 미술가들이 뭉크를 옹호하며 미술가협회에서 탈퇴하는 일이 벌어지는데요. 이를 '뭉크 스캔들'이라고 합니다. 뭉크 스캔들을 통해 베를린 분리파가 탄생합니다. 뭉크는 쾰른, 뒤셀도르프에서 전시를 연 뒤 베를린으로 돌아오는데요. 이후 1895년까지 이곳에 머뭅니다.

베를린 시기에 뭉크의 연인은 당뉘 유엘Dagny Juel이었는데요. 둘은 이미 조국에서부터 깊은 관계였습니다. 당뉘가 베를린으로 온 것도 뭉크 때문으로 보입니다. 뭉크는 '검은 새끼 돼지Zum Schwarzen Ferkel'라는 술집에서 연인 당뉘를 친구들에게 소개시켜 주는데요. 스웨덴 작가 아우구스트 스트린드베리August Strindberg와 폴란드 작가 스타니스와프 프시비셰프스키Stanisław Przybyszewski가 당뉘에게 반합니다. 당뉘는 세 남자 사이를 오가며 사각 관계를 유지하다가 1893년 프시비셰프스키와 결혼합니다. 이때 뭉크가 느꼈던 배신감은 컸는데요. 당뉘는 결혼하고 8년 뒤인 1901년에 조지아의 한 호텔 방에서 총으로 살해당합니다. 그때 당뉘의 나이 34세였습니다. 살인의 배후가 남편인 프시비셰프스키라는 설이 있습니다.

뭉크는 두 번째 사랑 당뉘를 모델로 해서 여러 점의 그림을 그렸는데요. 그중 〈마돈나Madonna〉 연작이 있습니다. 마돈나는 서구 전통에서는 성모 마리아를 가리키는 말인데요. 뭉크의 마돈나는 성스러운 마리아와는 거리가 멉니다. 관능적인 자세로 남자를 유혹하는 위험하고 치명적인 여인입니다. 〈마돈나〉 연작은 유화와 석판화, 두 방식으로 만들어지는데요. 석판화 연작에서는 유화 때 없던 테두리를 두르고 그 안에 정자 모양을 그려 넣습니다. 왼쪽 끝에는 정자의 출처(?)인 작고 볼품없는 남자도 집어넣는데요. 여성의 유혹에 흔들리며 위축되는 화

가운데에는 남자를 유혹하는 관능적인 여성이 있고, 그 주변으로 정자들과 작고 볼품없는 남자(또는 태아)가 그려져 있습니다.
에드바르 뭉크, 〈마돈나〉, 1895~1902년, 석판화와 목판화, 60.5×44.5cm, 뉴욕, 뉴욕 현대미술관.

가 자신을 상징합니다. 어떤 연구자들은 여성이 잉태하는 태아(또는 과거 정자 안에 존재한다고 여겨졌던 호문쿨루스homunculus)를 상징한다고도 해석합니다.

두 번째 사랑에도 실패한 뭉크는 여성에 대한 혐오와 공포를 가지게 되었는데요. 사랑에 끌리지만 질투와 의심으로 고통받고 싶지 않고, 연인이 떠날까 봐 불안하지만 구속받고 싶지 않은 양가적 감정을 지니게 됩니다. 이때 만난 세 번째 연인이 4살 연상의 상류층 여성 툴라 라르센입니다. 1898년 가을에 만나 교제를 시작했는데요. 툴라가 점점 더 뭉크에게 집착하면서 사이가 벌어집니다. 1902년 툴라는 큰 병에 걸렸다며 죽기 전에 보고 싶다는 전갈을 뭉크에게 보냅니다. 뭉크가 찾아오자 툴라는 자살 소동을 벌였고, 이때 앞에서 말한 총기 오발 사고가 일어났던 겁니다.

이후 뭉크는 1944년 81세의 나이로 죽을 때까지 독신으로 지냅니다. 세 번의 유별난 연애에 지치고 질렸다고도 볼 수 있겠는데요. 하지만 뭉크가 가졌던 여성 혐오증과 공포증은 꽤 뿌리 깊고 지속적인 것이었습니다. 뭉크의 심리를 이해하기 위해서는 프로이트의 오이디푸스 콤플렉스와 거세 공포, 메두사 신화, 바기나 덴타타Vagina dentata('이빨 달린 질'이란 뜻) 등 정신분석학의 도움이 필요합니다.

1900년 신경과 의사인 지그문트 프로이트는 『꿈의 해석』이란 책을 출판하는데요. 이는 20세기가 프로이트의 시대가 될 것을 예견하는 신호였습니다. 미켈란젤로 이야기에서 르네상스 이후로 이성과 과학의 시대가 열렸다고 말씀드렸는데요. 뒤이은 근대는 이성과 과학의 힘을 굳게 믿었던 합리성의 시대였습니다. 하지만 프로이트가 인간의 행동을 좌우하는 건 '무의식'이라고 주장하면서 이성과 합리성의 절대 권위가 무너지기 시작했습니다. 이제 인간은 이성적이고 합리적인 주체적 존재가 아니라 자신도 모르는 사이에 무의식에 의해 지배당하는 대상이 되어 버린 겁니다. 프로이트가 시작한 정신분석학은 처음엔 엄청난 충격과 반발을 일으켰는데요. 결국 정신의학뿐 아니라 심리학, 사회학, 문화인류학, 교육학, 범죄학, 문예비평, 문학과 예술에 이르기까지 인간의 거의 모든 영역에 걸쳐 영향을 끼칩니다. 이후 많은 학자들이 프로이트 이론을 비판하기도 하고 보완하기도 하면서 정신분석학을 발전시켰는데요. 오늘날 정신분석학은 막대한 영향력을 보여 주고 있습니다.

뭉크의 여성관도 프로이트식으로 해석할 수 있습니다. 어린 시절 트라우마로부터 시작되었다고 볼 수 있는 건데요. 뭉크는 오이디푸스 콤플렉스를 제대로 극복하지 못한 채 성장했던 겁니다. 오이디푸스 콤플렉스란 그리스 신화 속 인물 오이디푸스에서 따온 프로이트의 용어입니다. 오이디푸스는 부모가 누구인지 모르는 채 자라나 아버지를 죽이고 어머니와 결혼한 비운의 주인공입니다. 프로이트에 따르면, 남자아이는 신화 속 오이디푸스처럼 어머니와 결합하려는 본능을 가지나 강력한 경쟁자인 아버지에 의해 저지당합니다. 아이는 아버지에 의해 거세당할지도 모른다는 공포를 느낍니다. 이 과정에서 어머니에 대한 욕망을 포기하고 아버지를 받아들이는 사회화 과정을 거치는데요. 아버지란 존재를 인정하면서 사회 규범을 받아들이게 됩니다. 이렇게 자라난 아이는 별문제 없이 사회 구성원에 편입됩니다.

뭉크는 어린 시절 어머니, 아버지와의 관계를 제대로 설정하지 못했는데요. 어머니는 어린 자신을 버려둔 채 일찍 죽었고, 아버지는 사

뭉크는 여성을 성스러운 마돈나이자 관능적이고 위험한 메두사로 보았습니다.
에드바르 뭉크, 〈여성의 세 단계〉, 1894년경, 캔버스에 유채, 164×250cm, 베르겐, 라스무스 메이에르 컬렉션Rasmus Meyer Collection.

회 규범으로 받아들이기엔 지나치게 폭력적이고 광신적이었습니다. 결국 뭉크는 오이디푸스 콤플렉스와 거세 공포를 건전하게 극복하지 못한 채 내면에 앙금처럼 남겨 두는데요. 이것이 세 번의 유별난 연애를 거치면서 증폭됩니다. 자신을 떠나고 배신하고 상처 입히고 목숨까지 위협하는 존재가 여성이라고 여기게 된 건데요. 〈여성의 세 단계Kvinden i tre stadier〉(처음 제목은 〈스핑크스Sphinx〉)는 여성을 성스러운 마돈나이자 관능적이고 위험한 메두사로 보는 뭉크의 생각을 드러냅니다.

어떤 연구자들은 뭉크가 그린 여자들의 긴 머리카락에도 관심을 보이는데요. 이는 메두사의 머리카락 이미지와 관련 있습니다. 그리스 신화 속 괴물인 메두사는 머리카락이 모두 뱀들로 이루어져 있는데요. 무섭고 혐오스러운 그 얼굴을 보기만 해도 사람들은 돌로 변하고 맙니다. 메두사의 뱀 머리카락을 연상시키는 그림이 〈흡혈귀Vampyr〉입니다.

〈흡혈귀〉는 첫사랑 밀리와 헤어지고 두 번째 사랑 당뉘가 자신의 친구와 결혼한 해에 그린 그림인데요. 이후 같은 주제의 그림을 여러 점 그렸습니다. 원래 제목은 〈사랑과 고통Kjærlighet og smerte〉이었으나 나중에 사람들이 〈흡혈귀〉라는 제목을 붙였습니다. 남자를 유혹해 고통이나 죽음에 빠뜨리는 팜 파탈femme fatale(악녀)을 흡혈귀에 비유한 겁니다. 여자에게 붙들려 돌처럼 꼼짝하지 못하는 무력한 남자는 뭉크 자신입니다. 이 그림 역시 화가의 자화상인 셈입니다. 여자는 긴 머리카락으로 남자의 몸을 옭아매는데요. 머리카락 한 가닥이 남자의 머리를 감싸는 모습은 마치 기다란 몸으로 먹이를 휘감는 뱀을 닮았습니다. 메두사의 뱀 머리카락이 떠오릅니다.

메두사의 뱀 머리카락 이미지는 '이빨 달린 질'이란 뜻을 가진 라틴어 바기나 덴타타Vagina dentata와도 연결됩니다. 전 세계 신화와 민담에서 공통으로 발견되는 내용인데요. 여자의 성기에 이빨이 달려서 성행위를 할 때 남자를 상처 입히거나 거세시킬지 모른다고 두려워하는 공포증을 말합니다. 이빨 달린 질은 때로 커다란 입을 가진 쥐나 뱀으로 형상화됩니다. 1925년 헝가리 정신분석학자 산도르 페렌치Sandor Ferenczi는 신경증과 성적인 문제를 가진 사람들에게서 바기나 덴타타와 관련한 거세 공포증이 발견된다고 밝히고 있습니다. 뭉크 역시 오이

여자의 긴 머리카락이 남자의 머리를 뱀처럼 휘감고 있습니다. 남자는 메두사의 머리를 보고 돌로 굳어 버린 사람처럼 꼼짝하지 못합니다.
에드바르 뭉크, 〈흡혈귀〉 또는 〈사랑과 고통〉, 1893년, 캔버스에 유채, 80.5×100.5cm, 예테보리, 예테보리 미술관Göteborgs konstmuseum.

디푸스 콤플렉스와 거세 공포를 극복하지 못한 채 성장했는데요. 이런 문제가 세 차례의 평범하지 않은 연애를 거치면서 커져 갔고, 결국 여성 혐오와 공포로 연결되었던 겁니다.

세계적인 거장 자리에 오르나

1902년 세 번째 연인 툴라와 헤어진 뭉크는 고국과 베를린, 코펜하겐, 튀링겐, 바이마르, 스톡홀름 등을 오가며 작품 활동을 계속합니다. 1908년 코펜하겐에서는 과음과 과로, 신경쇠약 때문에 정신병원에 입원해 8개월간 치료를 받는데요. 이후 술을 아예 끊습니다. 1909년부터 고국에 정착한 뒤 1916년 크리스티아니아(오슬로의 옛 이름) 외곽 지역인 에켈리Ekely에 있는 한 저택을 구입하는데요. 이곳은 뭉크가 81세로 세상을 떠나는 1944년까지 28년간 좋은 안식처이자 작업실이 되어 줍니다.

뭉크가 국제적 명성을 얻은 건 1912년 쾰른 전시부터였습니다. 이때 뭉크는 반 고흐, 세잔, 고갱, 피카소와 같은 대접을 받으며 방 하나를 따로 배정받는데요. 거장의 위치에 올랐다는 징표였습니다. 독일의 주요 미술관과 유명 수집가들은 앞다퉈 뭉크의 그림을 소장하기 시작했는데요. 이런 수집 열기는 히틀러가 정권을 잡으면서 잠시 주춤합니다. 1937년 독일 나치당은 뭉크의 그림을 퇴폐미술로 낙인찍고 몰수합니다. 이때 많은 작품들이 스위스 경매로 팔려 나갑니다. 나치군은 1940년 노르웨이까지 침공합니다.

1943년 12월 나치군에게 점령당한 오슬로의 필립스타Filipstad 부두가의 단약 창고에서 대형 폭발이 일어납니다. 독일 측에선 우연한 사고였다고 발표했지만, 오늘날에는 노동자들이 나치군에 저항하는 의미로 벌인 노동 쟁의로 추측하고 있습니다. 폭발 규모가 어찌나 컸던지 인근의 에켈리 집들 창문까지 깨져 나갈 정도였는데요. 에켈리 자택에 있던 뭉크는 너무 놀라 가사 도우미의 만류에도 불구하고 집 밖으로 나

뭉크는 〈절규〉도 여러 점의 그림과 판화로 제작했는데요. 그중 하나가 2012년 소더비 경매에서 당시 미술품 최고가로 팔렸습니다.
에드바르 뭉크, 〈절규〉, 1893년, 판지에 유채, 템페라, 파스텔, 크레용, 91×73.5cm, 오슬로, 오슬로 국립미술관.

가 정원을 서성거립니다. 이때 걸린 감기가 기관지염으로 악화되었는데요. 결국 1944년 1월 23일 뭉크는 81세의 나이로 세상을 떠납니다. 뭉크의 유언에 따라 가지고 있던 유화 1,000여 점, 판화 15,400여 점, 수채화와 드로잉 4,500여 점, 조각 6점이 오슬로시에 기증되었는데요. 이 작품들을 기반으로 1963년 오슬로에 뭉크 미술관이 세워졌습니다.

공포와 슬픔을 그림으로 객관화하다

뭉크의 인생에서 절대 빼놓을 수 없는 그림 〈절규Skrik〉로 이야기를 마치려 합니다. 〈흡혈귀〉, 〈마돈나〉처럼 〈절규〉 역시 여러 점의 회화와 판화로 반복해 제작되었는데요. 그중 하나가 2012년 뉴욕 소더비 경매에서 1억 1,992만 달러(약 1,356억 원)에 낙찰되었습니다. 이는 당시 미술 경매 최고가였습니다. 〈절규〉는 뭉크의 삶과 작품을 하나로 요약한 그림이라 볼 수 있는데요. 〈절규〉가 그려진 동기는 뭉크가 니스에 머물 때 쓴 1892년 1월 22일자 일기에서 발견할 수 있습니다.

> "어느 날 저녁 나는 길을 따라 걷고 있었다. 한쪽으로 마을이 펼쳐져 있고 발 아래엔 피오르드(빙하가 만든 좁고 긴 만)가 있었다. 나는 피곤하고 불편함을 느껴 잠시 길음을 멈추고 피오르드를 내려다보았다. 해가 저물고 구름이 핏빛으로 변하기 시작했다. 나는 자연을 뚫고 나오는 절규를 느꼈다. 마치 절규가 실제로 들려오는 듯했다. 나는 진짜 피 같은 구름을 그렸다. 색채는 비명을 질러 댔다."

일기에 따르면 핏빛 구름 아래서 공포에 질려 있는 해골 같은 인물은 뭉크 자신입니다. 나중에 뭉크가 밝힌 바에 따르면 두 친구와 산책을 나갔다가 경험하게 된 일을 바탕으로 했다고 하는데요. 그림 왼쪽에 두 친구가 있습니다. 친구들은 아무 소리도 듣지 못했다고 합니다. 뭉크는 자연을 뚫고 나오는 절규를 듣지 않기 위해 두 손으로 귀를 막고 있습니다. 하지만 아무 소용이 없나 봅니다. 막힌 틈을 폭력적으로 비집고 들어오는 비명 소리에 눈과 입이 크게 벌어져 있습니다. 일기에는 절규가 자연으로부터 들려왔다고 적고 있지만 사실은 핏빛 자연을 마주한 뭉크의 내면이 비명을 질러 댄 것이라고도 볼 수 있겠습니다. 그러니 아무리 귀를 막아도 소용없었던 것이죠.

뭉크는 어린 시절 사랑하는 어머니와 누나의 죽음을 차례로 경험합니다. 자신도 여러 번 죽을 고비를 넘기는데요. 죽음의 공포와 이별의 슬픔은 어린 뭉크와 늘 함께했습니다. 정서적으로 불안정한 아버지는 학대와 폭력을 일삼고 가난까지 물려줍니다. 가족의 고통은 계속되었는데요. 1895년 남동생 안드레아스가 폐렴으로 사망하고 1898년 여동생 라우라가 정신분열증으로 정신병원에 입원합니다. 뭉크가 경험한 세 차례 사랑은 마음의 상처뿐 아니라 손가락 장애까지 남깁니다. 뭉크는 우울증, 신경증, 환각 증세, 알코올 중독(그리고 아마도 공황장애)에 시달렸으며, 1918년 전 세계를 휩쓴 스페인독감에 걸렸다가 간신히 살아납니다. 말년에는 안구 질환을 앓아 실명 위기에 처하기도 합니다.

죽음의 공포와 이별의 슬픔에 맞서서 뭉크가 선택한 방어막은 그림이었습니다. 뭉크는 평생에 걸쳐 자신의 내부와 외부에서 일어나는 일들을 그림에 담고자 했습니다. 정신과 의사들은 환자들에게 글 쓰기와 그림 그리기 같은 행위를 추천하곤 하는데요. 글 쓰고 그림 그리는 과정에서 정체를 알 수 없던 공포와 슬픔의 감정들이 구체화되고 객관화되기 때문입니다. 눈에 보이지 않던 감정들이 자신의 손을 거쳐 눈에 보이는 대상으로 형상화되면, 그것은 예전보다는 조금 더 견딜 만한 것이 되곤 합니다. 어린 시절부터 자신을 지키기 위해 몸부림쳤던 뭉크는 본능적으로 이런 사실을 깨달았던 것 같습니다.

"당신의 아들이 전사했습니다."

-케테 콜비츠가 1914년 10월 30일 일기에 남긴 아들의 전사 통지서 문장

11

자식을 잃은 세상 모든 부모들을 위로하다

케테 콜비츠의 사랑

앞에서 렘브란트를 자화상 화가라고 소개해 드렸는데요. 또 한 명의 자화상 화가가 있습니다. 독일 예술가 케테 콜비츠Käthe Kollwitz(1867~1945)입니다. 렘브란트가 평생 그린 자화상의 수가 80여 점인데요. 케테는 100점이 넘습니다. 이 정도면 자화상 화가라 할 만하겠지요. 케테의 자화상 가운데 유명한 것들이 꽤 많은데요. 1915년에 작업한 〈자화상〉은 그리 널리 알려진 건 아닙니다. 하지만 케테의 삶을 따라가다 보면 이 그림이 얼마나 중요한지 알 수 있습니다. 막내아들 페터가 제1차 세계대전에서 전사한 다음 해에 만들어졌기 때문입니다. 표현주의 예술가답게 얼굴 절반 이상을 어둡게 처리하여 내면의 슬픔과 고통을 드러내는데요. 퉁퉁 부은 눈두덩이와 넋이 나간 듯 초점 없는 눈동자는 자식 잃은 어머니가 오열했던 순간을 상상하게 합니다.

케테는 41세인 1908년부터 78세로 죽은 1945년까지 37년간 일기를 썼는데요. 케테 사후 10주기인 1955년에 큰아들 한스가 어머니의 일기와 편지를 모아 책으로 출간하기도 했습니다. 일기 속 하루인 1914년 10월 30일에는 단 한 줄의 문장만 쓰여 있는데요. 아들의 전사 통지서에 적힌 구절이었습니다.

케테 콜비츠, 〈자화상〉, 1915년, 석판화, 27.3×23.8cm, 베를린, 케테 콜비츠 미술관.

"당신의 아들이 전사했습니다."

가난한 의사와 결혼하고 명성을 얻기 시작하다

케테 슈미트Käthe Schmidt(케테의 결혼 전 이름)는 1867년 프로이센 왕국(오늘날의 독일)의 쾨니히스베르크Königsberg에서 다섯째 아이로 태어납니다. 쾨니히스베르크는 철학자 칸트의 고향이기도 한데요. 제2차 세계대전이 끝나고 전후 처리 방침에 따라 독일에서 소련(오늘날의 러시아) 영토로 넘어간 뒤에 이름을 칼리닌그라드로 바꾸었습니다. 케테가 몸소 겪었던 전쟁의 상흔을 증언하는 도시인 셈입니다.

아버지 카를 슈미트Karl Schmidt는 법관으로 일하다가 급진적인 사상 때문에 사직하고 목수가 된 강직한 인물이었고요. 외할아버지 율리우스 루프Julius Rupp는 국가와 교회의 박해에도 불구하고 복음주의를 거부하고 자유신앙을 주장하던 목사였습니다. 어머니 카타리나 슈미트Katharina Schmidt도 자유롭고 진보적인 생각을 가지고 있었는데요. 이런 집안 분위기로 인해 케테를 포함한 형제자매는 정치와 사회 문제에 일찍 눈을 뜹니다.

케테는 자신의 재능을 알아본 부모에 의해 12세부터 미술 공부를 시작하는데요. 1885년 18세 때 더 넓은 도시인 베를린으로 가서 베를린 예술가협회Verein der Berliner Künstlerinnen에서 운영하는 여성 아카데미Damenakademie에 다닙니다. 여기서 판화를 처음 접하는데요. 이후 케테는 회화와 조각 등 여러 작업을 두루 했지만 판화에서 가장 큰 성과를 냅니다.

1888년 케테는 오빠의 학교 친구인 의대생 카를 콜비츠Karl Kollwitz와 약혼한 뒤 뮌헨으로 가서 미술 공부를 계속합니다. 1891년 두 사람이 결혼하면서 케테는 남편 성을 따라 케테 콜비츠로 불리게 됩니다. 신혼살림은 베를린 바이센부르크 거리Weißenburger Straße에 차리는데요. 바이센부르크 거리는 오늘날에는 콜비츠 거리Kollwitzstraße로 이름을 바꾸었습니다. 두 사람의 신혼집은 제2차 세계대전 때 폭격으로 파괴되어 지금은 남아 있지 않습니다.

의대를 졸업하고 의료보험조합 의사가 된 남편 카를은 빈민과 가난한 노동자를 위한 무료진료소를 차립니다. 당시 유럽 대도시 노동자들은 주 6일, 하루에 14~18시간씩 쉬지 않고 일하는 데도 낮은 임금을 받아 극심한 생활고에 시달리고 있었는데요. 케테 부부가 살던 베를린의 상황 역시 마찬가지였습니다. 케테는 남편 일을 거들며 노동자의 참혹한 현실을 목격하는데요. 이때 경험을 작품에 반영했습니다. 부부는 곧 아들 둘을 두게 되는데요. 1892년 한스Hans를, 1896년 페터Peter를 낳습니다.

이 시기에 케테는 중요한 작품을 만듭니다. 1893년에 관람한 연극 《직조공들Die Weber》이 자극제가 되었는데요. 1844년 슐레지엔에서 일어난 직조공 봉기 사건을 다룬 내용이었습니다. 당시는 "노동자도 인간이다"라는 말만으로도 체제 전복을 시도하는 위험인물로 낙인찍히던 시대였습니다. 당국은 연극 공연을 금지했는데요. 케테가 본 공연은 회원만 초대한 비공개 무대였습니다. 다음 해인 1894년 《직조공들》은 검열과 제재 끝에 간신히 도이체 극장 무대에 오릅니다. 이에 황제 빌헬름 2세는 황제석 예약을 취소하고, 극본을 쓴 게르하르트 하웁트만

케테는 연극 《직조공들》을 관람한 뒤 6점의 연작 판화를 만드는데요. 그중 하나입니다. 거지나 다름 없는 행색을 한 직조공들이 악덕 고용주의 화려한 저택을 습격하고 있습니다.
케테 콜비츠, 《직조공 봉기》 중 5번째 판화 〈돌격〉, 1893~1897년, 동판화, 상트페테르부르크, 예르미타시 미술관The State hermitage Museum.

Gerhart Hauptmann에게 실러상을 수상하는 것도 거부합니다. 하지만 예술의 영향력은 권력의 힘으로 막을 수 있는 게 아니었습니다. 1912년 하웁트만은 노벨 문학상을 받습니다.

케테는 연극에 감동을 받고 6점의 연작 판화 《직조공 봉기Ein Weberaufstand》를 작업합니다. 이 연작은 침대에 누워 있는 영양실조 상태의 아이(빈곤Not), 아이를 데려가는 죽음(죽음Tod), 모여서 봉기를 계획하는 직조공들(모의Beratung), 악덕 고용주의 집으로 향하는 직조공들(직조공 행진Weberzug), 고용주의 집을 습격하는 직조공들(돌격Sturm), 총 맞은 시체로 돌아온 직조공들(결말Ende)로 이루어져 있습니다.

《직조공 봉기》를 완성한 케테는 31세 때인 1898년 베를린 미술대전Großen Berliner Kunstausstellung에 출품하는데요. 심사위원들은 작은 금메달을 주기로 결정합니다. 하지만 황제 빌헬름 2세가 극작가의 수상 거부에 이어 케테의 수상도 거부합니다. 이로 인해 상은 취소되었지만 《직조공 봉기》는 전시에서 엄청난 주목을 받습니다. 덕분에 케테는 모교인 베를린 여성 아카데미에서 강의 자리를 얻습니다. 또한, 앞에서 뭉크 스캔들로 탄생한 단체라고 소개해 드린 베를린 분리파에도 참여하게 됩니다. 《직조공 봉기》는 다음 해인 1899년 드레스덴의 독일미술전Deutsche Kunstausstellung에 출품되어 결국 작은 금메달을 수상합니다. 이 연작 판화가 케테의 출세작인 셈입니다.

케테는 이때부터 40대 중반까지를 행복했던 시절이라고 회상합니다. 사랑스러운 자식들이 무럭무럭 자라고, 뜻을 같이하는 남편이 곁에 있고, 예술가 경력이 화려하게 꽃피기 시작한 때였기 때문입니다. 하지만 행복은 10여 년으로 길지 않았는데요. 제1차 세계대전이 터지면서 케테의 기나긴 고통도 시작되었습니다.

전쟁으로 아들과 손자를 차례로 잃다

케테는 1901년부터 새 연작 판화 《농민전쟁Bauernkrieg》(1901~1908)을

케테는 아이 잃은 어머니의 슬픔을 묘사했는데요. 이 작업을 위해 일곱 살짜리 막내 페터가 모델을 섰습니다. 11년 후 페터가 전사하면서 케테는 그림 속 어머니의 입장이 되고 맙니다.
케테 콜비츠, 〈죽은 아이를 안고 있는 어머니〉, 1903년, 동판화, 41.5×48cm, 런던, 영국박물관The British Museum.

시작합니다. 본작업에 앞서 밑작업으로 여러 점의 스케치를 제작하는데요. 그중 하나가 〈죽은 아이를 안고 있는 어머니Frau mit totem Kind〉입니다. 케테는 남편의 진료소에서 어린 환자들이 죽고 가족이 슬퍼하는 모습을 자주 목격했는데요. 이때 경험을 재현하고자 했습니다. 모델은 케테 자신과 일곱 살 된 막내아들 페터가 섰는데요. 이때만 해도 아들의 죽음이 현실로 다가올 것이라곤 상상하지 못했을 겁니다.

1914년 제1차 세계대전이 터지자 18세가 된 막내 페터가 자원병으로 참전하겠다고 선언합니다. 아버지 카를은 끝까지 반대했지만 케테는 결국 승낙합니다. 하지만 다음 날이 되자 케테의 마음이 흔들리는데요. 이 전쟁에서 "살아 돌아올 가능성은 거의 없기" 때문입니다. 케테는 아들을 마지막으로 설득해 봅니다. 하지만 아들은 비겁하지 말라는 가르침을 준 게 어머니라며 입대하러 집을 나섭니다. 이날 케테 부부의 심정이 1914년 8월 11일 일기에 이렇게 적혀 있습니다.

"밤이 되자 나와 카를, 둘만 남았다. 우리는 울고 울고 또 울었다."

두 달 뒤 막내아들 페터의 전사 소식이 전해집니다. 케테는 이날부터 자신이 늙기 시작했고 죽을 날만 기다리게 되었다고 일기에 씁니다. 반전 작품을 만들기 시작한 시기도 이때부터입니다. 7점 연작 목판화 《전쟁Krieg》(1922~1923)이 대표적입니다. 7점 가운데 〈부모Die Eltern〉가 있는데요. 누가 보더라도 아들이 죽었다는 소식에 서로 부둥켜안고 울부짖는 케테와 카를의 모습입니다. 목판화의 거칠고 강인한 선이 피할 수 없는 현실의 비극을 강조합니다.

케테는 같은 주제로 여러 점의 조각도 만들었는데요. 그중 하나가 아들이 죽은 1914년부터 1931년까지 17년 동안 구상한 '아들 페터를 위한 추모비'인 〈슬퍼하는 부모Trauerndes Elternpaar〉입니다. 자식의 부

음을 전해 들은 부모는 꺾인 무릎으로 간신히 몸을 지탱하고 있는데요. 아버지는 뻥 뚫린 가슴을 두 팔로 감싸 안고 어머니는 온몸을 웅크린 채 머리를 떨구고 있습니다. 이 추모비는 완성된 다음 해인 1932년에 벨기에의 에센-로게펠트 독일군묘지Deutschen Soldatenfriedhof Esen-Roggeveld에 세워졌다가 그곳이 문을 닫으면서 1956년 블라드슬로 독일군묘지Deutschen Soldatenfriedhof Vladslo로 옮겨져 오늘에 이르고 있습니다. 케테의 막내아들 유해도 이곳에 묻혀 있습니다.

케테의 고통은 여기서 끝이 아니었습니다. 1933년 히틀러가 독일 수상 자리에 오르자 케테 부부는 파시즘 반대 성명에 참여하는데요. 이 일로 케테는 프로이센 예술 아카데미에서 반강제로 탈퇴를 해야 했습니다. 1936년 히틀러 정권은 케테의 전시를 공식적으로 금지합니다. 다음 해에는 《퇴폐미술Entartete Kunst》전을 열어 케테를 포함한 여러 예술가들을 퇴출해야 할 불온한 퇴폐미술가로 낙인찍습니다. 시련은 소수의 사람들에게만 닥친 게 아니었는데요. 1939년 케테 부부와 여러 지식인들이 우려했던 일이 터지고 맙니다. 제2차 세계대전이 시작된 겁니다. 다음 해인 1940년 충실한 동반자였던 남편이 죽고 손자 페터마저 군에 징집당합니다. 손자의 이름은 제1차 세계대전에서 죽은 막내아들과 같았는데요. 큰아들 한스가 자기 아들에게 죽은 동생의 이름을 붙여 주었던 겁니다. 이 시기에 케테는 또 하나의 걸작을 만들어 냅니다.

케테는 아들의 전사 소식을 들은 자신과 남편의 모습을 여러 점의 판화와 조각으로 만들었습니다. 부모의 절망적인 몸짓이 차마 말로 표현할 수 없는 감정을 대신 전해 줍니다.
위: 케테 콜비츠, 〈부모〉, 《전쟁》의 3번째 작품, 1921~1922년, 목판화, 뉴욕, 뉴욕 현대미술관.
아래: 케테 콜비츠, 〈슬퍼하는 부모〉, 1914~1931년, 블라드슬로, 블라드슬로 독일군묘지.

아들이 전쟁에서 죽은 뒤 케테는 반전 작품을 많이 만들어 내는데요. 그중 하나입니다. 폭력에 노출된 아이들을 온몸으로 보호하려는 케테의 간절한 소망이 담겨 있습니다.
케테 콜비츠, 〈씨앗들이 짓이겨져서는 안 된다〉, 1941년, 석판화, 36.8×39.4cm, 베를린, 케테 콜비츠 미술관.

〈씨앗들이 짓이겨져서는 안 된다Saatfrüchte sollen nicht vermahlen werden〉입니다.

한 어른이 온몸으로 아이들을 보호하고 있습니다. 두 팔로 지붕을 만들고 가슴팍으로 벽을 세워 아이들을 품고 있는데요. 두 아이는 두려움을 느낀 듯 밖의 동태를 조심스레 살피고 있지만, 이들보다 어려

보이는 한 아이는 아직 철부지인 듯 호기심 어린 표정으로 보호막을 걷어 내려 하고 있습니다. 케테는 이렇게 자신의 온몸을 방패 삼아 자라나는 씨앗들을 지키고 싶어 했습니다. 이들이 인류의 미래이기 때문입니다. 하지만 시대는 혹독했고 몇몇 개인의 힘만으로는 아이들을 지키기에 역부족이었습니다. 1942년 손자 페터가 러시아 전선에서 사망했다는 소식이 전해집니다.

자식 잃은 세상 모든 부모를 위로하다

케테는 초기엔 사실적인 세부 묘사를 즐겨 사용했습니다. 출세작《직조공 봉기》를 보면 아실 수 있습니다. 하지만 뒤로 갈수록 선과 표현 요소를 최소화하면서 상징적인 의미를 담아내는 데 집중하는데요. 본질에 다가갈수록 단순해진다는 사실을 깨달았던 것 같습니다. 단순해진 작품은 오히려 더 큰 힘과 울림을 가집니다. 선과 표현 요소를 그저 덜어 낸 것이 아니라 본질에 가까워지도록 응축시켰기 때문에 가능한 일입니다.

본질에 가닿은 작품은 개인적인 경험을 다른 사람들의 감정으로 확장시키는 힘을 갖게 됩니다. 본질이란 특정한 누구에게만 해당하는 게 아니라 모든 사람들에게 의미 있는 보편적인 것이기 때문입니다. 케테는 오랜 세월 쌓아 올린 생각들과 표현력으로 죽은 아들에 대한 사랑을 한 차원 높은 위치에 올려놓습니다. 자식 잃은 세상 모든 부모의 마음을 울리고 위로하는 작품을 만들어 낸 겁니다. 그 결과물이 〈피에타Pietà〉 또는 〈죽은 아들을 안고 있는 어머니Mutter mit totem Sohn〉라 불

리는 조각상입니다. 〈피에타〉는 서구 전통에서 죽은 예수를 안고 있는 성모 마리아가 등장하는 작품을 말합니다. 가장 유명한 〈피에타〉가 미켈란젤로의 것인데요. 그 계보 끝에 반드시 들어가야 할 명작이 케테의 것입니다.

케테의 〈피에타〉는 원래 1937~1939년에 작은 조각상으로 만들어졌는데요. 1993년 조각가 하랄트 하케Harald Haacke가 이 조각을 4배 크기로 확대해서 베를린에 있는 노이에 바헤Neue Wache에 설치했습니다. 노이에 바헤는 '새로운 초소'란 뜻으로, 1818년 프로이센 왕실 경비대 초소로 지은 곳입니다. 하지만 왕실을 수호하기 위한 건물은 시간이 흐르면서 역사에서 희생당한 보통 사람들을 위한 건물로 바뀌는데요. 제1차 세계대전 후 1931년부터 전몰 병사 추모관으로 사용되다가 동독과 서독 분단 이후엔 '파시즘과 군국주의 희생자 기념관'으로 쓰였습니다. 독일 통일 이후 1993년부터는 '전쟁과 독재 희생자를 위한 독일연방공화국 중앙기념관Zentrale Gedenkstätte der Bundesrepublik Deutschland für die Opfer von Krieg und Gewaltherrschaft'으로 단장하여 오늘에 이르고 있습니다. 반전 사상을 담은 케테의 작품이 놓일 장소로 이만한 곳이 또 있을까 싶습니다.

노이에 바헤에 설치된 〈피에타〉는 둥근 창 아래 있는데요. 창이 뚫

노이에 바헤에 있는 〈피에타〉 위로는 둥근 창이 뚫려 있어 햇빛뿐 아니라 눈, 비, 바람이 그대로 들어옵니다. 역사의 풍파에 무방비로 노출된 채 시달려야 했던 희생자들이 연상됩니다.
케테 콜비츠, 〈피에타〉 또는 〈죽은 아들을 안고 있는 어머니〉, 1937~1939년(1993년 하랄트 하케가 원작을 4배 크기로 확대해 설치), 베를린, 노이에 바헤(작은 크기의 원작은 쾰른의 케테 콜비츠 미술관 소장). ©Camilo Vera

려 있어 햇빛뿐 아니라 눈, 비, 바람을 그대로 맞습니다. 역사의 풍파에 무방비로 노출된 채 희생당한 모든 사람들을 연상시킵니다. 어머니는 죽은 자식의 머리를 가슴에 묻은 채 오른손으로 터져 나오는 울음을 막으려는 듯 입을 가리고 있습니다. 남은 왼손으로는 꺼져 가는 온기라도 느끼려는 듯 아들의 오른손을 붙잡고 있습니다. 이렇게 케테는 〈피에타〉라는 종교미술 형식을 빌려 자식 잃은 세상 모든 부모에게 위로와 추모를 전합니다.

인간의 숙명인 죽음을 받아들이다

손자 페터가 전사한 다음 해인 1943년 8월 베를린은 대대적인 공습을 당합니다. 케테는 신혼 때부터 52년간 살았던 베를린 집을 떠나 노르트하우젠으로 이주합니다. 3개월 뒤인 11월 베를린 집이 폭격당하는데요. 이때 집에 남겨 두었던 많은 드로잉, 판화, 문서들이 불에 타서 사라집니다. 케테는 거주지를 모리츠부르크로 다시 한 번 옮기는데요. 이곳에서 종전을 몇 달 앞두고 1945년 4월 22일 78세로 생을 마칩니다. 아들이 죽은 뒤로 그토록 기다려 왔던 죽음이 마침내 케테를 찾아온 겁니다.

사람이 성숙해지면 어떤 직업을 가졌든 어떤 삶을 살았든 마지막에는 비슷한 경지에 도달하는 듯합니다. 렘브란트는 자신의 실패와 몰

케테는 〈피에타〉라는 종교미술 형식을 빌려 자식 잃은 세상 모든 부모에게 위로와 추모를 전합니다.
〈피에타〉 ⓒBeko

닥, 생이 저무는 시간을 담담하게 받아들였는데요. 케테 역시 그 경지에 이르렀던 것 같습니다. 그래서인지 두 사람의 말년 자화상은 비슷해 보입니다. 긴 인생 여정 끝에 다다른 자들의 숙연하고 온화한 모습은 고개를 저절로 숙이게 만듭니다.

'메멘토 모리Memento mori'라는 아주 오래된 라틴어 경구가 있습니다. '죽음을 기억하라'는 뜻인데요. 고대 로마 시대 때 전쟁에서 승리하고 돌아온 장군이 개선 행진을 하면서 행렬 끝에 있는 노예에게 외치도록 했다는 말입니다. 자신이 언젠가 죽는다는 걸 깨달은 사람은 승리와 성공 앞에서 겸손해지기 마련입니다. 또한 죽음이 다가왔을 때 후회하지 않으려면 어떤 삶을 살아야 하는지를 늘 성찰하게 됩니다. 그렇게 하루하루 살아간 사람은 어떤 순간에도 죽음을 인정하고 편안하게 받아들일 수 있습니다. 죽을 수밖에 없는 인간의 숙명에 더는 저항하지 않고 수긍하는 겁니다. 죽음 역시 피할 수 없는 생의 일부이니까요.

케테는 이런 사실을 일찍 깨달았던 것 같습니다. 1934~1937년에 8점 연작 판화 《죽음Tod》을 작업하는데요. 연작의 마지막 그림인 〈죽음의 부름Ruf des Todes〉을 소개해 드리는 것으로 케테 이야기를 마치려 합니다. 케테의 그림에서 제가 가장 좋아하는 작품이기도 합니다. 화면 밖에서 손 하나가 들어와 주인공을 데려가려 합니다. 주인공은 고개를

인생 말년에 이른 케테의 자화상은 렘브란트의 말년 자화상과 비슷해 보입니다. 숙연하고 온화한 자세는 죽음을 생의 일부로 받아들인 자만이 가질 수 있는 것입니다.
케테 콜비츠, 〈옆모습 자화상Selbstbildnis im Profil nach rechts〉, 1938년, 석판화, 47.4×28.5cm, 뉴욕, 뉴욕 현대미술관.

들어 그 손을 물끄러미 바라보고 있습니다. 잡을지 말지 생각에 잠겨 있는 것으로 보입니다. 왼손이 들려 있는 걸로 봐서 결국에는 죽음의 손을 붙잡을 듯한데요. 그 모습이 소란스럽지 않고 나지막하게 고요합니다. 죽음에 대한 공포, 거부, 분노, 회피, 이런 부정적인 감정은 보이지 않습니다. 자신을 찾아온 죽음을 담담하게 받아들일 뿐입니다. 마치 오랫동안 기다려 온 친구처럼 말이죠.

1941년 12월 케테의 일기에 이렇게 적혀 있습니다.

> "죽는다는 건 두렵다. 하지만 죽어 있는 상태, 그래, 좋다. 그건 내가 자주 기대하던 것이다."

케테는 아들이 죽은 뒤로 죽음을 기다려 왔다고 썼는데요. 담담한 모습에서 죽음을 대하는 태도가 느껴집니다.
케테 콜비츠, 〈죽음의 부름〉, 《죽음》 연작 중 8번째, 1937년경, 석판화, 38×38.3cm, 뉴욕, 뉴욕 현대미술관.

"나는 살면서 두 차례 큰 사고를 겪었어.
하나는 전차와 충돌한 거고, 다른 하나는 디에고를 만난 거였지.
최악은 디에고였어."

-프리다 칼로가 친구에게 한 말

12

내게 닥친 모든 고통을 있는 그대로 마주하다

프리다 칼로의 고통

렘브란트, 케테 콜비츠에 이어 소개해 드릴 또 한 명의 자화상 화가가 있습니다. 멕시코 화가 프리다 칼로Magdalena Carmen Frida Kahlo y Calderón(1907~1954)입니다. 프리다는 50여 점의 자화상을 남겼는데요. 그중 하나가 〈물이 내게 준 것Lo que el agua me dio〉입니다.

우리는 화가 얼굴이 등장하지 않는 자화상을 이미 여러 점 보았는데요. 이 그림 역시 마찬가지입니다. 화가들은 자화상을 그릴 때 대개 거울(또는 사진)을 이용합니다. 자기 몸을 반사해 주는 매개체가 필요한 겁니다. 매개체 없이 직접 나 자신을 보려면 머리를 숙이고 내 몸을 내려다보는 방법밖에 없습니다. 프리다는 거울을 보는 대신 욕조에 앉아 자기 몸을 내려다보는 순간을 택합니다. 주변엔 아무도 없고 벌거벗은 몸은 감추는 것 없이 드러나 있습니다. 스스로에게 솔직해질 수밖에 없는 시간입니다. 몸에 새겨져 있는 여러 기억들을 떠올리기에도 좋은 시간입니다. 덕분에 이 그림은 얼굴을 그린 상투적인 자화상이 담아내기 어려운 삶의 여러 측면을 드러내 줍니다. 프리다의 얼굴을 그린 자화상보다 프리다에 대해 더 많은 정보를 전해 주고 있는 겁니다.

프리다 칼로, 〈물이 내게 준 것〉, 1938년, 캔버스에 유채,
91×70.5cm, 파리, 다니엘 필리파치 컬렉션Collection of Daniel Filipacchi.

프리다의 인생을 설명해 주는 키워드들

프리다는 욕조 물에 잠긴 자신의 두 다리를 내려다보고 있습니다. 빨간 매니큐어를 칠한 발가락이 먼저 눈에 들어옵니다. 6살 때 소아마비로 변형된 오른쪽 다리와 이후 사고로 생긴 오른발 흉터가 보입니다. 잠시 후 투명한 물 위로 여러 형체들이 떠올라 부유합니다. 폭발하는 화산에서 솟아오른 고층 빌딩, 나무 위에 누워 있는 커다란 새, 언덕 꼭대기에 산 사람처럼 앉아 있는 해골, 결혼식 의상을 차려입은 두 남녀, 커다란 판 위에 올라타 있는 벌거벗은 두 여자, 빨간 민소매 상의에 노란 치마로 이루어진 멕시코 전통 의상, 여러 구멍에서 물을 내뿜는 조개껍데기(?), 흰 돛을 단 범선, 화산 기슭에 등을 기댄 가면 쓴 남자, 그 남자의 손목에서 시작된 밧줄, 그 밧줄에 목을 조이고 있는 나체 여자, 그 밧줄을 줄타기하고 있는 각양각색 곤충들과 춤추는 인간……. 의미를 잘 알 수 없는 것들이 물 위를 둥둥 떠다니는데요. 마치 초현실주의자들이 즐겨 그린 꿈속 이미지들 같습니다.

초현실주의자들이 꿈을 중시한 건 정신분석학자 프로이트의 영향 때문이었습니다. 프로이트에 따르면 우리 모두는 금지된 욕망을 가지고 있는데요. 그것을 무의식 영역에 숨겨 둡니다. 심지어 자기 자신도 알 수 없게 말이죠. 그런데 꿈을 꿀 때나 환상을 볼 때는 무의식의 봉인이 풀리면서 억압된 욕망이 자유롭게 드러난다는 겁니다. 현실의 금기를 넘어서고자 했던 초현실주의자들은 프로이트 이론에 따라 꿈과 환상에 열중했는데요. 프리다 역시 환상적인 화풍 때문에 초현실주의자로 분류되곤 합니다. 초현실주의자들과 교류하면서 그들의 전시에도 참여한 적이 있으니 그렇게 분류하는 것도 무리는 아니죠. 하지만 프리다는 스스로를 초현실주의자가 아니라고 부인했는데요. 자신은 꿈을 그린 게 아니라 자기가 처한 현실을 그렸을 뿐이라는 겁니다. 실제로 〈물이 내게 준 것〉에 등장하는 여러 요소들은 프리다의 인생을 설명해 주는 키워드들입니다.

〈물이 내게 준 것〉의 모든 키워드를 완벽하게 이해하긴 어렵습니다. 하지만 수수께끼를 푸는 데 도움을 줄 실마리가 있는데요. 그림 속 형상들은 다른 그림에서 가져왔거나, 나중에 다른 그림 속에 다시 그려집니다. 같은 형상이 여러 그림에 반복해 등장하는 건데요. 그 그림들의 관계와 삶의 맥락을 퍼즐처럼 맞추다 보면 모호했던 키워드의 의미가 좀 더 분명해집니다. 어떤 형상은 개인 경험에서 나온 것이고, 어떤 형상은 조상이나 조국 등 혈통·뿌리와 관련한 상징물입니다. 프리다라는 한 사람을 형성하고 있는 경험과 삶, 그리고 사회적·역사적·문화적 배경을 두루 반영하고 있는 겁니다. 그러다 보니 〈물이 내게 준 것〉 속 키워드만 잘 읽어도 프리다의 삶과 예술 세계를 이해하는 데 큰 도움이 됩니다. 이제 프리다의 인생으로 들어가 〈물이 내게 준 것〉 속 키워드를 하나씩 풀어 보겠습니다.

멕시코의 딸로 태어나다

프리다는 1907년 멕시코시티 코요아칸Coyoacán에서 사진사의 셋째 딸(이복자매까지 치면 다섯째 딸)로 태어납니다. 혈통은 조국 멕시코의 근현대사처럼 복잡했는데요. 프리다의 말에 따르면 아버지 기예르모 칼로Guillermo Kahlo(독일 이름인 빌헬름 칼로를 멕시코에서 쓰는 에스파냐어

히에로니무스 보스, <쾌락의 정원> 부분, 1500~1505년.
15~16세기 화가 보스의 그림에 등장하는 새입니다.

<두 명의 프리다>,
1939년.
잘린 핏줄에서 빨건
피가 흘러내립니다.

<멕시코와 미국 국경선에 선 자화상>, 1932년.
멕시코 땅에서 자라는 독특한 모양의 꽃이 피어 있습니다.

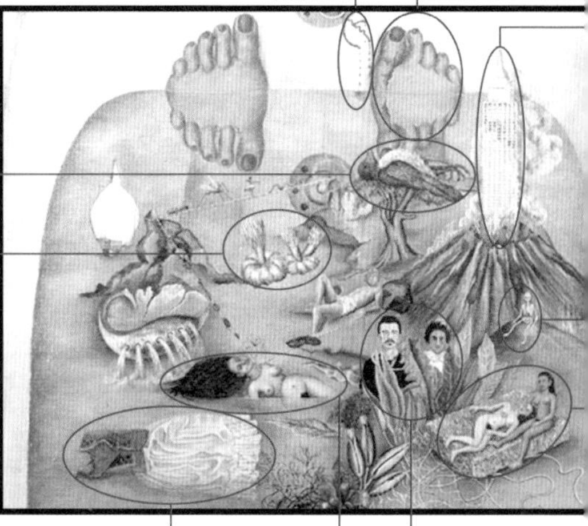

<추억> 또는 <심장>, 1937년.
프리다가 즐겨 입던 멕시코 전통의 테우아나 의상입니다.

<헨리 포드 병원> 또는 <떠 있는 침대>, 1932년.
프리다가 유산한 경험이 묘사되어 있습니다.

<발의 지문과 태양의 지문 Huella de piés y huella de sol>, 일기장 그림. 사고로 생긴 오른발 상처가 보입니다.

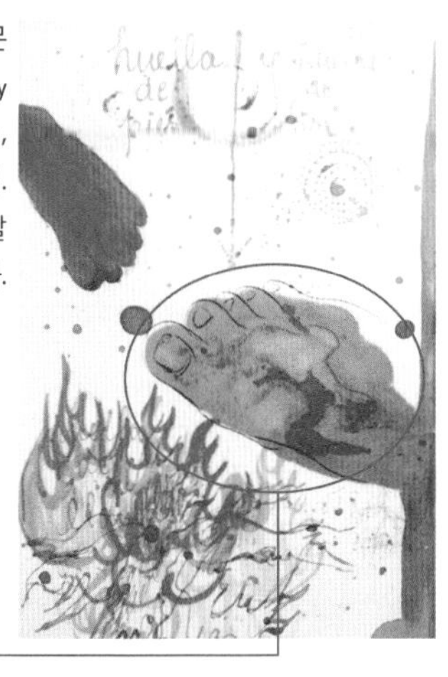

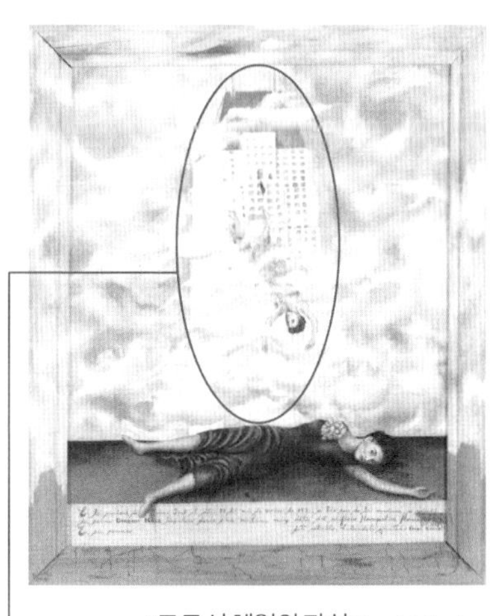

<도로시 헤일의 자살El suicidio de Dorothy Hale>, 1938년.
배경에 도로시 헤일이 투신 자살한 고층 빌딩이 그려져 있습니다.

물이 내게 준 것>에는 프리다의 개인 삶, 조상, 뿌리, 조국 등을 상징하는
러 물건이 등장하는데요. 다른 그림에 그려진 형상을 가지고 오기도 하고,
그림에 그려진 형상을 다른 그림에 반복해 그리기도 했습니다.

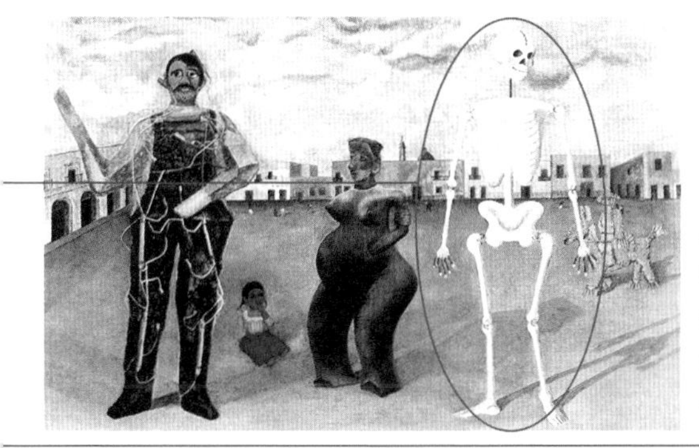

<멕시코의 네 거주자들>, 1938년.
멕시코 사람들은 '죽은 자들의 날'을 축제로 즐길 정도로 죽음을 친근하게 느낍니다. 이 그림에서도 멕시코 시민 중 하나로 해골을 등장시키고 있습니다.

<조부모와 부모와 나>, 1936년.
가운데에 결혼식 복장을 한 부모가 있습니다.

<숲속의 두 누드Dos desnudos en el bosque>, 1939년.
프리다의 동성애 경험이 담겨 있습니다.

식으로 바꾼 이름)는 독일에서 헝가리계 유대인의 아들로 태어나 19세 때 멕시코로 건너온 이민자였습니다. 처음 결혼한 아내가 아이를 낳다가 죽자 자신이 일하던 사진관의 사장 딸 마틸데 칼데론Matilde Calderón y González과 재혼하는데요. 두 번째 아내가 바로 프리다의 어머니입니다. 어머니 마틸데는 에스파냐 장군 후손 딸과 멕시코 원주민 아들 사이에서 태어난 혼혈 즉 메스티사mestiza였습니다. 프리다의 몸에는 유대인, 헝가리인, 독일인, 에스파냐인, 멕시코인의 피가 동시에 흘렀던 겁니다(프리다는 아버지 혈통을 유대계 독일인이라고 말했지만 최근 연구에 따르면 루터계 독일인이었을 것이라고 추정하는 설도 있습니다).

〈물이 내게 준 것〉 오른쪽 수풀 사이로 흰 드레스를 입은 여자와 검은 정장 차림의 남자가 등장하는데요. 프리다가 부모의 결혼식 사진을 보고 그린 겁니다. 〈조부모와 부모와 나Mis abuelos, mis padres y yo〉에도 같은 형상이 나오는데요. 〈조부모와 부모와 나〉는 제목에서 알 수 있듯이 프리다가 자신의 혈통을 나타낸 그림입니다. 독일에 살았던 친가 조부모는 바다로, 멕시코에 살았던 외가 조부모는 산으로 표현했는데요. 이 그림은 단순한 개인 가계도를 넘어서서 멕시코 근현대사까지 증언하고 있습니다. 멕시코는 콜럼버스의 아메리카 대륙 발견 이후로 유럽인의 침략과 약탈을 당하다가 에스파냐 식민 지배까지 받았는데요. 이런 아픈 역사가 에스파냐 장군 혈통과 멕시코 원주민 혈통의 결합이라는 가계도에 반영되어 있는 것이죠.

〈조부모와 부모와 나〉에서 프리다는 자신을 여러 나이대로 묘사하는데요. 정자와 난자가 만나 수정되는 순간, 어머니 자궁에서 자라는 태아, 서너 살로 성장한 아이의 세 모습으로 등장합니다. 세 프리다가

복잡한 혈통을 가진 프리다의 가계도가 그려져 있습니다. 이는 단순한 개인 가계도를 넘어서서 멕시코 근현대사를 증언하는 그림으로 볼 수도 있습니다. 유럽인의 약탈과 침략이라는 멕시코 역사가 혈통에 반영되어 있기 때문입니다. 아래쪽에는 프리다가 대부분의 생을 보낸 카사 아술(파란 집)이 있는데요. 이 집은 오늘날 프리다 칼로 미술관으로 사용되고 있습니다.
프리다 칼로, 〈조부모와 부모와 나〉, 1936년, 아연판에 유채와 템페라, 30.7×34.5cm, 뉴욕, 뉴욕 현대미술관.

있는 곳의 배경엔 멕시코 풍경이 펼쳐져 있습니다. 프리다가 자신의 뿌리를 멕시코에 두고 있음을 알 수 있습니다. 이는 프리다가 1922년부터 자신의 원래 이름인 Frieda에서 독일인 느낌을 없애기 위해 e를 삭제한 행동에서도 드러납니다. 오늘날 우리가 쓰는 프리다의 철자는 Frida입니다.

그림 아래쪽에 있는 파란 벽 건물은 프리다가 대부분의 생을 보낸 카사 아술Casa Azul(파란 집)입니다. 이곳에서 태어나 유년 시절을 보냈는데요. 아버지가 죽은 1941년부터는 남편 디에고와 이 집으로 와서 거주하다가 생의 마지막 순간을 맞습니다. 프리다의 유언에 따라 화장하고 남은 그녀의 유골도 이곳에 안치되어 있습니다. 프리다가 죽은 뒤에는 디에고가 이 집을 정부에 기증해서 프리다 칼로 미술관으로 만들었는데요. 그야말로 카사 아술은 프리다의 탄생과 생애, 죽음, 죽음 이후까지 거의 모든 순간을 간직한 집이라 할 수 있겠습니다.

프리다의 아버지는 어머니와 결혼 후 장인에게서 독립해 따로 사진관을 차리는데요. 정부 의뢰로 멕시코 문화유산을 사진으로 기록하는 프로젝트를 맡으면서 많은 돈을 벌었습니다. 하지만 1910년 멕시코 혁명이 일어나면서 프로젝트는 중단되었고 생활고가 시작되었습니다. 아버지가 사진관에서 벌어 오는 돈으로는 생활이 되지 않자 어머니는 방을 세놓고 가구를 파는 등 악착스럽게 살림을 꾸려 나갑니다.

또 다른 재난이 프리다 가족에게 닥칩니다. 1913년 6살 된 프리다가 오른쪽 다리에 이상을 느낍니다. 아버지는 딸을 정성껏 보살피고 치료를 받게 했지만 소용없었습니다. 이때 앓은 소아마비로 프리다의 오른쪽 다리가 제대로 성장하지 못해 짧고 가늘어졌습니다. 목발을 짚고

절룩대는 그녀를 보고 아이들은 "목발 프리다"라며 놀려 댔는데요. 프리다는 오른쪽 굽을 높인 신을 신고 긴 바지나 치마로 다리를 가리기 시작했습니다. 결혼한 뒤로는 멕시코 전통 의상을 즐겨 입었는데요. 테우안테펙 지역에서 모계 사회를 이루며 살던 테우아나Tehuana 부족 여성들이 입는 의상이었습니다. 강렬한 색의 민소매 셔츠(우이필huipil)에 주름이 많은 긴 치마 차림으로, 화려한 기하학 문양이나 꽃 문양으로 장식한 게 특징입니다. 마치 우리나라 생활한복처럼, 당시 멕시코 고유 문화를 되살리려는 지식인들이 자주 입던 복장이었다고 합니다. 〈물이 내게 준 것〉과 〈추억Recuerdo〉(또는 〈심장El corazón〉) 등 프리다의 그림에 반복해 등장하는 옷이 바로 테우아나 의상입니다. 오른발 콤플렉스를 감추기 위해 입은 이 전통 의상은 이후 프리다의 멕시코 정체성을 드러내는 표식이 되었습니다.

1922년 15세가 된 프리다는 멕시코 국립예비학교Escuela Nacional Preparatoria에 입학합니다. 대학 입시를 준비하는 수재들이 다니는 최고 명문 학교로, 프리다가 입학한 해부터 처음 여성을 받기 시작했는데요. 전교생 2,000명 중 여학생 수는 프리다를 포함해 35명이었습니다. 아버지는 어려운 가정 형편에도 네 딸(첫 결혼에서 얻은 두 딸까지 포함하면 여섯 딸) 중 가장 아끼던 프리다에게만은 대학 공부를 시키려 했던 겁니다. 프리다는 아버지의 기대에 어긋나지 않게 똑똑했고 의사가 되기를 꿈꿨습니다. 아버지 친구인 페르난도 페르난데스에게 잠시 그림을 배웠지만 그저 좋아하는 취미로 여겼고, 이때까지는 화가가 될 생각이 없었습니다.

서구 복장을 한 프리다가 가운데 서 있고, 왼쪽으로는 학생 때 입은 교복이, 오른쪽으로는 성인이 된 후 즐겨 입은 테우아나 의상이 걸려 있습니다. 프리다는 두 손이 다 없는데요. 사라진 손을 대신하듯 교복과 테우아나 의상이 손을 하나씩 가지고 있습니다. 여러 차례 이어진 남편의 불륜으로 고통받은 가슴은 뻥 뚫린 채 시소 같은 막대기에 관통당했는데요. 그 자리에 있어야 할 심장은 땅에 나뒹굴며 피를 흘리고 있습니다.
프리다 칼로, 〈추억〉 또는 〈심장〉, 1937년, 금속판에 유채, 40×28cm, 파리, 미셸 프티장 컬렉션
Michel Petitjean Collection.

평생 육체의 고통을 일으킬 교통사고를 당하다

1925년 9월 17일 18세 때 프리다의 인생을 바꾼 첫 사고가 터집니다. 프리다는 남자친구 알레한드로 고메스 아리아스Alejandro Gomez Arias(나중에 변호사이자 정치 평론가로 활동합니다)와 버스를 타고 집으로 가고 있었는데요. 과속으로 달리던 버스가 전차와 충돌하면서 승객 여럿이 즉사하거나 크게 다칩니다. 프리다는 목숨을 건졌지만 버스의 철제 난간 하나가 허리에서 자궁까지 몸을 관통하는 중상을 입습니다. 왼쪽 어깨 탈골, 쇄골 골절, 3번과 4번 갈비뼈 골절, 척추 3군데 골절, 골반 3군데 골절, 복부와 질 천공, 오른쪽 다리 11군데 골절, 오른발 탈골과 부서짐 등 상태가 너무 심각해서 살아 있는 게 기적이라고 의사가 말할 정도였는데요. 건강 상태도 나빴지만 치료비로 많은 돈을 쓴 탓에 대학 진학을 하는 게 어려워졌습니다. 프리다는 병상에서 고통과 무료함을 잊기 위해 누운 채로 그림을 그리기 시작합니다. 사고가 아니었다면 화가 프리다는 없었을지도 모릅니다.

프리다는 이때 당한 교통사고와 그 후유증으로 평생에 걸쳐 33차례 외과수술을 받는데요. 육체의 고통은 죽을 때까지 계속됩니다. 이를 나타낸 그림이 〈부서진 기둥La columna rota〉입니다. 사고 후 19년이 지났는데도 후유증은 계속되었는데요. 그림 속 프리다는 척추를 지탱해 주는 보정기를 착용하고 있습니다. 목부터 배까지 드러난 몸 내부에는 손상된 척추 대신 부러진 이오니아 양식 기둥이 자리해 있습니다. 온몸을 찌르는 무수한 못들은 죽을 때까지 이어진 만성 통증을 나타냅니다.

프리다는 18세 때 당한 교통사고로 평생 고통에 시달리는데요. 이 그림을 그린 게 사고 19년 뒤인데도 후유증이 계속되어 척추를 지탱하는 보정기를 착용해야 했습니다. 그림 속 프리다는 손상된 척추 대신 부러진 이오니아 양식 기둥을 몸 안에 가지고 있습니다. 온몸을 찌르는 무수한 못들은 일생 동안 겪은 만성 통증을 나타냅니다.

프리다 칼로, 〈부서진 기둥〉, 1944년, 목판에 유채, 39.8×30.6cm, 멕시코시티, 돌로레스 올메도 미술관Museo Dolores Olmedo.

조국 멕시코의 현실을 마주하다

교통사고 이후로 관계가 소원해진 남자친구 알레한드로는 긴 유럽 여행을 떠나는데요. 이렇게 첫사랑은 끝납니다. 프리다는 공산주의자 친구들과 어울리며 실연의 아픔을 달래는데요. 1928년 멕시코 공산당에 가입합니다. 프리다가 공산주의 신념을 가지게 된 건 멕시코의 고달픈 역사와 관련 있습니다. 앞에서 멕시코 혁명으로 프리다 가족의 생계가 어려워졌다고 말씀드렸는데요. 프리다는 이 사건을 개인적인 불운이 아니라 조국 역사의 전환점이라 여기고 지지했습니다. 자신의 출생 연도를 실제로 태어난 1907년이 아닌 1910년이라고 말할 정도였는데요. 1910년이 멕시코 혁명이 일어난 해였기 때문입니다.

우리나라처럼 식민지 경험을 가진 제3세계 국가들은 식민 시대 때 많은 문제와 갈등을 잉태하게 되는데요. 멕시코 역시 마찬가지였습니다. 식민 이전에 멕시코 땅에는 아즈텍(아스테카) 문명이 번성하고 있었는데요. 1521년 에스파냐 원정대 대장 에르난 코르테스에 의해 멸망당하고 맙니다. 당시 유럽 여러 나라들은 새 땅을 찾아내 식민지로 삼는 일을 경쟁처럼 여겼는데요. '대항해 시대의 탐험'이란 그럴듯한 이름을 붙였지만 사실은 원주민이 사는 땅을 주인 없는 땅이라 여기고 마음대로 점령한 제국주의의 출발이었습니다. 멕시코 정복도 그중 하나입니다. 이때부터 메시코는 에스파냐의 지배를 받는 식민 시대(누에바 에스파냐Nueva España)로 들어서는데요. 이후 프리다의 어머니처럼 에스파냐 정착민과 멕시코 원주민 사이에서 태어난 혼혈(남자는 메스티소, 여자는 메스티사)의 수가 늘어납니다.

멕시코 사람들은 죽음을 자신의 일상에 끌어들이길 좋아하는데요. '죽은 자들의 날'을 축제처럼 즐기고 생활 공간 곳곳에 해골 장식을 걸어 두곤 합니다. 삶과 죽음이 공존한다고 믿기 때문인데요. 이 그림에서도 해골이 멕시코 거주자로 등장합니다. 프리다가 자신이 사랑한 멕시코 고유 전통을 익살스럽게 표현한 겁니다. 해골은 〈물이 내게 준 것〉에도 등장합니다.
프리다 칼로, 〈멕시코의 네 거주자들Cuatro habitantes de México〉, 1938년, 목판에 유채, 32.4×47.6cm, 개인 소장.

원주민과 메스티소/메스티사는 수탈과 약탈, 차별에 저항하며 여러 차례 독립 투쟁을 벌이는데요. 1821년 코르도바 협정으로 멕시코는 300년 만에 독립을 이룹니다. 1824년엔 공화국을 세우는데요. 긴 식민 시기를 거친 나라들이 흔히 그렇듯 혼란을 피할 수 없었습니다. 오랫동안의 기형적인 식민 통치로 인해 정치 역량을 키울 시간을 갖지 못했던 겁니다. 자유주의자와 보수주의자 간의 극심한 대립으로 50년 동안 대통령이 30여 차례나 바뀌는 불안이 계속됩니다. 1876년 포르피리오 디아스 장군이 쿠데타로 대통령에 오르면서 정치적 혼란은 잦아드는 듯했는데요. 디아스 정권은 30여 년간 독재 정치를 이어 갑니다. 지주 계급을 보호하고 외국 자본을 들여와 멕시코 근대화에는 성공했는데요. 특권층 이익만 대변하여 빈부 격차가 극심해졌습니다. 원주민, 농민, 노동자의 삶은 피폐해졌고 반독재 인사들은 잔인하게 탄압받았습니다. 특히 1906년 광산 파업과 방직공장 파업을 진압하는 과정에서 많은 사상자를 발생시키는데요. 총탄에 맞아 죽은 노동자들의 시체를 멕시코만에 던져 상어 밥으로 만들어 버리는 만행까지 저질렀습니다.

탄압이 심해질수록 반정부 세력은 커져 갔습니다. 디아스는 그동안 무리한 헌법 개정으로 대통령 자리를 연임해 왔는데요. 1910년 선거에서는 유력한 상대편 대통령 후보인 프란시스코 마데로를 감옥에 가두고 자신이 또 다시 대통령에 당선됩니다. 마데로는 풀려나 지지자들과 함께 무장봉기를 일으키는데요. 이것이 프리다의 나이 3세 때 일어난 멕시코 혁명의 시작입니다. 1911년 디아스가 물러나고 새 대통령으로 마데로가 선출됩니다. 이후 혼란과 쿠데타, 마데로 대통령 암살, 우에르타 정권 탄생, 내전 등을 거쳐 1917년 자유주의 헌법이 제정되고 1920년 오브레곤 정권이 탄생합니다.

새로 출범한 오브레곤 정부의 교육부는 식민 시설에 부시되었던 멕시코 고유 문화를 되살리기 위해 노력합니다. 그 일환으로 문맹률 높은 국민에게 멕시코 역사와 문화를 그림으로 가르치기 위해 1921년부터 공공기관 벽화 사업을 추진하는데요. 이것이 무랄리스모 Muralismo(벽화 운동)입니다. 여기에 참여한 대표 예술가가 나중에 프리다의 남편이 될 디에고 리베라Diego Rivera입니다.

프리다가 예비학교에 다니던 1922년, 디에고는 그 학교 대강당에서 정부가 주문한 벽화를 그리고 있었는데요. 이때 두 사람은 처음 만납니다. 15세의 프리다가 당돌하게도 중년의 거장 예술가에게 벽화 그리는 걸 구경해도 되냐고 물으며 긴 시간 작업을 지켜보았던 겁니다. 이때만 해도 두 사람은 인연이 계속되리라곤 생각하지 못했을 겁니다.

평생 마음의 고통을 안겨 줄 디에고와 만나다

두 번째 만남은 프리다가 공산당에 가입한 1928년에 이루어졌는데요. 역시 공산당원이었던 디에고는 당시 교육부 청사에서 벽화를 그리고 있었습니다. 프리다는 작업 중인 디에고에게 다가가서 자기 그림을 좀 봐 달라고 부탁했고, 디에고는 프리다에게 재능이 있다고 답해 줍니다. 두 사람은 곧 사랑에 빠집니다. 1929년 22세의 프리다는 주변의 반대를 무릅쓰고 21살 연상인 디에고와 결혼합니다. 디에고는 앞선 두 차례 결혼으로 자식 넷을 둔 이혼남이었습니다. 프리다의 어머니가 나이, 외모, 성격, 처지, 어느 하나 어울리지 않는 두 사람을 두고 "비둘기와 코끼리 같다"며 결혼을 반대할 정도였습니다.

결혼한 지 얼마 되지 않아 디에고는 공산당에서 제명됩니다. 스탈린의 정적인 레프 트로츠키를 지지하고 미국 대사의 벽화 의뢰를 수락하는 등 사상이 의심스럽다는 이유였습니다. 프리다는 항의의 뜻으로 자진 탈당을 하는데요. 얼마 지나지 않아 남편에게 제기된 비도덕성에는 사상 문제뿐 아니라 난잡한 여자 문제도 있었다는 사실을 알게 됩

프리다와 디에고는 21살의 나이 차이뿐 아니라 외모와 성격 등 모든 면에서 전혀 어울리지 않는 한 쌍이었습니다. 이런 그들의 사랑은 프리다가 죽을 때까지 이어집니다.
왼쪽: 프리다와 디에고의 사진.
오른쪽: 프리다 칼로, 〈프리다와 디에고 리베라〉, 1931년, 캔버스에 유채, 100×78.74cm, 샌프란시스코, 샌프란시스코 현대미술관San Francisco Museum of Modern Art.

니다. 1930년 프리다가 첫 아이까지 유산하면서 두 사람의 관계는 악화되는데요. 그해 디에고가 미국 샌프란시스코 증권거래소의 벽화 주문을 받으면서 부부는 그곳으로 향합니다. 1932년에는 포드 자동차 회사로부터 벽화 주문이 들어와 디트로이트로 갑니다. 공산주의를 지지

한 디에고가 적이나 다름없는 미국 자본주의를 위해 일했다고 비난할 수 있겠는데요. 역으로 미국 자본주의조차 그의 작품을 인정했다고도 할 수 있겠습니다. 놀랍게도 미국 자본가들은 자신들을 비판하는 디에고의 벽화를 앞다퉈 주문해 왔던 겁니다.

디트로이트로 간 지 3개월 만에 프리다는 두 번째 유산을 합니다. 의사들은 18세 때의 교통사고로 골반이 손상되었기 때문에 임신 유지가 어려울 것이라고 진단합니다. 〈헨리 포드 병원Hospital Henry Ford〉은 프리다가 두 번째 유산 후 그린 그림인데요. 〈물이 내게 준 것〉에도 비슷한 나체 형상이 나타납니다. 〈헨리 포드 병원〉 가운데 침대에는 벌거벗은 채 누워서 눈물을 흘리는 프리다가 있습니다. 프리다의 몸에서 빨간 끈들이 나와 여러 형상들로 연결되는데요. 자궁 모형, 태아, 달팽이, 골반, 서양란, 바이스(목공이나 금속 가공 과정에서 재료를 고정시키는 기계) 등이 보입니다. 자궁 모형, 골반, 바이스는 교통사고 후유증을 겪는 신체를 상징하고, 태아는 그로 인해 유산한 아이를 나타냅니다. 달팽이는 2~3주에 걸쳐 느리게 진행된 유산 과정을 표현한 것이고요. 서양란은 입원 당시에 디에고가 선물한 꽃입니다. 황량한 배경은 자동차 공장이 많이 들어서 있던 1930년대 디트로이트 풍경을 보여 주는데요. 이를 통해 낯선 타국 땅에서 외롭고 고립된 심정을 드러내고 있습니다.

1933년 그 유명한 록펠러 가문에서 디에고에게 라디오 시티 뮤직홀(오늘날의 록펠러 센터 일부) 벽화를 의뢰해 옵니다. 프리다 부부는 이 작업을 하기 위해 뉴욕으로 향합니다. 이렇게 3년간 미국에서 머물게 되는데요. 디에고는 미국 생활에 만족했지만 프리다는 고향을 그리워하며 돌아갈 날만 기다리게 됩니다. 프리다가 미국 시기에 그린 그림이

프리다가 두 번째 유산을 한 뒤 그린 그림입니다. 침대에 벌거벗은 채 누워 울고 있는 프리다가 있고요. 그녀의 몸에서 나온 빨간 끈은 태아, 골반, 자궁 모형 등으로 연결됩니다. 배경의 황량한 디트로이트 풍경은 낯선 타국 땅에서 고립된 처지를 나타냅니다.
프리다 칼로, 〈헨리 포드 병원〉 또는 〈떠 있는 침대〉, 1932년, 금속판에 유채, 31×38.5cm, 멕시코시티, 돌로레스 올메도 미술관.

〈멕시코와 미국 국경선에 선 자화상Autorretrato en la frontera entre México y Estados Unidos〉입니다.

미국풍 분홍 드레스를 입은 프리다가 가운데에 서 있는데요. 왼쪽으로는 고대 아즈텍 문명을 간직한 멕시코 풍경이, 오른쪽으로는 고층

프리다는 왼쪽의 멕시코와 오른쪽의 미국 중 어느 곳에도 속하지 못한 채 경계에 서 있습니다. 멕시코 영역에 그려진 독특한 꽃은 〈물이 내게 준 것〉에도 등장합니다.

프리다 칼로, 〈멕시코와 미국 국경선에 선 자화상〉, 1932년, 금속판에 유채, 31×35cm, 뉴욕, 마리아 로드리게스 데 레이에로 컬렉션Maria Rodriguez de Reyero Collection.

빌딩과 공장, 기계가 즐비한 미국 풍경이 펼쳐집니다. 프리다의 왼손에는 멕시코 국기가, 오른손에는 담배가 들려 있는데요. 멕시코와 미국의 경계에 서서 어느 쪽에도 속하지 못한 자신을 표현하고 있습니다.

디에고의 벽화 작업도 순조롭지 않았는데요. 디에고가 벽화 속 평범한 노동자의 얼굴을 막판에 레닌의 얼굴로 바꿔 그렸기 때문입니다. 넬슨 록펠러는 레닌의 얼굴을 지우라는 경고 편지를 보내왔고, 디에고는 벽화 일부를 훼손하느니 차라리 전체를 파괴하겠다는 답장으로 거절 의사를 분명히 합니다. 디에고는 여론전을 펼치며 록펠러 재단에 저항하지만 결국 계약 해지를 당하고 벽화는 파괴됩니다(나중에 멕시코로 돌아온 디에고는 록펠러 벽화를 조금 수정해서 예술궁전Palacio de Bellas Artes에 다시 그립니다. 이때 넬슨의 아버지 존 록펠러 주니어를 창녀들에게 둘러싸인 매독 환자로 그려 넣는 복수를 합니다). 프리다는 이 일을 계기로 삼아 멕시코로 돌아가자고 조르는데요. 무일푼이 된 부부는 친구들의 도움으로 뱃삯을 겨우 마련해 멕시코로 돌아옵니다.

귀국한 부부는 멕시코시티 교외 마을인 산앙헬San Ángel에 새 집을 마련해 거주하는데요. 프리다의 동생 크리스티나가 이혼하고 프리다의 집을 자주 찾아와서 머뭅니다. 1934년 프리다는 세 번째 유산에 발가락 일부를 잘라 내는 수술로 어려운 시기를 보내고 있었는데요. 동생 크리스티나로부터 디에고와 깊은 관계를 맺었다는 고백을 듣습니다. 디에고의 바람기는 지칠 줄 모르고 계속되어 왔지만 이번 외도는 차원이 다른 것이었는데요. 사랑하던 동생의 배신이기도 했기 때문입니다.

1935년 초 프리다는 집을 나와 멕시코시티에 아파트를 얻습니다. 미국 친구 둘과 뉴욕 여행을 다녀오기도 하는데요. 남편과 동생의 관계가 끝난 1935년 말에 산앙헬 집으로 돌아갑니다. 하지만 신뢰가 깨진 결혼 생활은 예전 같지 않았습니다. 프리다는 남편에게 복수라도 하듯 일본계 미국인 조각가 이사무 노구치Isamu Noguchi, 러시아 혁명가 트로츠키와 차례로 애정 행각을 벌입니다. 이 시기에 동성애 관계를 맺는다는 소문도 납니다. 1938년 첫 개인전을 열기 위해 뉴욕에 가서는 사진작가 니콜라스 머레이Nickolas Muray와 사랑에 빠집니다. 뉴욕 전시는 작품이 절반가량 팔리는 등 성공적이었습니다. 이어진 1939년 파리 개인전에서는 초현실주의자들의 엄청난 환영을 받습니다. 20세기 멕시코 화가 최초로 작품이 루브르 박물관에 소장되는 등 프리다의 명성은 국제적으로 높아지기 시작하는데요. 사생활은 최악으로 치닫고 있었습니다. 1939년 멕시코로 돌아온 프리다는 남편으로부터 이혼하자는 전화를 받습니다. 두 사람은 이혼 서류에 서명합니다.

프리다가 이혼 후 심정을 담아 그린 그림이 〈두 명의 프리다Las dos Fridas〉입니다. 프리다는 자신의 정체성을 둘로 나눠 표현했는데요. 두 사람은 심장에서 나온 핏줄로 서로 연결되어 있습니다. 테우아나 전통 차림의 오른쪽 프리다는 손에 디에고의 어린 시절 사진을 들고 있는데요. 유럽풍 드레스를 입은 왼쪽 프리다는 디에고 사진과 연결된 심장 핏줄을 가위로 끊어 냅니다. 잘린 핏줄 끝에서는 빨건 피가 뚝뚝 떨어지는데요. 피를 흘리는 핏줄은 〈물이 내게 준 것〉에도 등장합니다. 디에고와의 결별을 상징하는 형상인 셈입니다.

하지만 두 사람의 관계는 그림처럼 쉽게 끊어지지 않았습니다. 프리다는 척추 통증과 오른손 감염 치료 때문에 샌프란시스코로 갔다가 그곳에서 작업 중이던 디에고를 만납니다. 프리다의 주치의 리오 엘로서 박사가 두 사람의 관계 회복을 위해 애쓰는데요. 1940년 12월 8일 디에고의 54번째 생일날 두 사람은 두 번째 결혼을 합니다. 결혼 조건

이혼 후 심정을 담아 그린 그림입니다. 오른쪽 프리다는 디에고의 어릴 적 사진을 들고 있고, 왼쪽 프리다는 그 사진과 연결된 핏줄을 끊어 내고 있습니다.
프리다 칼로, 〈두 명의 프리다〉, 1939년, 캔버스에 유채, 173.5×173cm, 멕시코시티, 현대미술관 Museo de Arte Moderno.

으로 프리다는 몇 가지 사항을 내걸었는데요. 성관계를 갖지 않으며 프리다 자신의 생활비는 스스로 부담하겠다는 내용이었습니다. 남편에게서 신체적·정신적·경제적 독립을 하려는 의지가 엿보입니다. 디에고는 회고록에서 "나는 프리다를 되찾게 되어 너무 행복했기 때문에 모든 조건에 동의했다"고 밝힙니다. 조건이 얼마나 충실하게 지켜졌는지는 알 수 없는데요. 이때부터 프리다는 남편 디에고에 대한 사랑을 모성에 가까운 감정으로 바꾼 것 같습니다. 이를 보여 주는 그림이 〈우주, 대지, 나, 디에고, 세뇨르 솔로틀이 하는 사랑의 포옹El abrazo de amor del Universo, la Tierra, yo, Diego y el señor Xólotl〉(이하 〈사랑의 포옹〉)입니다.

〈사랑의 포옹〉에는 프리다의 개인 삶과 멕시코의 아즈텍 신화가 결합해 있습니다. 상징하는 내용만큼 구도도 복합적인데요. 가로축은 어둠과 밝음을 대비시키고, 세로축은 큰 포옹을 하는 존재에서 점점 더 작은 포옹을 하는 존재로 여러 층을 이루고 있습니다. 마치 인형 안에 인형이 반복해 들어 있는 러시아 장난감 마트료시카처럼 말이죠. 가로축부터 살펴볼까요. 달이 있는 왼쪽은 밤의 영역, 해가 있는 오른쪽은 낮의 영역입니다. 밤과 낮을 모두 주관하는 우주는 커다란 손으로 세상 모든 것을 감싸 안고 있습니다. 마치 아이를 품은 어머니처럼요. 그러니 우주 어머니라 부를 수 있겠습니다.

이제 세로축을 따라가 볼 차례인데요. 우주 어머니 아래로는 대지(또는 출산)의 여신 시우아코아틀Cihuacoatl이 하위 존재들을 감싸고 있습니다. 목에서 가슴까지 이어진 상처 끝에서는 생명의 근원인 젖이 흘러나와 여러 식물들을 키워 냅니다. 땅의 생명체를 자라게 하니 대지 어머니라 할 만하네요. 대지 어머니의 넓은 품에서 테우아나 차림

프리다는 두 번째 결혼 이후 남편에 대한 사랑을 모성으로 전환하는데요. 모성은 대지로, 우주로, 죽음으로, 죽음 이후의 부활로 확장됩니다. 이 과정에서 남과 여, 밝음과 어둠, 낮과 밤, 해와 달, 삶과 죽음의 이원론은 하나로 통합됩니다.

프리다 칼로, 〈우주, 대지, 나, 디에고, 세뇨르 솔로틀이 하는 사랑의 포옹〉, 1949년, 목판에 유채, 70×60.5cm, 멕시코시티, 자크 & 나타샤 겔만 컬렉션Jacques & Natasha Gelman Collection.

의 프리다와 프리다 팔에 안긴 디에고, 프리다의 개가 보호를 받고 있습니다.

프리다는 대지 어머니처럼 목부터 가슴까지 상처 난 채 피를 흘리고 있는데요. 양팔로 아기 같은 자세를 한 디에고(어린 디에고Dieguito)를 품고 있습니다. 디에고의 이마에는 지혜를 상징하는 제3의 눈이 박혀 있고 손에서는 불꽃이 피어오릅니다. 디에고의 지혜와 열정은 프리다의 모성에 의해 유지되고 있는 건데요. 이렇게 프리다는 평생 가지고 싶어 했던 아이를 남편으로 대체합니다. 남편 디에고의 어머니를 자처한 셈입니다.

그림의 마지막 존재는 개입니다. 개는 고대 나우아틀어로 이츠쿠인틀리Itzcuintli라 하는데요. 프리다는 집에서 원숭이, 앵무새, 개, 고양이 등 여러 동물들을 키웠습니다. 그중 하나가 '솔로틀Xolotl'이란 이름을 가진 반려견입니다. 솔로이츠쿠인틀리(솔로틀과 이츠쿠인틀리의 합성어) 견종으로, 털이 없는 게 특징입니다. 픽사 애니메이션 〈코코〉에 등장하는 개가 바로 이 견종입니다. '솔로틀'은 원래 아즈텍 신화에서 개 머리를 한 신의 이름입니다. 이 신은 죽은 자들을 등에 업고 죽음의 강을 건너 지하 세계까지 데려다주어 부활할 수 있도록 돕습니다. 죽음과 삶을 하나로 이어 주는 역할을 하는 존재인 겁니다.

〈사랑의 포옹〉은 프리다가 말년에 이르게 된 통합적 세계관을 보여 줍니다. 작은 포옹을 하는 존재에서 큰 포옹을 하는 존재로 거슬러 올라가면 명확해지는데요. 프리다는 남편에 대한 사랑을 모성으로 바꾸면서 부부 관계를 전환시킵니다. 이 개인적 차원의 전환은 대지로, 우주로, 죽음으로, 죽음 이후의 부활로 중첩되면서 거대한 세계관으로 확장됩니다. 이 과성에서 남과 여, 밝음과 어둠, 낮과 밤, 해와 달, 삶과 죽음을 나누는 서구의 이원론은 조화로운 하나의 완성을 추구하는 멕시코 전통 세계관으로 합쳐집니다.

고통스러운 생을 마치고 행복한 외출을 떠나다

1940년대 프리다의 명성은 점점 더 높아집니다. 뉴욕 현대미술관(모마MoMA), 필라델피아 미술관, 뉴욕 페기 구겐하임 갤러리 등 미국 주요 미술관들이 프리다의 그림을 전시합니다. 고국에서는 요직을 맡게 되는데요. 1942년 교육부 산하의 멕시코 문화협회 위원으로 선출되고 1943년 라 에스메랄다La Esmeralda(국립회화조각학교Escuela Nacional de Pintura, Escultura y Grabado의 별칭)의 교수로 임용됩니다. 이제 프리다는 독립적인 여성이자 성공한 예술가로 우뚝 섭니다. 하지만 자신을 평생 괴롭혀 온 교통사고 후유증이 발목을 잡는데요. 척추와 오른발 통증이 심해져서 몇 달 만에 학교를 그만두고 집에 틀어박혀야 했습니다. 이때 그려진 그림이 앞에서 본 〈부서진 기둥〉입니다.

1946년 프리다는 뉴욕으로 가서 척추 강화 수술을 받지만 몸 상태는 나아지지 않습니다. 1950년 오른쪽 다리의 혈액이 잘 순환되지 않아 발가락 4개가 썩기 시작했고 등 통증도 계속됩니다. 프리다는 멕시코시티 ABC병원에서 척추 수술을 7차례나 받습니다. 이때부터 휠체어에 의지하고 통증을 줄이기 위해 다량의 진통제를 복용하기 시작합니다. 병이 악화된 시기에도 프리다는 활동을 계속하기 위해 안간힘을 썼는데요. 1948년 멕시코 공산당에 재가입하고 1952년 국제평화회의 서명 운동을 돕습니다. 1953년 4월 멕시코 첫 개인전까지 여는데요. 프리다는 전시장까지 구급차를 타고 가서 침대에 누운 채 개막식 행사를 치릅니다. 전시는 대성공이었고 해외에서 프리다에 대한 관심이 급증합니다.

높아지는 인기에 반비례하여 건강 상태는 나빠집니다. 오른쪽 다리 통증은 점점 더 심해졌는데요. 1953년 8월 오른쪽 다리를 무릎까지 절단하는 수술을 받습니다. 1954년엔 폐렴에 걸리는데요. 프리다는 의사의 만류에도 불구하고 과테말라 내정에 간섭하는 미국 반대 시위에 참여합니다. 이 일로 폐렴이 악화되는데요. 결국 1954년 7월 13일 자신이 태어났던 카사 아술에서 47세의 나이로 숨을 거둡니다. 죽음을 직감한 프리다는 일기 마지막 줄에 다음과 같이 씁니다.

"내 외출이 행복하기를.
그리고 다시는 돌아오지 않기를.
프리다."

이 구절은 프리다의 죽음이 자살이라는 의심을 낳았는데요. 약물 과다 복용으로 스스로 목숨을 끊었다는 겁니다. 죽음의 원인이 병사이든 자살이든, 프리다의 신체가 더는 삶을 견디지 못할 만큼 약해졌다는 건 분명해 보입니다. 디에고는 슬픔에 빠졌지만 그렇다고 자신이 평생 누려 온 자유분방한(?) 생활을 포기할 생각은 전혀 없었습니다. 프리다의 첫 기일을 2주 앞두고 조수 겸 매니저이자 연인인 엠마 우르타도Emma Hurtado와 결혼합니다. 디에고는 결혼하고 2년 후 산앙헬의 작업실에서 심장마비로 숨을 거두는데요. 자신을 화장해 프리다의 유골과 합장해 달라는 유언을 남겼지만 지켜지지 않았습니다. 현재 디에고는 돌로레스 시립묘지 명사 구역에 묻혀 있습니다.

신체장애와 고통을 이겨 낸 여성 예술가의 아이콘이 되다

프리다가 세상을 떠난 1950년대에는 그녀의 작품 세계가 남편이자 멕시코 벽화 거장인 디에고의 명성에 가려진 측면이 있었습니다. 하지만 1990년대에 들어서면서부터 페미니즘의 적극적인 지원을 받으면서 프리다의 인기가 급상승합니다. 1988년 〈나의 여동생 크리스티나의 초상〉이 19만 8,000달러(약 2억 원)에 팔렸는데요. 불과 2년 뒤인 1990년 〈디에고와 나〉가 140만 달러(약 17억 원)에, 2016년 〈숲속의 두 누드〉가 800만 달러(약 97억 4,000만 원)에 낙찰되었습니다.

프리다의 인기가 미술 시장에만 한정된 건 아니었습니다. 대중 인지도도 크게 올라가면서 많은 분야에서 프리다를 소환해 냈는데요. 프리다의 얼굴이 2001년 미국과 멕시코 우표에, 2010년 멕시코 500페소 지폐 뒷면(앞면은 디에고)에 등장합니다. 2016년 영국 런던에서 초연한 발레 〈부서진 날개Broken Wings〉와 2003년 할리우드 영화 〈프리다〉 등 수십 편의 공연과 영화가 프리다를 주인공으로 삼았으며, 픽사 애니메이션 〈코코〉는 프리다를 매력적인 카메오로 출연시킵니다. 2020년 우리나라에서도 뮤지컬 〈프리다〉가 제작되었을 정도인데요. 여기서 끝이 아닙니다. 영국 록 밴드 콜드플레이는 〈비바 라 비다〉란 노래로 2008년 미국 빌보드와 영국 차트 1위에 오르고 2009년 그래미 어워드에서 올해의 노래상을 받는데요. 노래 제목이 프리다가 죽음을 앞두고 그린 그림 〈비바 라 비다Viva la vida〉에서 따온 것입니다. 그야말로 프리다 전성 시대라 할 만합니다.

프리다가 우리를 매혹시키는 가장 큰 이유는 아마도 솔직함일 겁니다. 사람들은 자신의 고통을 부끄러워하고 감추려고 합니다. 남들에게 행복하고 잘사는 모습만 보이고 싶어 하기 때문입니다. 하지만 프리다는 자신의 신체장애와 사고 후유증, 세 차례 유산, 심지어 사생활의 치부까지 솔직하게 그림으로 드러냈습니다. 어디서 그런 힘과 용기가 솟아났는지 궁금해집니다.

프리다의 일생을 돌아봅니다. 6세 때 소아마비 장애, 18세 때 생사를 넘나든 교통사고 중상, 그 후유증으로 한평생 받은 33차례 외과수술, 일부 발가락과 오른쪽 다리 절단 등 죽을 때까지 통증에 시달렸고 말년은 진통제에 의지해야 했습니다. 사랑하는 남편은 많은 여자들과 바람을 피웠고 그 불륜 상대들 중 하나는 자신이 그토록 믿던 여동생이었습니다. 평생을 몸과 마음의 고통 속에 살았던 겁니다. 그런 프리다가 죽음을 8일 앞두고 그림에 써 넣은 문장은 "비바 라 비다(인생 만세)"였습니다. 일생을 고통과 함께한 프리다가 그림에 마지막으로 남긴 말이니 믿을 만하지 않을까요. 온갖 괴로움과 고통이 연달아 닥치더라도, 그럼에도 인생은 한번 살아 볼 만하다고 말이죠.

그림 〈비바 라 비다〉를 들여다봅니다. 멕시코 사람들뿐 아니라 우리도 즐겨 먹는 수박이 빨간 과육을 드러내고 있습니다. 먹음직스러워서 입안에 침이 고일 정도입니다. 수박을 처음 본 사람들은 딱딱한 껍질에 지레 겁을 먹기 쉽습니다. 단단하고 맛 없는 껍질 속에 달고 시원

멕시코 사람들이 즐겨 먹는 수박이 먹음직스러운 빨간 과육을 드러내고 있는데요. 그 위로 "비바 라 비다(인생 만세)"란 문장이 선명하게 쓰여 있습니다. 이 문장은 프리다가 죽음을 앞두고 그림에 마지막으로 남긴 말로, 영국 록 밴드 콜드플레이의 노래 제목으로 쓰이기도 했습니다.
프리다 칼로, 〈비바 라 비다〉, 1954년, 목판에 유채, 50.8×59.5cm, 멕시코시티, 프리다 칼로 미술관.

한 속살이 들어 있으리라곤 예상하지 못하는 것이죠. 어쩌면 우리 인생도 그렇지 모르겠습니다. 괴롭고 고통스러운 시간 속에 아름답고 소중한 순간들을 숨겨 놓고 있는 것. 그것이 인생이라고 프리다는 그림으로 말하고 있습니다.

"고통받는 모든 인간은 고깃덩어리다."

-철학자 질 들뢰즈가 프랜시스 베이컨의 그림을 설명한 책 『감각의 논리』(1981)에서

13

세상에서 버림받은 나를 사랑하는 법

프랜시스 베이컨의 분열

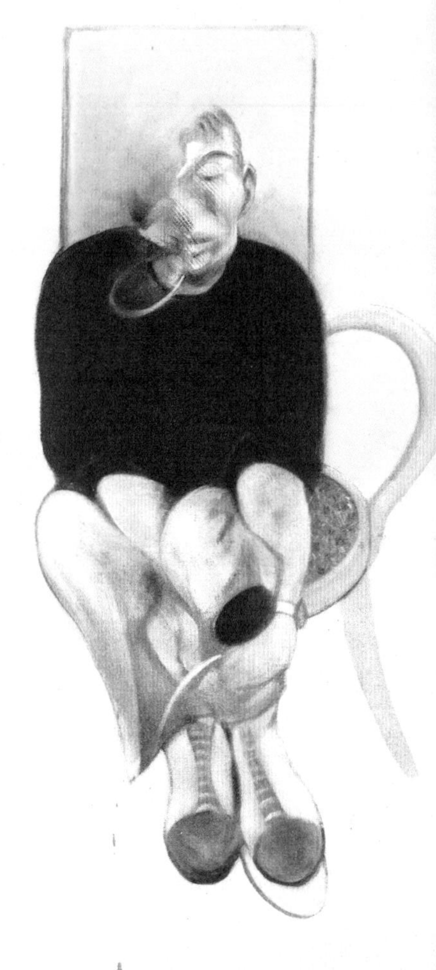

1926년 아일랜드 마을 스트래판Straffan의 부유한 농장에서 17세 소년이 쫓겨납니다. 소년의 아버지는 영국군 장교 출신으로 말 농장을 경영하기 위해 아일랜드로 건너온 영국인이었는데요. 호전적인 마초였던 아버지는 아들을 사내답지 못하다고 생각하고 하인과 마부들에게 채찍질로 훈육을 하라고 시켰습니다. 어린 시절부터 폭력에 노출된 소년은 마조히즘 성향을 가지게 되었는데요. 곧 자신이 남들과 다르다는 사실을 깨닫습니다. 하루는 어머니의 속옷을 입고 거울에 비춰 보다가 그 모습을 아버지에게 들키고 마는데요. 그렇게 더는 가족과 살 수 없게 되었습니다.

소년은 어머니가 매주 보내 주는 3파운드(약 18만 원)를 가지고 혼자 살아가야 했는데요. 나이가 어리고 정상적인 교육을 받지 못했기 때문에 일자리를 구하는 게 쉽지 않았습니다. 소년은 어릴 때부터 천식을 앓았던 데다, 아버지의 일 때문에 가족 전체가 영국과 아일랜드를 오가며 지낸 탓에 학교를 제대로 다니지 못했습니다. 소년이 받은 정규 교육이라곤 첼트넘의 딘 클로스 기숙학교Dean Close School에

프랜시스 베이컨, 〈자화상을 위한 습작〉, 1982년[CR 82-06], 캔버스에 유채, 198×147.7cm, 개인 소장.

서 2년 정도 지낸 게 다였습니다. 런던으로 간 소년은 하인, 요리사, 속기사, 잡부, 속옷 판매원 등 닥치는 대로 아무 일이나 했는데요. 이때만 해도 소년 자신뿐 아니라 어느 누구도 그가 세계적인 화가가 되리라곤 예상하지 못했습니다. 소년의 이름은 프랜시스 베이컨Francis Bacon(1909~1992). 그가 동료(루시언 프로이드)를 그린 그림은 2013년 뉴욕 크리스티 경매에서 역대 최고가 1억 4,240만 달러(약 1,800억 원)를 기록합니다. 미술 정규 교육을 한 번도 받은 적 없는 늦깎이 화가가 전 세계 미술계와 미술사를 뒤흔든 거장이 된 겁니다.

베이컨은 화가가 된 뒤 자화상을 많이 그렸는데요. 그중 하나가 1982년 70대 초반에 그린 〈자화상을 위한 습작Study for Self-Portrait〉입니다. 검은색 상의를 입은 베이컨이 양손으로 왼쪽 무릎을 감싼 채 푸른 벽 앞에 앉아 있는데요. 팔에 안긴 다리에는 검은 구멍이 뚫려 있습니다. 얼굴 반쪽은 허공으로 사라지고 남은 반쪽 얼굴은 사각형 틀 안에 있는데요. 사각형 틀은 인물을 가두는 감옥일까요? 아니면 새로운 세계로 향하는 출구일까요? 그림만 봐서는 알 수 없는데요. 그 답을 베이컨의 인생에서 찾아보겠습니다.

폭력과 위협의 세계에서 살아남기

베이컨은 1909년 아일랜드 더블린에서 영국인 부부의 다섯 아이 중 둘째로 태어납니다. '프랜시스 베이컨'이란 이름을 들으면 가장 먼저 떠오르는 인물이 있는데요. 바로 경험론을 창시한 영국 근대 철학자 프랜시스 베이컨입니다. 이 철학자의 배다른 형 니콜라스 베이컨 경의 직계

후손이 바로 화가 베이컨입니다.

철학자 조상 할아버지와 같은 이름을 가진 베이컨은 평탄하지 못한 삶을 살 팔자였는데요. 어린 시절부터 드러난 '평범'하지 않은 성 정체성은 가족, 특히 아버지의 냉대와 폭력을 불러왔습니다. 부모 집에서 추방당한 17세부터는 살아남기 위해 성급하게 어른이 되어야 했습니다. 온갖 잡일뿐 아니라 나이 든 남자들을 상대로 몸을 팔았고, 몇 차례 절도와 강도 사건을 저질렀던 것으로 보입니다. "어린 시절 내가 도덕적이었다고는 말할 수 없겠다"고 베이컨이 회고했을 정도입니다.

1927년 아버지는 '타락'한 아들을 더는 두고 볼 수 없다고 생각하고 베를린에 있는 삼촌 집으로 보내는데요. 어떻게든 아버지 방식의 교화를 해 볼 작정이었던 것 같습니다. 하지만 당시 베를린은 전쟁을 앞두고 향락과 폭력, 추문과 범죄, 방탕한 밤 문화가 뒤섞인 대도시였습니다. 그곳에서 베이컨은 욕망을 발산하면서 자신이 동성애자란 사실을 받아들입니다. 베를린 '교화' 시기가 오히려 베이컨의 본능을 일깨웠던 셈입니다.

베이컨은 두 달 뒤 파리로 가서 가구와 양탄자 디자인 일을 하며 지내는데요. 이때 푸생의 그림과 피카소 전시를 보고 강렬한 인상을 받습니다. 베이컨은 그림을 그리고 싶다는 충동을 느끼고 1928년 런던으로 돌아와 퀸스베리 뮤스Queensberry Mews의 한 차고에 작업실을 차립니다. 이곳에서 취미인 그림과 생업인 디자인 작업을 병행하는데요. 이때 자신의 후원자이자 연인이 될 백화점 임원 에릭 홀Eric Hall을 만납니다.

1932년 풀럼 로드Fulham Road로 작업실을 옮긴 뒤로는 그림에 전념

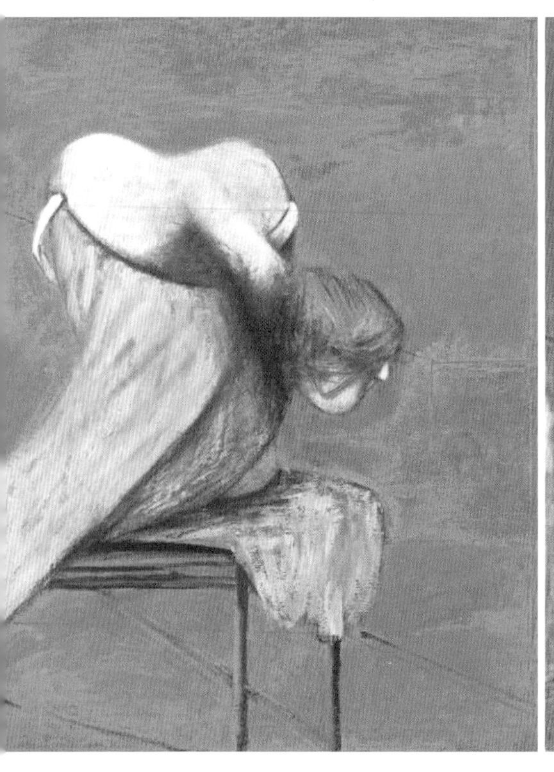
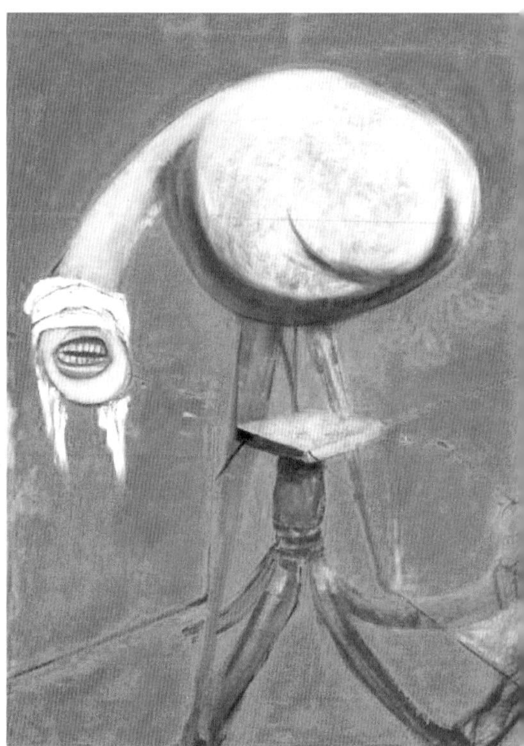

하기 위해 디자인 일을 그만둡니다. 몇 차례 단체전에 참여하고 런던의 한 지하실을 빌려 개인전도 열지만 반응은 거의 없었는데요. 크게 실망한 베이컨은 작품 대부분을 부수고 도박에 빠집니다. 제2차 세계대전이 한창이던 1941년에는 천식 때문에 병역을 면제받습니다. 대신 우리나라 민방위와 비슷한 공습감시단Air Raid Precautions에 배치됩니다. 이즈음 피터스필드Petersfield에 집을 빌려 어린 시절부터 자신을 돌봤던 늙은 유모, 처자식을 버리고 온 연인 에릭 홀과 셋이 함께 지냅니다.

1944년 베이컨은 화가 경력에 출발점이 되어 준 그림을 35세 때 그

베이컨의 화가 경력에 출발점이 된 작품으로, 세 그림으로 이루어져 있습니다. 각각의 그림에는 목을 길게 뺀 채 몸을 뒤트는 형상, 흰 천으로 눈을 가리고 이빨을 드러낸 형상, 입을 크게 벌리고 절규하는 형상이 있습니다. 위협과 공포, 고통을 어떤 형태로 나타낸다면 바로 이런 모습이 아닐까 싶습니다.
프랜시스 베이컨, 〈십자가 책형 발치의 인물들을 위한 세 개의 습작〉, 1944년[CR 44-01], 선딜라Sundeala 판에 유채와 파스텔, 각각 94×74cm, 런던, 테이트 브리튼Tate Britain.

립니다. 〈십자가 책형 발치의 인물들을 위한 세 개의 습작Three Studies for Figures at the Base of a Crucifixion〉으로, 베이컨 스스로가 인정한 첫 작품입니다. 일 년 뒤 르페브르 갤러리Lefevre Gallery에 전시되어 많은 논쟁과 비난을 불러일으켰는데요. 악플이 무플보다 낫던 걸까요. 아니면 이 작품으로 나아갈 방향을 깨닫게 된 걸까요. 베이컨은 이때부터 확신을 가지고 본격적인 화가의 길을 걷게 됩니다. 에릭 홀이 이 작품을 사서 테이트 갤러리Tate Gallery에 기증하지만 거부당합니다. 거의 10년이 지난 1953년에 가서야 작품은 테이트 갤러리에 들어갈 수 있었고 오늘날까지 이곳(테이트 갤러리가 테이트 모던과 테이트 브리튼으로 분리된 이후에는 테이트 브리튼)에 소장되어 있습니다.

작품은 세 그림으로 이루어져 있습니다. 서구 미술 전통에는 '세 폭 제단화triptych'라는 형식이 있는데요. 성당 제단 위나 뒤쪽에 놓이는 종교화의 한 형식을 말합니다. 대개는 좌우 그림이 가운데 그림의 절반 크기라서 제단화를 보관할 때나 휴대할 때는 좌우 그림을 가운데 그림에 포개지게 접습니다. 좌우 그림의 뒷면이 뚜껑 역할을 하는 셈이죠. 베이컨은 자기 작품을 세 화폭으로 구성하길 좋아했는데요. 이는 전통적인 세 폭 제단화를 연상시킵니다.

〈십자가 책형 발치의 인물들을 위한 세 개의 습작〉은 제목에서 알 수 있듯이, '십자가 처형을 당하는 예수와 그 발치에서 슬퍼하며 울고 있는 사람들'에서 출발합니다. 하지만 베이컨은 종교적인 주제와 형식을 탈종교화시키는데요. 베이컨은 이 그림의 또 다른 모티프가 고대 그리스 비극 작가 아이스퀼로스의 『에우메니데스Eumenides(자비의 여신들)』에 등장하는 복수의 여신들(에리니에스Erinyes)이라고 밝힙니다. 복수의 여신들은 그리스 신화에 나오는 세 자매 신으로, 3이란 숫자가 작품의 세 폭과 일치합니다. 이 여신들의 역할은 인간이 저지른 죄를 벌하는 것인데요. 인간이 살아가면서 겪는 다양한 분노와 고통을 신화적으로 비유한 셈입니다. 이렇게 베이컨은 종교적 사건인 예수의 십자가 처형 순간을, 고통받는 인간의 실존적 상황으로 바꿔 버립니다.

진주황색 바탕의 세 그림에는 괴상한 존재가 하나씩 등장합니다. 그들은 팔다리 없이 덩어리로 이루어진 인간 또는 짐승처럼 보이는데요. 목을 길게 뺀 채 몸을 뒤틀고 있거나, 흰 천으로 눈(?)을 가린 채 이빨을 드러내고 있거나, 입을 크게 벌리고 비명을 지르고 있습니다. 끔찍한 일을 저질렀거나 당했는지, 세 덩어리들은 내면의 고통과 분노를 발산하고 있습니다. 화가는 세 존재들이 저질렀거나 겪은 끔찍한 일이 무엇인지 설명해 주지 않습니다. 그저 짐승처럼 몸을 뒤틀며 울부짖는 현재 상태를 보여 줄 뿐입니다. 마치 생명 가진 존재의 고통과 분노를 어떤 형태로 나타낸다면 바로 이것, 이라고 증거를 들이밀듯이 말입니다. 화가는 "탄생과 죽음 사이에서 삶을 살아가는" 우리에게 고통은 실존적 필연이라고 말하고 있는 듯합니다.

제국주의와 대량 학살의 시대를 살다

베이컨이 살았던 20세기는 제국주의와 대량 학살의 시대입니다. 우리나라를 포함한 전 세계에 걸쳐 제국의 식민지가 확산되었고 제1차 세계대전과 제2차 세계대전이 연이어 일어납니다. 〈십자가 책형 발치의 인물들을 위한 세 개의 습작〉은 제2차 세계대전이 끝난 해인 1945년에 전시되어 많은 사람들의 주목을 받았는데요. 전쟁이 베이컨의 그림에 어떤 영향을 끼쳤는지는 확신하기 어렵지만(베이컨은 그림의 폭력성이 전쟁의 폭력성과는 관계없다고 인터뷰합니다), 그림의 영향력을 높이고 널리 퍼뜨리는 데 기여한 건 분명해 보입니다. 전쟁터와 수용소에서 수많은 사람들이 도살장의 짐승처럼 죽어 가는 순간을 목격한 이들은 베이컨 그림에서 자신이 본 학살 장면을 떠올렸을 겁니다.

베이컨은 종전 다음 해에 〈회화 1946Painting 1946〉을 그리는데요. 그의 말에 따르면 원래는 들판에 내려앉는 새를 그리려 했으나 작업

베이컨은 렘브란트의 도축된 소 그림과 유사하게 정육점을 연상시키는 그림을 완성하는데요. 이후 고깃덩어리를 그림에 자주 등장시킵니다. 검은 우산 아래서 섬뜩한 웃음을 짓고 있는 인물과 도축된 고깃덩어리 형상은 제2차 세계대전의 참상을 떠올리게 합니다.

왼쪽: 프랜시스 베이컨, 〈회화 1946〉, 1946년[CR 46-03], 캔버스에 유채와 파스텔, 198×132cm, 뉴욕, 뉴욕 현대미술관.
오른쪽: 렘브란트 판 레인, 〈도축된 소〉, 1655년, 패널에 유채, 파리, 루브르 박물관.

과정에서 점점 더 정육점을 연상시키는 광경으로 변했다고 합니다. 도살당한 소의 고깃덩어리가 허공에 매달려 있는 형상은 이후 베이컨 그림에 자주 등장합니다. 약 300년 전에 렘브란트가 그린 〈도축된 소 Slaughtered Ox〉의 연장선에 있다고 볼 수 있는데요. 렘브란트의 자화상이나 초상화만 접한 분이라면 〈도축된 소〉를 보고 충격을 받으실 수 있습니다. 도축된 소가 껍질과 내장을 제거당한 채 거꾸로 매달려 있는 형상은 얼굴을 돌리고 싶을 정도로 괴기스럽고 혐오스러운데요. 하지만 다시 생각해 보면 렘브란트가 자화상에서 다룬 주제와 어느 정도 통하는 면이 있습니다. 인생의 의미, 삶과 죽음, 인간과 동물, 먹는 것과 먹히는 것, 예수의 자기 희생 등 삶과 종교에 대한 여러 질문을 하게 만들기 때문입니다. 이후 여러 후배 화가들이 렘브란트의 소 그림을 따라 비슷한 그림을 그렸는데요. 베이컨 역시 그 대열에 합류한 겁니다.

검은 우산 아래로 한 인물이 입가에 피 같은 걸 잔뜩 묻힌 채 섬뜩하게 이빨을 드러내고 있습니다. 연구자들은 이 인물이 히틀러의 도발을 방관한 책임이 있는 당시 영국 총리 네빌 체임벌린, 또는 전쟁을 일으킨 베니토 무솔리니라고 추측합니다. 배경에는 세 개의 자주색 블라인드가 내려져 있는데요. 이 역시 히틀러가 자살한 벙커의 사진과 유사하다는 의견이 있습니다. 그림 속 소재들이 제2차 세계대전을 반영하고 있다는 주장인데요. 이런 주장에 동의하지 않더라도 전쟁을 치른 사람들이 이 그림을 어떻게 느꼈을지는 쉽게 짐작할 수 있습니다. 전쟁 책임자 또는 독재자가 끔찍한 웃음을 짓고 있는 가운데, 그에게 도륙당한 희생자들의 신체가 정육점 고기처럼 허공에 매달려 있거나 원형 틀에 진열되어 있는 장면으로 받아들였을 겁니다.

당시 사람들은 문명의 시대를 자부하는 20세기에 왜 야만적인 대량 학살이 일어났는지 이해할 수 없었는데요. 아도르노 같은 사상가들은 역사를 돌아보기 시작했습니다. 근대 유럽인은 종교의 시대인 중세를 끝내고 이성과 과학의 힘으로 새 시대를 열었는데요. 이들은 인간이란 이성을 가진 합리적 존재라고 생각했습니다. 세상이 불완전한 건 이성의 힘이 지구 끝까지 미치지 못한 탓이며, 개화가 덜 된 미개인들까지 모두 계몽하고 나면 더 좋은 세상이 펼쳐질 것이라고 믿었습니다.

앞서도 언급했듯이 이런 생각에 균열을 낸 건 20세기 초에 등장한 프로이트의 정신분석학입니다. 프로이트는 우리의 삶을 지배하는 건 무의식이라고 주장하면서 이성에 대한 절대 믿음을 의심하기 시작합니다. 근대인들이 세운 이성의 단단한 탑에 결정적 타격을 가한 건 제1, 2차 세계대전입니다. 특히 히틀러가 만들어 낸 나치 수용소의 비극은 인간이란 어떤 존재인가라는 근본 질문을 하게 만들었는데요. 전 세계인은 이성을 가진 합리적 존재라던 인간이 저지른 끔찍한 참상을 마주해야 했습니다. 그 충격이 어찌나 컸던지 아도르노는 "아우슈비츠 이후에도 시를 쓴다는 건 야만적"이라고 말할 정도였죠.

이성을 상실한 미치광이 독재자 하나 때문에 인간 전체가 의심받는 건 부당하다고 생각하실 수도 있겠습니다. 하지만 간과할 수 없는 사실은 나치의 만행이 히틀러 한 사람만으로 이루어지지 않았다는 점입니다. 히틀러를 독일 수상 자리에 올린 건 다수의 독일 국민이었고 나치의 대량 학살 행위에는 여러 국적의 부역자들이 참여했습니다. 히틀러와 같은 편이었던 일본의 전범 행위 역시 마찬가지입니다. 일본이 저지른 여러 만행 중 하나인 생체실험에는 군의관, 의사, 생물학자 등 많은 지식인이 협조했습니다. 이런 현상을 잘 설명해 준 개념이 한나 아렌트의 '악의 평범성Banality of evil'입니다. 역사 속 엄청난 악을 저지른 이들이 미치광이나 사이코패스가 아니라 나와 내 이웃 같은 평범한 사람들이었다는 사실입니다.

이성과 과학에 대한 맹신이 만들어 낸 한계와 부작용은 나치 이전부터 이미 나타났는데요. 유럽인들이 '합리적이고 이성적인 인간'이라고 말할 때 그 범주에 들어갈 수 있는 건 중상층 이상의 백인 남성이었습니다. 유색 인종, 하류층, 여성은 인간과 동물 사이 어디쯤에 놓이는 존재들로 여겨졌습니다. 그럴듯한 포장을 걷어 내고 나면, 근대 계몽주의란 합리적이고 이성적인 중상층 백인 남성이 미개하고 비이성적인 유색 인종·하류층·여성을 자신들의 기준에 따르도록 만들려는 프로젝트에 다름 아닙니다. 이런 속내가 극단으로 치달은 결과가 과학이라는 가면을 쓰고 등장한 우생학입니다. 우생학자들은 인류를 더 우수하게 만들기 위해(그러니까 세상을 더 좋게 만들기 위해) '나쁜 유전자'를 가진 유색 인종, 장애인, 성 소수자, 정신병자, 범죄자, 불치병 환자 등을 거세, 학살, 안락사할 것을 주장했는데요. 이후 우생학은 나치 정책을 뒷받침하는 어용 학문이 됩니다. 이것이 우리가 아는 제2차 세계대전의 참혹한 광경을 만들어 낸 과정입니다.

전쟁이 끝나고 여러 지식인과 사상가들은 과학과 이성을 앞세운 근대 프로젝트에 심각한 허점이 있었다고 반성합니다. 이에 근대라는 이름으로 억압되었던 다양한 목소리를 되살리려는 움직임들이 1960년대부터 나타났는데요. 이를 모더니즘modernism(근대주의)을 넘어서려 한 포스트모더니즘postmodernism(탈근대주의)이라 합니다. 포스트모더니즘 사상가들은 중상층 백인 남성의 기준에 따라 제시되어 왔던 단 하나의 진리를 부정합니다. 백인과 유색인, 남성과 여성, 이성애자와 동성애자, 비장애인과 장애인, 중상층과 하류층이 추구하는 진리가 각각 다를 수 있다고 인정하는 겁니다.

미술 분야도 포스트모더니즘의 영향을 받아 새로운 작품들을 내놓기 시작했는데요. 모더니즘 주류 미술가들이 무시해 왔던 여러 영역, 다양한 소재와 주제 등을 전시장 안으로 끌고 들어옵니다. 팝아트 작가들은 만화와 대중문화로, 그래피티 작가들은 낙서로 작품을 만들고 이런 '하찮은' 것들 역시 미술이라고 주장하는데요. 어떤 예술가들은 근대의 이성 중심주의가 폄하해 온 인간 몸 즉 신체에 주목합니다. 베이컨은 이런 흐름을 앞서 보여 준 선구자로 포스트모더니즘의 관심을 받는데요. 미술 엘리트 과정을 밟지 않은 무학자(?)였기에 기존 문법에서 벗어난 새 시대의 흐름을 만들 수 있었던 것도 같습니다. 포스트모더니즘 철학자 질 들뢰즈는 베이컨의 그림으로 자신의 철학을 설명한 책 『감각의 논리Logique de la Sensation』(1981)를 펴내기도 했는데요. 이 책은 베이컨이 그림을 통해 말하려는 게 "고통받는 모든 인간은 고깃덩어리"란 사실이라고 지적합니다.

종교의 금기를 깨다

1950년경부터 베이컨은 그림에 교황을 등장시킵니다. 이후 교황 그림을 50점 가까이 그리는데요. 가장 유명한 그림이 〈벨라스케스의 교황 인노첸시오 10세를 본뜬 습작Study after Velázquez's Portrait of Pope Innocent

베이컨은 벨라스케스의 교황 초상화를 변형한 그림을 그리는데요. 여기서 성스러운 존재인 교황은 비명을 지르는 살덩어리로 전락합니다. 베이컨이 보기에 모든 인간은 고통당하는 고깃덩어리에 불과합니다.

프랜시스 베이컨, 〈벨라스케스의 교황 인노첸시오 10세를 본뜬 습작〉, 1953년[CR 53-02], 캔버스에 유채, 153×118cm, 아이오와, 디모인 아트 센터Des Moines Art Center.

디에고 벨라스케스, 〈교황 인노첸시오 10세〉, 1650년경, 로마, 도리아 팜필리 갤러리Galleria Doria Pamphilj.

X〉입니다. 제목에서 드러나듯이 벨라스케스의 〈교황 인노첸시오 10세 Inocencio X〉를 변형해서 그린 그림입니다. 베이컨은 벨라스케스의 교황 그림을 가장 뛰어난 초상화 중 하나라면서 멋진 색채에 매혹당했다고 말합니다. 하지만 그와 인터뷰를 진행했던 대담자(데이비드 실베스터)의 반복된 질문처럼, 베이컨이 벨라스케스의 교황 그림을 따라 그린 게 단지 색채의 탁월성 때문만은 아닐 겁니다(심지어 베이컨은 이 그림에서 벨라스케스의 색채를 따라 하지도 않았습니다).

〈교황 인노첸시오 10세〉는 벨라스케스가 로마를 방문한 시기에 그린 그림입니다. 그림 속 교황은 모서리를 금으로 장식한 화려한 의자에 근엄한 자세로 앉아 있는데요. 그에 어울리지 않게 잔뜩 찌푸린 미간과 신경질적인 눈빛, 고집스러워 보이는 매부리코, 꽉 다문 입술이 교황 개인의 성격을 드러내고 있습니다. 교황이라는 공적 존재의 초상화에서 사적인 특성을 드러낸 겁니다. 덕분에 우리는 종교 지도자 인노첸시오 10세가 아닌 자연인 조반니 바티스타 팜필리(교황이 되기 전 이름)를 마주하게 됩니다.

베이컨은 벨라스케스보다 한 발 더 나아가 폭력적이고 그로테스크한 상황을 연출합니다. 교황이라는 성스러운 존재를 탈신비화하여 비명 지르는 살덩어리로 전락시킨 건데요. 권위를 강조하던 의자는 교황의 신체를 가두는 창살 감옥으로 변합니다. 위엄 있게 팔걸이에 걸쳐 있던 손은 옴짝달싹 못 하게 묶여 있는 것처럼 보입니다. 눈에서는 피눈물 같은 검은 액체가 흘러내리고 입은 크게 벌어져 비명을 질러 댑니다. 마치 전기의자에 앉아 고문 또는 사형을 당하는 장면 같습니다.

인터뷰에서 베이컨은 원래 비명 지르는 교황의 입과 그 내부를 그

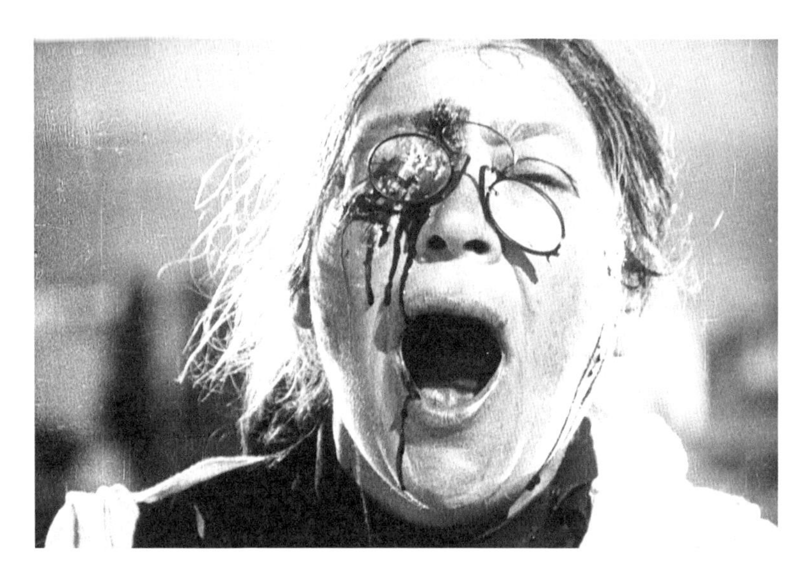

베이컨은 비명 지르는 입에 집착하여 여러 점의 그림으로 그렸는데요. 이때 참고했던 자료들 중 하나가 영화 〈전함 포템킨〉의 이 장면입니다. 간호사는 안경을 뚫고 눈알에 박힌 총알 때문에 피를 흘리며 비명을 지르고 있습니다.

리고 싶었으나 실패했다고 말합니다. 하지만 이 그림은 실패작이 아닌 베이컨의 대표작 중 하나로 평가받습니다. 베이컨은 입이 감정을 드러낸다고 생각하고 입에 집착해 여러 점의 그림을 그렸는데요. 인간의 비명을 그린 최고 작품을 만들고 싶었다고 의도를 전합니다.

베이컨이 비명 지르는 입을 그릴 때 참고한 자료들 중에는 앞에서 본 뭉크의 〈절규〉와 함께, 러시아 무성 영화 〈전함 포템킨〉(1925)이 있습니다. 러시아 혁명 때 일어난 여러 사건들을 몽타주 기법으로 다룬 기념비적인 영화인데요. 포템킨호의 반란군을 환영하던 오데사 시민들이 계단에서 정부군의 총에 맞아 죽어 가는 장면으로 유명합니다. 일명 '오데사 계단 장면'이라고 하는데요. 유모차가 저절로 계단을 내려가는 대목이 특히 유명해서 영화 〈언터처블〉에서 이를 오마주하기도 했죠. 베이컨이 영감을 받은 장면은 총 맞은 간호사의 얼굴을 클로즈업한 순간입니다. 간호사는 안경을 뚫고 눈알에 박힌 총알 때문에 피를 흘리며 비명을 지르고 있는데요. 크게 벌린 입은 신체의 고통과 죽음에 대한 공포를 드러냅니다. 이 장면을 두고 베이컨은 자신의 입 그림보다 훨씬 낫다고 찬사를 보냅니다.

베이컨의 인터뷰를 읽다 보면 그가 참 영리한 예술가라는 생각을 하게 됩니다. 그는 이야기를 늘어놓는 그림narrative painting에서는 이야기가 그림보다 큰 목소리를 내기 때문에 지루해진다고 말합니다. 이런 신념에 따라 자기 그림을 설명할 때도 개인사, 전쟁, 종교, 사회 문제 등 특정 이야기와 연결시킬 만한 여지를 거의 주지 않습니다. 그림 자체로 경험하고 느끼라는 식인데요. 미학적 측면과 상업적 측면 모두에서 좋은 전략으로 보입니다. 그림이 특정 사건과 연관되면 그 의미로만 해석될 위험이 있습니다. 이렇게 소비된 그림은 더 많은 의미로 해석될 기회를 놓칩니다. 베이컨의 신비주의는 그림값을 높이는 데도 기여한 것으로 보입니다. 그렇다고 그림을 감상하는 우리마저 베이컨의 전략에 따를 필요는 없어 보이는데요. 베이컨이 언급했듯이 그의 그림을 해석할 자유는 우리에게 있으니 말입니다. 감상자가 한 가지 이야기에만 집착하지 않고 그림에 대한 이야깃거리를 늘려 갈 수 있다면 그림의 의미 역시 풍부해지게 됩니다. 창작과 감상은 서로 다른 영역인 겁니다.

베이컨은 교황을 소재로 삼은 이유에 대해 "그저 벨라스케스의 교황 그림을 좋아해서"라고 답합니다. 하지만 전략적인 화가가 그 이유만으로 교황을 선택한 건 아닐 겁니다. 베이컨은 폭력적 상황에 놓인 인간의 실존적 고립과 고통, 그로 인해 터져 나오는 비명을 보여 주려 했을 뿐이라는 식으로 설명합니다. 교황 말고도 여러 선택 대상이 있었으며, 교황을 선택한 건 순전히 우연이라는 건데요. 이 말을 곧이곧대로 믿긴 어렵습니다. "그럼에도 왜 하필 교황을?"이라고 되묻게 됩니다. 베이컨의 교황 그림에는 금욕적이고 권위적이고 절대적인 종교 권력을 비판하려는 의도가 은연중에 담겨 있습니다. 〈벨라스케스의 교황 인노첸시오 10세를 본뜬 습작〉에서 교황은 성스러운 위치에서 평범한 인간의 위치로 내려오고, 완벽한 존재에서 불완전하고 고통받고 위협당하는 존재로 변합니다. 종교의 권위가 사라진 자리에 남는 건 날것 그대로의 인간입니다. 연약한 살덩어리를 가진 채 먹고 마시고 자고 싸고 성교하고 고통당하고 결국에는 죽음에 이르는 우리가 남습니다. 어쩌면 베이컨은 "도덕이라는 잣대로 나를 비판했던 종교적 인간들 역시 나와 다를 바 없는 인간이자 고깃덩어리"라고 그림으로 말한 게 아닐까요.

사랑하던 사람들을 모두 잃다

교황 그림으로 큰 호평을 받기 시작한 베이컨은 1951년 친어머니 같았던 유모의 죽음, 1959년 후원자이자 한때 연인이었던 에릭 홀의 죽음을 겪습니다. 이 시기에 베니스 비엔날레, 뉴욕 현대미술관, 상파울루·시카고·카셀에서 열린 국제전 등에 참여하며 세계적인 명성을 쌓는데요. 루시언 프로이드(정신분석학자 지그문트 프로이트의 손자) 같은 젊은 런던 화가들과도 자주 어울립니다. 그래서 어떤 연구자들은 베이컨,

프로이드 등을 묶어 런던 화파School of London로 분류하기도 하는데요. 런던 화파가 인상주의나 초현실주의처럼 같은 미학을 공유했던 건 아니고 그저 친분 사이로 얽힌 무리였습니다.

1952년 에릭 홀과 헤어진 베이컨에게 새 사랑이 찾아옵니다. 전투기 조종사 출신의 피터 레이시Peter Lacy였는데요. 그는 술만 마시면 난폭해져서 베이컨을 때리고 그림을 부쉈으며 바람도 여러 번 피웠습니다. 그럼에도 베이컨은 그를 떠나지 못하는데요. 당시 가학-피학 관계가 그림에 반영되기도 했습니다. 몇 년 뒤 레이시가 모로코 탕헤르로 떠나면서 두 사람의 관계는 흐지부지되는데요. 베이컨이 그를 만나러 탕헤르로 가기도 하고 편지 왕래도 이어 갔지만 그게 다였습니다.

1961년 여러 작업실을 전전하던 베이컨이 사우스 켄싱턴의 리스 뮤스Reece Mews 7번가(현재는 미술관)에 정착합니다. 과거 마구간이었던 공간을 집으로 개조한 건물이었는데요. 계단이 너무 가파르고 좁아서 오르내릴 때 옆에 있는 밧줄을 붙잡아야 할 정도였습니다. 그런데도 베이컨은 1992년 사망할 때까지 30여 년 동안 이곳에 머물며 작업하고 생활합니다. 특이한 점은 작업실 공간을 한 번도 청소하지 않았다고 하는데요. 베이컨은 무질서가 이미지를 제시해 주기 때문이라면서, 또한 먼지를 이용할 수도 있다는 현실적인(?) 이유를 밝힙니다. 실제로 이곳 작업실 먼지로 그림을 그리기도 했습니다.

1963년 54세의 베이컨은 조지 다이어George Dyer라는 29세 청년과 사랑에 빠집니다. 1962년 회고전 개막식 전날에 피터 레이시가 탕헤르에서 병으로 죽었다는 전보를 받은 지 1년 후였습니다. 다이어가 도둑질을 하기 위해 베이컨의 작업실에 들어왔다가 인연이 시작되었다는 드라마 같은 이야기가 회자되지만, 실제로 둘이 처음 만난 장소는 술집이었습니다. 배우처럼 잘생긴 외모를 가진 다이어가 베이컨에게 말을 걸어왔던 건데요. 다이어는 당시 빈민들이 사는 우범 지역이었던 이스트 엔드East End 출신으로, 감옥을 들락거리던 좀도둑인 건 사실입니다.

베이컨은 연인 다이어를 모델로 해서 여러 점의 그림을 그립니다. 술에 찌든 빈민가 청년 다이어는 하루아침에 세계적인 화가의 뮤즈로 변신합니다. 사회 고위층, 저명인사, 지식인, 예술가들과 어울리고 상류층 문화를 누리는 화려한 삶이 시작되었는데요. 신데렐라 동화는 현실에서는 해피엔딩으로 마무리되기 어렵습니다. 다이어는 자신이 베이컨 집단의 진정한 일원이 될 수 없음을 깨닫고 자괴감에 빠집니다. 그럴수록 점점 더 베이컨에 집착했고 우울증과 강박증에 시달립니다. 그에게 베이컨은 단순한 연인이 아니라 보호자 같은 존재였을 겁니다. 다이어는 여러 차례 자살 시도를 하고 베이컨에게 대마초 소지 누명까지 씌우려 하는데요. 부담을 느낀 베이컨이 다이어와 거리를 두려고 합니다.

1971년 베이컨은 그랑 팔레Grand Palais에서 대규모 회고전을 열기 위해 파리를 방문합니다. 다이어는 베이컨에게 울며불며 매달려서 이 여행에 동행할 수 있었는데요. 베이컨은 전시장 근처 호텔에 다이어를 남겨 두고 나와 전시 준비에 열중합니다. 전시 개막식을 이틀 앞둔 날, 다이어는 수면제 과다 복용으로 호텔 욕실에서 숨진 채 발견됩니다.

상처투성이의 자신을 있는 그대로 받아들이다

다이어가 자살하고 나서 베이컨은 다이어의 초상화를 여러 점 그립니다. 특히 이 시기에 자화상을 예전보다 많이 제작하는데요. 1972년 〈자화상Self-Portrait〉도 그중 하나입니다. 베이컨은 자기 얼굴을 혐오하지만 대신할 사람이 주변에 없기 때문에 자신을 계속 그린다고 전합니다. 자화상을 그리면서 죽음을 마주하게 되는데요. "나는 매일 거울 속에서 죽음이 일하고 있는 것을 본다"는 시인 장 콕토의 말을 실감한다는 겁니다. 베이컨은 삶이 무의미하다고 말합니다. 그런데도 우리는 스스로의 충동에 의해 삶에 의미를 부여합니다. 그 과정에서 발산하는 에너지와 감각을 그림에 포착하려 한다고 밝히는데요. 베이컨의 말이 실존주의 철학을 연상시키기도 합니다. 실제로 그는 실존주의 조각가로 알려진 알베르토 자코메티와 친분 관계에 있었습니다.

〈자화상〉을 자세히 살펴볼까요. 어두운 배경 위로 붓에 의해 난도질 당한 얼굴이 있습니다. 눈과 코와 입은 해체되었다가 재배열되었는데요. 얼굴에 강한 힘이라도 가한 듯 사방으로 일그러져 있습니다. 베이컨은 다른 이들의 초상화를 그릴 때도 이와 비슷하게 형태를 변형시킵니다. 그러고는 이렇게 그린 그림이 외모를 닮게 그린 그림보다 실재에 더 가깝다고 주장합니다. 검은 선으로 조각난 얼굴을 다시 들여다볼까요. 매끈한 얼굴보다 더 많은 이야기를 전해 주는 듯합니다.

베이컨의 부서진 얼굴 조각마다 각기 다른 장면들이 떠오릅니다. 마구간에 묶여 당했던 채찍질, 채찍을 휘두른 마부들과 함께한 잠자리, 세상을 일찍 떠난 연인들, 최고급 와인과 음식, 값비싼 호텔 방, 그렇게 즐기고도 주체할 수 없어 거리 부랑아들에게 나눠 준 지폐 뭉치, 낡고 더러운 작업실, 학식 있고 교양 있는 사람들로 가득 찬 미술관, 그곳에서 충족되지 못한 욕망을 채우기 위해 술에 취해 헤매던 차가운

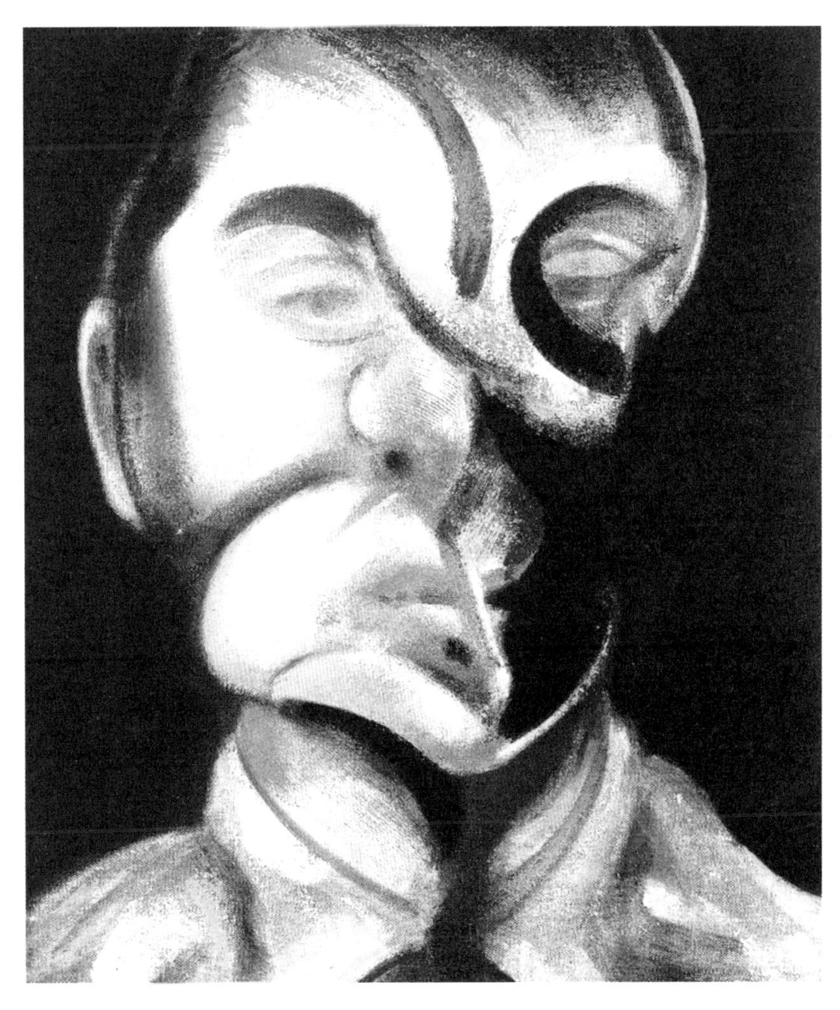

베이컨은 붓으로 자기 얼굴을 해체한 뒤 재구성합니다. 조각난 눈, 코, 입은 분열된 내면의 모습을 반영하고 있는 듯합니다. 베이컨은 이렇게 그린 그림이 외모를 닮게 그린 그림보다 실재를 더 잘 반영하고 있다고 주장합니다.
프랜시스 베이컨, 〈자화상〉, 1972년[CR 72-12], 캔버스에 유채, 35.5×30.5cm, 개인 소장.

밤거리……. 서로 어울리지 않는 모순된 장면들이 동시에 어른거립니다. 모두가 베이컨이 지나온 삶의 장면들입니다.

베이컨은 자신이 동성애를 일종의 장애로 여긴 사회 속에 살았고 지금도 법 바깥에 있으며 앞으로도 정상적인 사람으로 살 수 없을 것이라고 말합니다(프랑크 모베르와의 인터뷰). 또한 자신이 좋아했던 사람들은 모두 죽었기 때문에 불행하게 살았다고도 밝힙니다(데이비드 실베스터와의 인터뷰). 베이컨은 가족과 사회로부터 버림받았고 사랑하는 사람들을 모두 잃은 삶을 살았습니다. 그의 생애는 상처투성이에 아무렇게나 구겨져 있습니다. 그런 자신의 모습을 베이컨은 있는 그대로 받아들입니다. 캔버스에는 사방으로 조각난 얼굴이 그려집니다. 완벽하게 가꾼 흠 없는 얼굴보다 일그러지고 분열된 괴물 같은 형상이 베이컨의 실제 삶에 더 가까울 겁니다. 그리고 베이컨의 삶만 그런 건 아마도 아닐 겁니다. 포스트모더니즘 예술가들이 삶의 균열을 인정하고 작품에 반영하는 이유입니다.

1985년 테이트 갤러리는 베이컨의 대규모 회고전을 열면서 카탈로그에 "생존하는 최고 화가"라는 찬사 문구를 씁니다. 〈십자가 책형 발치의 인물들을 위한 세 개의 습작〉의 기증을 거부한 지 40년 만에 일어난 변화입니다. 미술 대학을 문턱도 넘어 보지 못하고 독학으로 그림을 익힌 늦깎이 화가 베이컨은 미술사에 영원히 새겨진 인물이 되었습니다. 1992년 젊은 새 연인을 만나러 에스파냐 마드리드로 갔다가 심장 발작으로 죽어 가던 베이컨은 그 순간 무슨 생각을 했을까요?

최근에 와서 베이컨에게 '악당 조커가 사랑한 화가'라는 다소 불명예(?)스러운 수식어가 달렸는데요. 1989년 영화 〈배트맨〉에 나오는 한 일화 때문입니다. 조커와 그 부하들이 미술관에 난입해 작품들을 닥치는 대로 훼손합니다. 드가의 무용수 그림과 조각, (우리가 앞에서 본) 렘브란트의 자화상, 페르메이르의 저울 다는 여인, 조지 워싱턴 초상화 등 여러 명작들이 물감 세례를 받고 바닥에 내동댕이쳐지는 수모를 당합니다. 그런데 조커가 한 그림 앞에서만은 낙서하려는 부하를 말리며 "이건 좀 맘에 들어. 그냥 둬"라고 말합니다. 이렇게 살아남은 그림이 베이컨의 〈고깃덩어리와 함께 있는 인물〉입니다. 호불호가 극단으로 갈리는 베이컨 그림의 양면성을 실감하게 하는 장면입니다.

베이컨 그림에서 어떤 사람은 고통받는 인간의 실존과 고독을 읽고 어떤 사람은 피비린내 나는 폭력과 죽음을 봅니다. 누군가는 베이컨의 그림을 좋아하고 누군가는 싫어합니다. 어느 편에 설지는 감상자 각자의 몫일 겁니다. 그림에도 누구든 부인할 수 없는 사실이 있습니다. 세상엔 밝고 따뜻한 양지뿐 아니라 폭력과 고통으로 얼룩진 그늘도 존재하는데요. 베이컨이 세상에 존재하는 그늘을 숨김없이 드러내 보여주었다는 점입니다. 그 그늘에서 눈을 돌릴 수 있겠지만 그늘의 존재 자체를 부정하긴 어렵습니다. 베이컨 그림이 이를 증명하고 있습니다.

첫 그림 〈자화상을 위한 습작〉으로 돌아가 봅니다. 얼굴 반쪽은 허공으로 사라져 버리고 남은 반쪽은 사각형 틀 안에 남아 있습니다. 베이컨에게 사각형 틀은 무엇을 의미했을까요? 그를 평생 옭아맸던 도덕과 사회 규범일까요? 새로운 세계의 문을 열어 준 가능성과 희망일까요? 베이컨의 사각형 틀은 우리에게는 무엇을 의미할까요? 답은 독자분들 각자의 판단에 맡기겠습니다.

"좋은 사업이야말로 최고의 예술이다."

-앤디 워홀이 쓴 『앤디 워홀의 철학』(1975)에서

14

자본주의 사회에서 살아남기 위해 스스로 상품이 되다

앤디 워홀의 전략

앤디 워홀, 〈자화상〉, 1986년, 캔버스에 아크릴물감과 실크스크린, 203×203cm, 런던, 테이트 모던.

스마트폰 시대라 불리는 오늘날에 누구나 한 번쯤 셀카(또는 셀피)를 찍어 SNS에 올려 본 경험이 있을 겁니다. 기기 사용에 익숙한 분들은 사진을 그냥 올리는 게 아니라 각종 앱으로 효과를 준 뒤 올립니다. 스튜디오 조명을 비춘 것처럼 얼굴 윤곽을 또렷하게 만들거나 피부의 잡티 따위는 몽땅 날려 버리는 화장술 수준의 단계부터 나이 든 얼굴을 앳된 아기 얼굴로 바꾸거나 아예 딴사람처럼 성형시켜 버리는 단계까지 여러 앱들이 존재합니다. 재미 삼아 하는 경우도 있지만 내가 타인의 눈에 이렇게 보였으면 하고 바라는 마음을 반영하고 있기도 한데요. 일종의 이미지 메이킹이라 볼 수 있겠습니다. 대인 관계를 맺는 사람이라면 정도의 차이는 있겠지만 누구나 이미지 메이킹을 할 텐데요. 이를 성공적으로 해서 엄청난 부와 명예를 거머쥔 예술가가 앤디 워홀 Andy Warhol(1928~1987)입니다.

워홀은 이미지 메이킹의 대가답게 자화상을 여러 점 제작했는데요. 그중 하나가 테이트 모던에 소장된 빨간 자화상으로, 가로와 세로 길이가 각각 2미터나 되는 대형 실크스크린 작품입니다. 가슴까지 나오는 흔한 자화상들과 달리 목도 없이 달랑 머리만 등장하는데요. 그래서인지 살아 있는 인간이 아니라 머리통만 남은 마네킹이나 인조인간 같습니다. 이런 느낌은 무표정한 얼굴과 비현실적인 붉은색으로 더

1968년 2월 9일 워홀이 스톡홀름 현대미술관Moderna Museet 회고전 개막식을 앞두고 찍은 보도 사진입니다. 자신의 트레이드마크인 은색 가발과 검은 선글라스를 착용한 채 브릴로 상자 앞에 서 있습니다. Public Domain/Lasse Olsson/Pressens bild/Sweden

욱 강조됩니다.

특히 인상적인 것은 화면 절반 이상을 차지하고 있는 머리카락입니다. 뻣뻣해 보이는 직모가 사방으로 뻗쳤는데요. 윗머리 일부는 허공으로 치솟아 있습니다. '프라이트 위그fright wig(깜짝 놀란 듯 사방으로 뻗친 가발)'라고 불렸던 워홀의 은색 가발로, 이제는 워홀 하면 떠오르는 트레이드마크가 되었는데요. 20대부터 탈모를 앓은 워홀은 여러 종류의 가발을 즐겨 착용했습니다. 워홀에게 가발은 단순히 대머리를 가리는 용도 이상의 의미를 가졌는데요. 내성적인 데다 코 성형수술까지 받을 정도로 외모 콤플렉스를 가졌던 워홀이 대중 앞에 나서기 위해서는 부캐(주 캐릭터가 아닌 부 캐릭터란 뜻으로 제2의 자아)가 필요했던 것 같습니다. 부캐로 변신하기 위해 검은 선글라스와 함께 꼭 필요한 아이템이 은색 가발이었습니다.

기술 복제 시대엔 예술도 상품이 된다

그런데 의문이 하나 생깁니다. 이런 걸 예술이라고 부를 수 있을까요? 앞에서 본 자화상들은 대부분 화가가 직접 붓으로 그린 것들이었습니다. 판화라 해도 작가가 손수 판에 자국을 내서 찍은 것들이었는데요. 화가의 손맛이 들어간 작업이라 할 수 있겠습니다. 워홀의 〈자화상〉은 실크스크린이라는 판화 기법으로 만들어졌는데요. 제작 과정을 살펴보면 기존 예술과 많이 다르다는 사실을 알 수 있습니다.

우선 원하는 사진을 골라 투명 필름 위의 단색 이미지로 바꿉니다. 이 필름을 감광액(빛에 노출되면 딱딱하게 변하는 액체) 바른 천에 붙이고 빛을 쏘입니다. 그러면 빛이 필름의 색깔 부분을 통과하지 못해서 천에서 그 부분만 감광액이 굳지 않는데요. 천을 물에 씻으면 굳지 않은 감광액은 떨어져 나갑니다. 이 천을 캔버스 위에 놓고 천 위에 물감을 부어 스퀴지(밀대)로 밀면 물감이 감광액 굳은 부분은 통과하지 못하고 감광액 없는 부분의 천 구멍만 통과합니다. 이렇게 해서 밑에 놓인 캔버스에 사진 이미지가 찍히는 원리입니다. (색을 추가하려면 전체 과정을 반복합니다.)

실크스크린은 과거에 상업 포스터나 광고 전단지에 많이 이용되었고 유명한 에르메스사 스카프는 오늘날까지 이 방식으로 생산된다고 하는데요. 문제는 워홀이 한 수고라곤 사진을 고르고 물감 색깔을 지정한 것 정도로, 나머지는 모두 기계적인 공정이라는 점입니다. 심지어 기계적인 공정은 조수가 맡아서 했는데요. 워홀은 이 사실을 공공연하게 밝혔습니다. 워홀의 실크스크린은 예술가가 손수 그리거나 만든 결과물이라고 말하긴 힘든데요(워홀은 때로 실크스크린 작품 위에 붓질을 약간 추가하긴 했지만 기계적 공정이 중심이라는 점에서는 마찬가지입니다). 예술이 이래도 되는 걸까요?

결론부터 말씀드리자면 오늘날 예술은 이래도 됩니다. 1917년 마르셀 뒤샹은 남자 소변기에 자기 서명(그것도 가명)만 추가해서 〈샘〉이란 제목으로 전시회에 출품했는데요. 뒤샹의 소변기에 비하면 워홀의 실크스크린은 점잖은 편이죠. 어쩌다가 공장에서 대량생산된 소변기와 조수가 대신 찍어 준 실크스크린이 예술로 인정받게 되었을까요? 이런 기이한 현상을 잘 설명해 준 글이 독일 철학자 발터 벤야민Walter Benjamin의 「기술 복제 시대의 예술작품Das Kunstwerk im Zeitalter seiner technischen Reproduzierbarkeit」입니다.

벤야민은 과거엔 예술작품이 진품의 '아우라aura(진품 또는 원작만이 가지고 있는 분위기)'를 가지고 있었다면, 오늘날에 와서는 더는 그런 권위를 유지할 수 없게 되었다고 말합니다. 그림이나 조각은 예술가의 손에 의해 만들어진 뒤 세월의 흐름에 따라 낡거나 긁히는 등 물리적 변화를 겪고 장소를 옮겨 다니게 되는데요. 이 과정에서 원작만이 가질 수 있는 아우라가 만들어집니다. 〈빈센트의 의자〉를 책이나 온라인에서만 본 사람에게 "난 내셔널 갤러리에서 그 그림 실제로 봤다"라고 자랑할 수 있는 근거입니다.

하지만 판화, 사진, 영화와 같은 기술 복제 시대의 예술작품에서 원본이란 아무 의미가 없습니다. "내가 본 〈기생충〉은 봉준호 감독의 촬영팀이 현장에서 찍은 바로 그 필름이었어"라고 말하고 다니는 사람은 없습니다. 영화 필름은 여러 본으로 복제되어 영화관들에 유포되는데요. 그중 하나만 진품 또는 원작이고 나머지는 복제품이라 말하긴 어렵습니다. 벤야민이 이 글을 쓴 1935년은 컴퓨터가 보편화되지 않은 때였는데요. 오늘날 영화 필름은 디지털 데이터로 전환되어 인터넷 공간을 떠돌기도 하고, 아예 영화 촬영 단계부터 디지털 카메라를 사용하기도 합니다. 예술이 대량복제되는 시대가 된 건데요. 벤야민이 미래에 일어날 현상을 정확하게 예견했던 겁니다.

진품의 아우라가 붕괴된 오늘날에 와서 예술은 더는 화가의 신들린 붓질, 조각가의 칼 다루는 솜씨에 얽매이지 않습니다. 워홀처럼 조수의 손을 빌려 판화를 찍어 내도 아무 문제가 없는 건데요. 그렇다면 예술가는 뭘 하는 존재가 된 걸까요? 예술에 대한 새로운 개념과 아이디어를 제공하는 기획자가 되었다고 할 수 있겠습니다. 시대가 변하면서 예술과 예술가의 역할도 바뀐 겁니다.

워홀은 1963년 뉴욕 맨해튼 이스트 47번가 231번지 건물 5층에 작업실을 열고 동료 예술가의 제안에 따라 이곳을 '팩토리factory(공장)'라고 불렀습니다. 그러곤 팩토리에서 조수들과 함께 예술작품을 대량

워홀이 첫 팩토리를 차렸던 맨해튼 이스트 47번가 231번지 건물입니다. 이곳에서는 하루가 멀다 하고 파티가 열렸는데요. 예술가뿐 아니라 가수, 모델, 배우, 크로스드레서(이성복장 착용자), 동성애자, 큐레이터, 딜러, 돈 많은 상류층 수집가 등 많은 셀럽들이 모여들었습니다.
Public Domain/The New York Public Library

생산해 냈는데요. 실제 공장에서 상품이 생산되는 방식과 유사합니다. 자본주의 시대의 예술은 상품처럼 대량생산·대량유통될 수 있다는 걸 증명한 셈인데요(워홀이 생산한 실크스크린 작품 수가 무려 1만 9천여 점이라는 기록도 있습니다). 그가 이런 생각을 하게 된 건 상업미술가 출신이기 때문일 수 있습니다. 자기 작업이 상업적으로 활용되고 돈으로 환산되는 것에 거부감이 전혀 없었던 겁니다.

상품을 예술의 자리에 올려놓다

워홀의 원래 이름은 앤드루 워홀라 주니어Andrew Warhola Jr.로, 1928년 미국 펜실베이니아 피츠버그에 살던 슬로바키아(당시는 체코슬로바키아) 이민자 가정에서 태어났습니다. 어린 시절 류머티즘 열병과 그 후유증인 시드남 무도병(몸을 제멋대로 흔드는 병)을 앓아 친구들에게 왕따를 당하는 바람에 두 달 정도를 학교에 가지 못했는데요. 외로웠던 워홀은 미술과 친해졌습니다. 건설 노동자였던 아버지가 일찍 죽자 야채와 과일 행상에 나선 큰형을 따라다니며 그림을 그렸다고 합니다.

1945년 17세 때 노동자 계층 자녀를 위한 직업학교였던 카네기 공과대학(오늘날의 카네기 멜런 대학)에 들어가 상업미술을 공부하는데요. 졸업 후 대학 동기와 함께 대도시 뉴욕으로 향합니다. 일거리를 따내기 위해 여러 회사를 돌아다니며 포트폴리오를 보여 주는데요. 『글래머』를 시작으로 『보그』, 『하퍼스 바자』, 『더 뉴요커』 등 쟁쟁한 잡지사들과 함께 일하게 됩니다. 이 시기에 본명 앤드루 워홀라를 미국식으로 바꾼 앤디 워홀이란 예명을 쓰기 시작합니다.

뉴욕에서 삽화와 광고 디자이너로 자리 잡은 워홀은 예술가가 되기로 결심합니다. 1960년 32세 때 순수미술 작업을 시작하고 갤러리 관계자들과 친분을 쌓는데요. 초기엔 어린 시절 즐겨 보았던 만화인 미키마우스, 뽀빠이, 슈퍼맨 등을 이용해 작업합니다. 그러다 1961년부터 자신이 즐겨 먹는 캠벨 수프 깡통과 코카콜라, 미국인이라면 누구나 사용하는 달러 지폐 등을 모티프로 삼습니다. 수프 깡통과 콜라는 오늘날에도 마트에서 쉽게 살 수 있는 친숙한 상품인데요. 이렇게 일상용품, 만화, 광고, 대중매체 등을 이용한 예술을 팝아트Pop Art(Popular

워홀은 미국인들이 슈퍼마켓에서 쉽게 살 수 있는 캠벨 수프 깡통을 상품 진열대에 놓인 것처럼 수십 개로 반복해 등장시켰습니다. 고상하지만 이해하기 어려운 미술만 보던 사람들은 이 작품에서 친근감을 느꼈을 겁니다.

앤디 워홀, 〈캠벨 수프 깡통〉, 1962년, 캔버스에 합성고분자 물감, 32개의 캔버스 각각 51×41cm, 뉴욕, 뉴욕 현대미술관. © 2022 The Andy Warhol Foundation for the Visual Arts, Inc. / Licensed by SACK, Seoul

Art의 준말)라 합니다.

1962년 워홀은 로스앤젤레스의 페러스 갤러리Ferus Gallery에서 첫 개인전을 여는데요. 이때 주목받은 작품이 다양한 종류의 캠벨 수프 깡통 이미지를 32개의 캔버스에 담은 〈캠벨 수프 깡통Campbell's Soup Cans〉입니다. 초기 작품인 여기서는 워홀이 직접 물감으로 그렸지만 나중에는 실크스크린으로 찍어 내는 방식을 택합니다. 과거 예술이 엄청난 가격에 팔린 건 유일무이하기 때문입니다. 벤야민식으로 말하자면 원작의 아우라 덕분인 건데요. 이제 그 규칙이 깨집니다. 워홀은 평범한 사람들이 몇천 원만 지불하면 손쉽게 살 수 있는 대량소비 상품을 내세웁니다. 그것도 슈퍼마켓 진열대에 놓인 상태처럼 수십 개로 반복해 보여 줍니다. 워홀은 코카콜라 병과 브릴로 상자(비누 상자)도 비슷한 방식으로 작업하는데요. 팝아트 작가가 된 워홀은 세상에서 단 하나뿐이던 예술작품을 대량생산, 대량소비되는 캠벨 수프 깡통과 코카콜라 병, 브릴로 상자 이미지로 대체합니다. 공장에서 기계로 만들어져 대중매체에 광고되는 상품 이미지가 예술작품의 자리에 오른 겁니다.

냉전 시대에 자유민주주의 체제의 수호자로 나서다

워홀은 1975년에 쓴 책 『앤디 워홀의 철학The Philosophy of Andy Warhol』에서 자기 작품을 미국의 국가 철학에까지 연결시킵니다. "미국이 위대한 점은 가장 부유한 소비자도 가장 가난한 소비자와 똑같은 상품을 산다는 전통에서 출발했다는 것"이라고 말하는데요. 코카콜라는 대통령도, 리즈 테일러(유명한 할리우드 배우 엘리자베스 테일러의 애칭)도, 거리 부랑아도 마실 수 있으며, 돈을 아무리 많이 가진 사람이라도 더 좋은 콜라를 마실 순 없다는 겁니다. 콜라의 정치학이라 부를 만한데요. 워홀은 "평등할수록 더 미국적이 된다"라며 콜라로 모든 사람을 평등하게 만든 조국을 찬양합니다.

하지만 우리가 알고 있는 미국의 모습은 전혀 다릅니다. 미국은 빈부 격차가 심한 나라 중 하나로, 거리 부랑아와 똑같은 콜라를 마신다던 리즈 테일러는 33.19캐럿 다이아몬드 반지를 착용하고 다녔고, 미국 대통령은 해외에 머물 때 1박에 2~3천만 원짜리 호텔 스위트룸에 묵습니다. 이런 현실을 외면한 채 콜라라는 한 단면만 보고 평등을 말한다면 워홀은 지나치게 순진한 것이거나 어떤 의도를 숨기고 있는 게 분명합니다. 워홀이 미국 자유민주주의 체제의 선전에 앞장선 건 스스로의 선택처럼 보이는데요. 사실 그 배후에는 미국 정부와 CIA(미국 중앙정보국)의 오래된 계획이 있었습니다.

CIA는 우리나라 국가정보원과 유사한 정부 조직인데요. 미술 이야기를 하는 중에 왜 갑자기 할리우드 첩보 영화에나 어울릴 CIA가 등장하는지 의아하실 겁니다. 최근에 와서 CIA 전직 요원들의 증언, 비밀리에 예술계 기금으로 흘러 들어간 CIA 자금 내역 등이 공개되면서 CIA와 미국 미술의 밀접한 관계가 밝혀졌기 때문입니다.

1945년 이전에 서양 미술의 중심은 유럽(특히 19세기 말부터는 파리)이었습니다. 이 책 앞면지에 실린 부록 지도를 보시면 대부분의 유명 화가들이 유럽 출신임을 알 수 있습니다. 하지만 제1, 2차 세계대전을 거치면서 미국은 세계 최강대국으로 부상했고 상황이 변하기 시작했는데요. 나치와 전쟁을 피해 미국으로 건너온 유럽 화가들이 미국 화

1975년 워홀이 백악관 발코니에서 제럴드 포드 당시 대통령의 아들 잭 포드를 폴라로이드 사진에 담고 있습니다. 워홀은 문화계와 재계뿐 아니라 정계로도 인맥을 넓혔는데요. 이런 행보는 그의 성공에 많은 영향을 끼쳤습니다.(가운데 인물은 모델이자 롤링 스톤즈 리더 믹 재거의 전 아내였고 현재는 인권운동가로 활동하는 비앙카 재거입니다.)
Public Domain/National Archives and Records Administration

단(특히 뉴욕)에 활기를 불어넣었습니다. 여기에 만족하지 않고 '미국인에 의해 만들어진 미국 미술'이 필요하다는 목소리가 나오기 시작했는데요. 이 요구를 적극 활용했던 게 CIA입니다.

냉전 시대가 시작되면서 미국 정부는 자신들의 민주주의가 소련 공산주의보다 우월한 체제라는 걸 내세울 필요가 있었습니다. 미국 국무부는 자신들의 체제 선전에 도움이 될 만한 문화와 예술을 후원합니다. 하지만 초기에 진행했던 노골적인 지원 방식은 반발을 불러왔는데요. 1946년 국무부가 기획하고 후원한 국제 순회전《전진하는 미국 미술Advancing American Art》은 정치계와 문화계의 격렬한 반대로 취소됩니다. 이에 은밀하고 비밀스런 행보로 전략을 바꾸는데요. 이를 실행한 기관이 CIA입니다. 전직 CIA 요원 도널드 제임슨Donald Jameson의 증언에 따르면 CIA는 비밀리에 지식인, 역사가, 작가, 시인, 미술가들에게 자금을 지원했는데요. 대표적인 이들이 추상표현주의자들이었습니다. 이들은 문화 영역에서 미국 정부를 대신해 소련과 싸우는 역할을 맡았습니다. 정부 조직인 CIA, 미술계 권력 기관인 뉴욕 현대미술관(약칭 모마MoMA로, 모마의 여러 고위직을 CIA 출신들이 차지했습니다), 경제계 돈줄인 록펠러 가문(모마 설립자 중 한 명이 록펠러 가문의 며느리였습니다)은 삼위일체가 되어 추상표현주의자들을 미국 민주주의 체제를 상징하는 작가들로 선전하고 세계적인 위치에 올려놓기 위해 애씁니다.

같은 시기에 미국 사회는 매카시즘McCarthyism(1950~1954)이라는 반공주의 광풍에 휘말립니다. "국무부 안에 205명의 공산주의자가 있다"는 공화당 상원의원 조지프 매카시의 확인되지 않은 폭탄 발언으로 시작된 일인데요. 이후 매카시는 미국 사회 안에 숨어 있는 공산주의자들을 색출하겠다며 정치인뿐 아니라 무고한 지식인, 예술인, 언론인, 영화인들을 검거하고 그들의 밥줄을 끊어 놓았습니다. 감독 겸 배우인 찰리 채플린, 극작가 아서 밀러, 작곡가 겸 지휘자 레너드 번스타인 등 오늘날 이름만 들어도 알 만한 이들이 매카시즘의 피해자들이었습니다.

미국 정부는 추상표현주의자들에 이어 후배 격인 팝아트 작가들도 지원하는데요. 이들에 대한 지원은 추상표현주의자들보다 성공적이었습니다. 무엇을 그렸는지 이해하기 힘든 추상 미술보다는 친근한 일상 이미지를 내세운 팝아트가 대중에게 먹혀들기 쉬웠을 겁니다. 제품 광고와 유사한 팝아트는 풍요로운 미국 자본주의를 홍보한다는 국가 선전 전략에도 적합한 미술이었는데요. USIA(미국 해외정보국)와 록펠러 재단은 1964년 제32회 베니스 비엔날레에서 팝아트 작가들을 띄우기 위해 긴밀하게 협력했습니다. 이들이 적극적으로 후원한 미국 팝아트 작가 로버트 라우센버그Robert Rauschenberg는 세계 미술계에 알려지지 않은 인물이었는데도 그해 베니스 비엔날레 대상을 차지했습니다.

스스로 대중문화의 상품이 되다

1963년 워홀이 맨해튼 이스트 47번가 231번지 건물 5층에 작업실을 차리고 팩토리라 이름 붙였다고 말씀드렸는데요. 그는 팩토리 내부를 번쩍이는 은박 포일과 은색 페인트, 깨진 거울로 꾸밉니다. 그래서 은색 팩토리Silver Factory라고도 하는데요. 몽롱한 환상을 불러일으키던 이곳에서는 하루가 멀다 하고 파티가 열렸습니다. 예술가뿐 아니라 가수, 모델, 배우, 크로스드레서(이성복장 착용자), 동성애자, 큐레이터, 딜러, 돈 많은 상류층 수집가 등 많은 셀럽들이 모여들었습니다. 워홀이 후원하고 매니저를 자처했던 록 밴드 벨벳 언더그라운드는 이곳에서 공연을 열기도 했는데요. 팩토리는 예술과 사교, 음악과 춤, 술과 마약, 자유와 일탈이 뒤섞인 공간이었습니다. 워홀은 팩토리 파티로는 성에 차지 않았는지 인근 나이트클럽인 스튜디오54에도 자주 가서 셀럽들과 어울렸습니다. 리처드 기어와의 저녁 식사, 에디 머피의 생일 모임, 브룩 실즈와의 술자리 등 워홀이 참석한 파티는 끝없이 이어졌습니다.

대중문화와 유행에 민감했던 워홀은 1962년 약물 과다 복용으로 사망한 할리우드 스타 마릴린 먼로에게 주목합니다. 마릴린의 갑작스런 죽음은 갖가지 소문을 불러왔는데요. 마릴린이 케네디 형제 사이를 오가며 밀회를 즐겼다느니, 형제 중 하나인 로버트 케네디가 자신의 정치 생명 때문에 마릴린을 자살로 위장해 죽였다느니, 마릴린의 입을 닫게 하려는 FBI 또는 마피아가 마릴린을 죽였다느니 등등 각종 음모설이 등장합니다.

대중에게 먹혀들 이슈 포착에 탁월한 재능을 가졌던 워홀은 마릴린을 주제로 수십 점의 작업을 했는데요. 1964년엔 5점의 실크스크린 연작을 만듭니다. 5점의 배경 색은 각각 빨간색, 주황색, 라이트 블루색, 세이지 블루색, 터키석색이었는데요. 그중 하나인 〈총 맞은 세이지 블루색의 마릴린Shot Sage Blue Marilyn〉은 2022년 5월 뉴욕 크리스티 경매에서 1억 9,504만 달러(약 2,500억 원)에 팔립니다. 이 금액은 20세기 미술품 중 최고 경매가를 갱신한 것입니다. 그런데 〈세이지 블루색의 마릴린〉 앞에 '총 맞은'이란 수식어가 붙어 있는데요. 무슨 까닭일까요?

1964년 가을에 행위예술가 도로시 포드버Dorothy Podber가 워홀의 팩토리를 방문합니다. 5점의 마릴린 연작 중 4점이 한쪽 벽에 포개져 있는 것을 보고 워홀에게 사진 촬영을 해도 되느냐고 묻습니다. 워홀이 허락하자 포드버는 총을 꺼내 그림들을 향해 발사하는데요. 그제서야 워홀은 포드버가 물은 건 사진 촬영shoot이 아니라 총기 발사shot였음을 깨닫습니다. 이 행위예술(?)로 마릴린 연작 2점이 총알에 관통당했고 무사했던 건 (다른 곳에 있던 1점을 포함해) 3점이었는데요. 무사했던 것들 중 하나가 〈총 맞은 세이지 블루색의 마릴린〉입니다. 이후 포드버는 팩토리 출입을 금지당했다고 하는데요. 이 사건으로 작품 제목 앞에는 '총 맞은'이란 수식어가 붙였고 작품 값은 엄청나게 뛰었습니다(진품의 아우라가 되살아난 사례로, 대량생산·대량소비 사회를 반영했다던 팝아트의 모순을 보여 주기도 합니다).

워홀은 팩토리에서 실크스크린 작업뿐 아니라 다양한 영화도 찍고 공연도 열었는데요. 첫 팩토리인 이스트 47번가 231번지 건물에 철거 결정이 내려집니다. 1968년 2월 워홀은 팩토리를 유니언 스퀘어 웨스트 33번지 건물 6층으로 옮기는데요. 4개월 뒤인 6월 3일 새 팩토리에서 충격적인 사건이 터집니다. 워홀의 영화에도 출연한 적 있던 밸러리 솔라나스Valerie Solanas가 워홀에게 총을 쏴 치명상을 입힌 건데요. 응급실에 실려 간 워홀은 말 그대로 죽다 살아납니다. 다음 날 뉴욕 언론들은 1면에 워홀 저격 사건을 대서특필합니다. 그중 한 신문의 머리기사는 "여배우가 앤디 워홀을 쏘다"였습니다.

자수한 솔라나스는 범행 이유를 "그가 내 삶을 통제했기 때문"이라고 밝혔는데요. 그녀는 모든 남성을 없애 버려야 한다는 〈SCUM 선언서〉를 쓰기도 했던 인물로, 어린 시절부터 성폭행과 학대를 당했다면서 극단적인 남성 혐오를 나타냈습니다. 재판 과정에서 편집조현병 판정을 받고 3년형을 선고받은 뒤 정신병원에 갇힙니다. 형기를 마친 뒤 호텔 등을 전전하는 떠돌이 생활을 했는데요. 워홀이 죽은 뒤에도 그 사실을 모른 채 워홀을 죽일 궁리를 했다고 합니다.

워홀은 부상에서 회복되었지만 죽을 때까지 의료용 보호대를 착용하는 등 심한 후유증을 겪었는데요. 더 심각한 건 사건 트라우마로, 솔라나스가 자신을 또 저격할지 모른다는 공포에 시달렸다고 합니다.

1962년 할리우스 섹시 스디 미릴린 먼로가 약물 과다 복용으로 죽자 워홀은 마릴린을 자품 주제로 삼습니다. 마릴린은 대중문화의 아이콘이자 아메리칸 드림을 상징하는 인물이었는데요. 가난한 이민자의 아들로 태어나 세계적인 스타 예술가가 된 워홀의 페르소나처럼 느껴지기도 합니다.
앤디 워홀, 〈총 맞은 세이지 블루색의 마릴린〉, 1964년, 캔버스에 실크스크린 물감과 아크릴물감, 100×100cm, 개인 소장. © 2022 The Andy Warhol Foundation for the Visual Arts, Inc. / Licensed by SACK, Seoul

워홀은 두 번째 팩토리에서 가까운 곳에 새 작업실을 마련하고 감시 카메라를 설치했습니다. 많은 셀럽들이 자유롭게 드나들던 워홀의 팩토리는 이제 믿을 만한 사람들만 출입할 수 있게 되었습니다.

저격 사건 이후로 사건을 자극적으로 다룬 대중매체에 의해 워홀은 더 유명해집니다. 작품 값은 치솟았고 그가 만든 난해하고 외설적인 영화들도 인기를 끕니다. 워홀은 여기에 만족하지 않고 행보를 넓히는데요. 모델 에이전시에 등록하고 여러 제품의 광고 모델을 했으며, 드라마 〈사랑의 유람선The Love Boat〉에 카메오로 출연하기도 했습니다.

1985년 워홀은 케이블TV 음악 전문 채널 MTV에서 〈앤디 워홀의 15분Andy Warhol's Fifteen Minutes〉이란 프로그램을 기획하고 진행자로 직접 출연합니다. 프로그램 제목은 "미래엔 누구나 15분 동안 세계적으로 유명해질 수 있다"(워홀의 격언으로 알려졌지만 사실은 워홀 전시 팸플릿에 적혀 있던 문구)란 말에서 따온 것이었습니다. 예술가와 부유층, 각 분야 셀럽 등이 게스트로 나와서 워홀과 이야기를 나누는 토크쇼 형식이었는데요. 게스트보다 더 많은 관심을 끈 건 워홀이었습니다. 워홀은 스스로를 소비자들이 원하는 상품으로 브랜드화하는 능력이 탁월했던 겁니다. 지방으로 내려가 그림에만 매달렸던 빈센트 반 고흐에서 대도시 뉴욕의 유행을 선도하고 대중의 인기를 얻은 워홀까지, 불과 한 세기 만에 예술가의 모습이 얼마나 달라졌는지 알 수 있습니다.

하지만 워홀의 화려한 삶은 갑작스럽게 막을 내리는데요. 1987년 2월 그는 이탈리아 밀라노에서 열리는 자기 전시에 참석하기 위해 출국했다가 담낭 질환의 악화로 급히 뉴욕으로 돌아옵니다. 뉴욕 코넬 의료센터에서 담낭 수술을 받는데요. 수술은 잘 끝났지만 합병증이 발생합니다. 수술 다음 날 워홀은 59세의 나이로 숨을 거둡니다.

『뉴욕 매거진』은 워홀이 남긴 재산이 1억 달러(약 1,200억 원) 이상일 것이라고 추정했는데요. 아내도 자식도 없던 워홀은 유산 대부분을 앤디 워홀 시각예술재단The Andy Warhol Foundation for the Visual Arts을 설립하고 운영하는 데 쓰라고 유언했습니다. 워홀 재단은 현재 능력 있는 예술가와 예술 기관들을 지원하는 일을 하고 있습니다.

대중문화 아이콘 뒤에 드리워진 그늘

워홀은 오늘날의 대중문화와 소비사회를 본능적으로 파악하고 잘 활용한 인물입니다. 일부에서는 산업사회의 획일성과 대중매체의 과도한 영향력을 비판했다고 평가하는데요. 그가 남긴 글들을 보면 적극적으로 그랬던 것 같지는 않습니다. 워홀은 오히려 이를 즐기고 이용한 측면이 있습니다. 다만 예민한 감각을 가졌다 보니 자신이 몸담고 찬양했던 사회가 필연적으로 드리우게 되는 그늘도 놓치지 않고 포착한 듯한데요. 그래서 그의 작품에서는 묘한 이중성이 느껴집니다. 찬양과 비판 사이에서 아슬아슬한 줄타기를 했다고나 할까요.

〈총 맞은 세이지 블루색의 마릴린〉으로 돌아가 봅니다. 워홀이 이 작업을 할 때 참고한 사진은 영화 〈나이아가라〉의 홍보용으로 사용된 마릴린 이미지였는데요. 치켜올린 눈썹, 게슴츠레하게 뜬 눈, 짙은 립스틱을 바른 입술, 가슴까지 파인 의상은 뇌쇄적인 섹시 스타 마릴린을 대표하는 이미지가 되었습니다. 특히 영화 〈신사는 금발을 좋아해〉의 여주인공답게 마릴린 하면 가장 먼저 떠오르는 특징은 눈부신 금발인데요. 하지만 이는 염색의 결과로, 마릴린의 실제 머리 색깔은 짙은 갈색이었습니다. 은색 가발을 즐겨 썼던 워홀과 어딘지 닮았습니다.

둘은 가난하고 불안정했던 어린 시절마저 비슷합니다. 마릴린의 본명은 노마 진 모텐슨Norma Jeane Mortenson으로 어머니가 결혼 외 관계에서 낳은 사생아였습니다. 어머니가 정신병원에 입원하면서 마릴린은 8세 때부터 어머니의 친구 집과 지인 집, 고아원을 떠돌았는데요. 이때 남자 보호자들에게 성추행을 당했다고 합니다. 16세 때 다시 고아원으로 돌아갈 처지에 놓이자 5살 연상의 이웃집 오빠 제임스 도허티와 첫 결혼을 하는 등 불우한 유년기와 청소년기를 보냅니다.

1945년 19세 때 핀업 걸pin-up girl(제2차 세계대전 때 미군들이 막사 벽이나 기둥에 핀으로 고정시켜 두었던 사진 속 섹시한 여성 모델) 일을 시작으로 해서 결국 할리우드 섹시 배우로 성공하는데요. 사생활에서는 불행했습니다. 마릴린은 세 차례에 걸쳐 결혼과 이혼을 반복합니다.

금발 백치미의 대명사인 마릴린은 실제로는 직업의식이 투철하고 굉장히 똑똑했다고 하는데요. 인기를 얻고 난 뒤 코미디나 섹시한 역할에서 벗어나 진지한 배역을 맡고 싶어 했습니다. 하지만 만인에게 섹스 심벌이 된 그녀의 변신 욕구는 무시당하거나 놀림받기 일쑤였습니다. 영화사는 기존 이미지의 역할을 맡지 않겠다는 마릴린과 소송을 벌였고, 그녀의 지적인 모습을 본 사람들은 연출된 가짜 모습이라며 믿지 않았습니다. 한 인터뷰에서 마릴린이 도스토옙스키의 『카라마조프의 형제들』 같은 영화에 출연하고 싶다고 말하자 기자는 "도스토옙스키 철자는 아나요?"라고 물었습니다. 마릴린이 제임스 조이스의 난해한 소설 『율리시스』를 읽는 사진이 발표되자 한 영문과 교수는 사진 작가

영화 〈나이아가라〉의 홍보용 사진으로, 워홀이 1964년 마릴린의 실크스크린 연작을 만들 때 참고한 자료이기도 했습니다. Public Domain

에게 연락해서 마릴린이 실제로 읽은 긴지 확인까지 했다고 합니다.

하지만 마릴린의 높은 지성과 진보적 행보는 여러 일화로 증명되었습니다. 인종 차별이 법으로 보장(?)받던 1950년대에 마릴린은 흑인 재즈 가수 엘라 피츠제럴드와 친하게 지냈고 엘라가 당하는 부당한 대우에 대신 맞서 싸웠습니다. 대중에게 어린 시절 당했던 성추행을 고백하고 할리우드에서 여배우들을 어떤 식으로 취급하는지를 폭로하는 등 영화계 현실을 비판했는데요. 오늘날로 따지면 미투에 가까운 행보였습니다. 마릴린이 죽은 뒤 그녀의 서재에서 문학, 철학, 미술사, 심리학 등과 관련한 400여 권의 책이 발견되었는데요. 도스토옙스키와 제임스 조이스의 소설을 포함해 알베르 카뮈, 니코스 카잔차키스, 토마스 만, 마르셀 프루스트, 에밀 졸라의 책들이었습니다.

불행했던 어린 시절의 기억, 파탄 난 결혼 생활, 대중이 기대하는 이미지와 실제 자신 간의 괴리, 소속 영화사인 폭스사와의 갈등 등으로 마릴린은 불면증과 약물 중독에 시달리는데요. 결국 36세의 나이에 자택 침대에서 약물 과다 복용으로 숨진 채 발견됩니다. 마릴린의 때 이른 죽음은 케네디 형제 혹은 정부 조직이 배후에 있다는 등 여러 음모설로 번졌고, 이는 오늘날까지 회자되고 있습니다.

워홀이 만든 또 다른 마릴린 작품으로 이야기를 마치려 합니다. 1962년 마릴린이 죽고 몇 주 뒤에 만들어진 〈마릴린 두 폭 그림Marilyn Diptych〉입니다. 2004년 12월 『가디언The Guardian』지가 예술가와 비평가 500명을 대상으로 실시한 설문조사 '가장 영향력 있는 현대 미술작품'에서 3위에 오르기도 한 작품입니다. 작품은 제목처럼 좌우 두 폭으로 구성되어 있는데요. 마릴린 얼굴이 한 폭당 25개씩 총 50개가 인쇄되어 있습니다. 마치 마릴린 사진이 인쇄된 잡지 수십 부가 가판대에 꽂혀 있는 장면 같습니다. 왼쪽 25개는 여러 색으로 찍혀서 컬러 사진 같고 오른쪽 25개는 단색으로 찍혀서 흑백 사진 같습니다. 마릴린의 화려했던 삶과 불운했던 죽음을 대비시킨 듯합니다.

하지만 워홀의 작품은 한 시대를 풍미한 스타 배우의 삶과 죽음

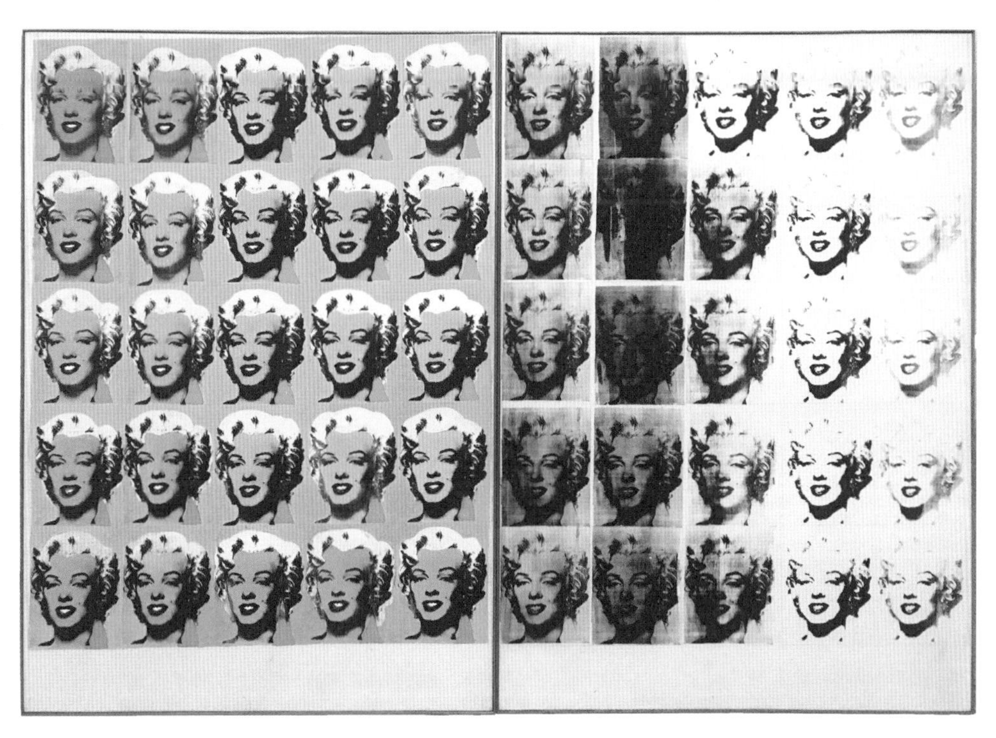

1962년 마릴린이 죽고 몇 주 뒤에 만들어진 작품으로, 한 시대를 풍미한 스타 배우의 화려했던 삶과 불운했던 죽음을 담고 있습니다. 또한 대중매체로 인해 만들어진 마릴린 이미지가 허상이라는 통찰력도 제공해 주고 있습니다.
앤디 워홀, 〈마릴린 두 폭 그림〉, 1962년, 캔버스에 아크릴물감(실크스크린 기법), 205.44×289.56cm, 런던, 테이트 모던.

을 증언하는 지점에서 멈추지 않습니다. 대중문화와 대중매체가 가진 영향력, 그리고 그것이 만든 그늘까지 파고드는데요. 왼쪽 컬러 이미지는 대중문화의 아이콘이 된 마릴린을 더 과장해서 표현하고 있습니다. 백치미의 금발은 선명한 노란빛으로, 반쯤 감은 뇌쇄적인 눈두덩은 푸른색으로, 섹시한 입술은 실제보다 더 큰 붉은색으로 강조되어 있습니다. 우리가 대중문화를 통해 접하는 익숙한 마릴린 이미지입니다.

반면에 오른쪽 단색 이미지는 마릴린의 불행과 죽음을 상징하듯 어둡고 우울합니다. 인쇄할 때 실수가 발생한 것처럼, 어떤 곳은 잉크가 과해서 뭉개졌고 어떤 곳은 부족해서 허옇습니다. 인쇄 공정의 실수처럼 보이도록 워홀이 의도한 게 분명합니다. 오른쪽 이미지가 인쇄물이라는 사실을 일부러 노출시킴으로써 왼쪽 이미지 역시 마찬가지란 사실을 깨닫게 만드는데요. 그러니까 화려한 마릴린 이미지는 실제가 아니라 대중매체에 의해 만들어진 허상임을 강조하는 것입니다.

워홀은 미국 자본주의와 산업사회, 대중문화가 만들어 낸 풍요로운 세계를 찬양하고 마음껏 누렸습니다. 슬로바키아 이민 노동자 가정에서 태어나 세계적인 스타 예술가로 성공했으니 마릴린처럼 아메리칸 드림을 이룬 셈입니다. 하지만 그는 사생활을 노출하길 꺼렸는데요. 동성애자였던 그의 진짜 일상은 거의 공개되지 않았습니다. 그에게도 짙은 선글라스와 은색 가발을 쓴 파티 중독자 너머의 또 다른 면모가 존재했던 겁니다. 워홀은 저격 사건으로 유명세를 치르긴 했지만 '팝아트의 황제'란 자리를 굳건히 지키고 만끽했는데요. 그가 아꼈던 (그래서 그의 동성애 상대란 소문까지 달고 다녔던) 젊은 예술가 장미셸 바스키아Jean-Michel Basquiat는 달랐습니다. 뉴욕 예술계의 떠오르는 스타가 된 바스키아는 워홀이 죽고 일 년 뒤 28세의 한창나이에 헤로인 중독으로 숨을 거둡니다. 많은 사람들이 꿈꾸고 바스키아 자신도 간절히 원했던 성공을 이룬 뒤였습니다.

흔히들 부와 명예를 얻으면 인생의 많은 문제를 단번에 해결할 수 있다고 여깁니다. 부는 경제적 안정을 주고 명예는 사람들 사이에서 자신의 영향력을 높여 줍니다. 그런데 그 기능이 만능열쇠는 아니어서 다른 쪽으로 호환되는 건 아닌 듯합니다. 경제적 안정이 심리적 안정을 보장해 주지 못하고, 대중적 인기가 주변 사람들의 애정까지 끌어내지는 못합니다. 성공하고 나니 공허하더란 말이 그래서 나온 것일 수 있습니다. 답은 자기 자신에게 있습니다. 내가 진짜로 원하는 게 무엇인지 스스로에게 묻는 시간이 필요합니다. 사람들이 흔히 말하는 성공보다 더 중요한 건 내게 맞는 인생의 의미와 방향을 찾는 일입니다.

우리가 만난 14명의 화가들은 자신만의 인생을 살아 내며 그림을 그렸습니다. 각자 다른 삶을 살았던 그들은 인생 역경에 대처하는 방법이 달랐고, 그 결과물로 내놓은 그림도 달랐습니다. 어떤 이는 편견과 차별을 딛고 성공한 자기 모습을 표현했고, 어떤 이는 실패와 좌절을 담담하게 받아들인 자신의 의연한 태도를 묘사했습니다. 정해진 답은 없습니다. 각각의 그림이 모두 존재 의미와 가치를 지닙니다.

우리는 화가들이 그린 다양한 그림을 보면서 우리 역시 서로 얼마나 다른 존재들인지 깨닫게 됩니다. 각자 다른 만큼 내 인생의 의미와 방향은 다른 누구가 아닌 나만이 찾을 수 있습니다. 맞춰 볼 정답지가 없으니 제대로 가고 있는지 때로는 불안하고 막막할 겁니다. 그 순간을 견디기 힘들다고 다른 답안지를 가져다가 내 것으로 삼아 버리면 내 답은 영원히 찾을 수 없게 됩니다. 살다가 어느 지점에서 내 삶은 내 것이 아니었구나, 후회를 하게 되겠지요. 그러니 내 길을 걸어가는 데 주저해서는 안 됩니다. 세상이 정한 기준에 얽매이지 말고 나만의 인생길을 만들어 나가라는 것, 이것이 오늘날 우리에게 예술이 전해 주는 인생 메시지입니다.

도움받은 책들

김상근, 『카라바조: 이중성의 살인미학』, 21세기북스, 2016.

김순자, 기정희, 「양극성 장애의 극복과정으로서의 고흐의 작품세계」, 『예술심리치료연구』(2013, Vol.9, No.2).

네레, 질, 『미켈란젤로』(타셴 베이식 아트 시리즈 한국어판), 정은진 옮김, 마로니에북스, 2006.

다비트, 토마스, 『렘브란트: 그림 속 세상으로 뛰어든 화가』, 노성두 옮김, 랜덤하우스, 2006.

들뢰즈, 질, 『감각의 논리』, 하태환 옮김, 민음사, 1995. 베이컨의 예술 세계를 들뢰즈의 포스트 모더니즘 철학과 연결시켜 설명하고 있습니다.

르 클레지오, 장마리 귀스타브, 『프리다 칼로 & 디에고 리베라』, 백선희 옮김, 다빈치, 2011. 2008년 노벨 문학상 수상자가 멕시코 현대 미술의 두 거장 프리다와 디에고 부부의 생애와 예술 세계를 전해 줍니다.

마리니, 프란체스카 외, 『카라바조』, 최경화 옮김, 예경, 2008.

모베르, 프랑크, 『인간의 피냄새가 내 눈을 떠나지 않는다: 프랜시스 베이컨과의 대담』, 박선주 옮김, 그린비, 2015. 프랑스 소설가이자 저널리스트인 저자(대담자)가 갤러리 측에 베이컨의 인터뷰 요청을 하고 3년이 지난 뒤에 이루어진 실제 인터뷰 내용을 담았습니다. 베이컨 스스로가 밝히는 "나를 멀리 가게 도와주는" 것들을 만날 수 있습니다. 아이스퀼로스, 예이츠, 엘리엇, 셰익스피어, 라신, 영화 <전함 포템킨>, 푸생의 <헤롯 왕에게 학살당하는 아기들>, 피카소, 정육점 고깃덩어리들, 벨라스케스 등등.

몰리뉴, 존, 『렘브란트와 혁명』, 정병선 옮김, 책갈피, 2003.

바우어, 클라우디아, 『프리다 칼로』, 정연진 옮김, 예경, 2007.

바티클, 자닌, 『벨라스케스: 인상주의를 예고한 귀족화가』, 김희균 옮김, 시공사, 1999.

바티클, 자닌, 『고야: 황금과 피의 화가』, 송은경 옮김, 시공사, 1997.

바헤토, 질송 외, 『미켈란젤로 미술의 비밀』, 유영석 옮김, 문학수첩, 2008. 외과의사와 화학자인 두 저자가 의학 지식을 바탕으로 시스티나 예배당 천장화에 숨어 있는 해부학 이미지들(혈관, 콩팥, 폐, 안구, 흉부 등)을 찾아내고 있습니다.

벤야민, 발터, 『발터 벤야민의 문예이론』, 반성완 옮김, 민음사, 1983. 벤야민의 유명한 논문 「기술 복제 시대의 예술작품」이 실려 있습니다.

볼프, 노르베르트, 『디에고 벨라스케스』(타셴 베이식 아트 시리즈 한국어판), 전예완 옮김, 마로니에북스, 2007.

볼프, 노르베르트, 『알브레히트 뒤러』(타셴 베이식 아트 시리즈 한국어판), 김병화 옮김, 마로니에북스, 2008.
비쇼프, 울리히, 『에드바르드 뭉크』, 반이정 옮김, 마로니에북스, 2005.
산체스, 알폰소 E., 『Goya』(위대한 미술가의 얼굴), 정진국 옮김, 열화당, 1990.
심상용, 『앤디 워홀: 돈과 헤게모니의 화수분』, 옐로우헌팅독, 2018. 워홀의 예술과 추상표현주의가 미국 정부와 어떻게 연결되어 있는지를 여러 자료들로 밝히고 있습니다. 또한 워홀이 자본주의 사회를 어떻게 찬양하고 있는지도 소개하고 있습니다.
아이스퀼로스, 『아이스퀼로스 비극 전집』, 천병희 옮김, 숲, 2008. 베이컨에게 영감을 준 고대 그리스 비극 『에우메니데스(자비의 여신들)』가 실려 있습니다. 오레스테스는 아버지 아가멤논을 죽인 어머니와 어머니의 정부를 살해하는데요. 죽은 어머니의 영혼이 복수의 여신들에게 아들을 고발합니다. 복수의 여신들은 존속살해죄를 저지른 오레스테스를 벌하려 하지만 아테나 여신이 막습니다. 아테나는 재판을 열고, 오레스테스는 무죄를 선고받습니다. 복수의 여신들은 재판 결과를 받아들이면서 자비의 여신들이 됩니다.
워홀, 앤디, 『앤디 워홀의 철학』, 김정신 옮김, 미메시스, 2007.
이영식, 「현대 정신의학에서 바라본 반 고흐의 정신세계와 정신질환에 대한 고찰」, 『신경정신의학』(2021, Vol.60, No.2), pp.97~119. 빈센트의 생애, 가족력, 편지, 증상, 당시 진단 기록과 치료 방법 등을 통해 그가 걸렸을 것이라고 예상되는 정신질환을 추정하고 있습니다.
이은기, 「카라바지오의 자화상, 그 해석과 문제점」, 『서양미술사학회 논문집 9』(1997.12.), pp.31~48.
주네, 장, 『렘브란트』, 윤정임 옮김, 열화당, 2020.
칼로, 프리다, 『프리다 칼로, 내 영혼의 일기』, 안진옥 옮기고 엮음, BMK, 2016. 프리다의 일기장에 있는 글과 그림을 통해 프리다의 생생한 목소리를 전해 줍니다.
커밍, 로라, 『자화상의 비밀』, 김진실 옮김, 아트북스, 2012, 2018.
케텐만, 안드레아, 『프리다 칼로』(타셴 베이식 아트 시리즈 한국어판), 이영주 옮김, 마로니에북스, 2005.
콜린스, 소피, 『인포그래픽, 프리다 칼로』, 박성진 옮김, 큐리어스, 2018.
콜비츠, 캐테, 『캐테 콜비츠』, 전옥례 옮김, 운디네, 2004.
쿨, 이자벨, 『앤디 워홀』, 정연진 옮김, 예경, 2008.
크라머, 카테리네, 『케테 콜비츠』, 이순례 · 최영진 옮김, 실천문학사, 1991.
크리드, 바바라, 『여성괴물』, 손희정 옮김, 여이연, 2008. 뭉크의 여성 혐오증과 공포증을 설명하는 데 도움을 주는 정신분석학 용어들과 메두사 신화가 설명되어 있습니다. 또한 프로이트 이론이 놓치고 있는 여러 이론들을 추가해 설명하고 있습니다.
파노프스키, 에르빈, 『뒤러 1』, 『뒤러 2』, 임산 옮김, 한길아트, 2006. 뒤러의 생애와 작품 변천 과정이 연대기별로 자세히 소개되어 있습니다.
파르취, 수잔나 외, 『렘브란트: 자화상에 숨겨진 비밀』, 노성두 옮김, 다림, 2009.
파이돈 편집부, 『위대한 여성 예술가들』, 진주 K. 가디너 옮김, 을유문화사, 2020.
파파, 로돌포, 『카라바조: 극적이며 매혹적인 바로크의 선구자』, 김효정 옮김, 마로니에북스, 2009.
페겔름, 다크마어, 『I, Goya: 고야가 말하는 고야의 삶과 예술』, 김영선 옮김, 예경, 2008.
푸코, 미셸, 『말과 사물』, 이규현 옮김, 민음사, 2012. 1장에 벨라스케스의 <시녀들>을 분석한 내용이 실려 있습니다.
프로이트, 지그문트, 『꿈의 해석』, 김인순 옮김, 열린책들, 2008. 뭉크의 여성 혐오증과 공포증을 이해하는 데 도움을 주는 프로이트의 개념(오이디푸스 콤플렉스, 거세 공포 등)이 설명되어 있습니다.
하우저, 아르놀트, 『문학과 예술의 사회사 1: 선사시대부터 중세까지』, 백낙청 옮김, 창비, 1999, 2016. 중세 길드에 묶여 있던 예술가들의 처지와 익명성이 설명되어 있습니다.
하우저, 아르놀트, 『문학과 예술의 사회사 2: 르네상스 · 매너리즘 · 바로끄』, 백낙청 옮김, 창비, 1999, 2016. 르네상스 시대에 들어와서 예술가의 지위가 소시민적인 수공업자에서 자유로운 정신노동자 계층으로 상승하는 과정이 그려져 있습니다. 또한 바로크 시대에 일어난 네덜란드(홀란트)의 사회 변화를 시민 문화, 예술 시장, 예술가의 지위, 감상자층의 성격 등과 연결시켜 설명하고 있습니다. 이 과정에서 렘브란트의 몰락이 가지는 사회적 의미를 지적하고 있습니다.
하우저, 아르놀트, 『문학과 예술의 사회사 4: 자연주의와 인상주의 · 영화의 시대』, 백낙청 옮김, 창비, 1999, 2016. 인상주의를 통해 자본주의 시대에 예술가들이 처한 딜레마를 설명하고 있습니다.
호딘, 요세프 파울, 『에드바르 뭉크: 절망에서 피어난 매혹의 화가』, 이수연 옮김, 시공아트, 2010.
홀, 제임스, 『얼굴은 예술이 된다』, 이정연 옮김, 시공아트, 2018.
화이트, 크리스토퍼, 『렘브란트: 영혼을 비추는 빛의 화가』, 김숙 옮김, 시공아트, 2011.
후미히코, 니시오카, 『부의 미술관』, 서수지 옮김, 사람과나무사이, 2022.

Chadwick, Whitney, *Women, Art, and Society(World of Art)*, Thames & Hudson, 1990. 아르테미시아 젠틸레스키, 프리다 칼로, 케테 콜비츠의 작품을 페미니즘 맥락에서 소개하고 있습니다. 우리나라에서는 『여성, 미술, 사회』(시공사)란 제목으로 번역되었습니다.

Cocchiarella, Luigi, "When Image sets Reality: Perspectival alchemy in Velázquez's Las Meninas", *Professional Paper*(2015.11.27.), pp.65~83.

Cohen, E. S., "The Trials of Artemisia Gentileschi: A Rape as History", *The Sixteenth Century Journal*, Vol.31, No.1(Spring 2000), pp.47~75.

Comming, Laura, *The Vanishing Man: In Pursuit of Velazquz,* Chatto & Windus, 2016. 엑스레이 검사 결과로 밝혀진 <시녀들> 최초본에 대한 설명이 실려 있습니다.

Crowe, J. A., Cavalcaselle, G. B., *The Early Flemish Painters*, J. Murray, 1857. 두 연구자는 <조반니 아르놀피니 부부의 초상>에 등장하는 아르놀피니의 정체가 조반니 디 아리고 아르놀피니라고 주장하고 있습니다.

Foard, S. W., *Diego Rivera*(Great Hispanic Heritage), Chelsea House Pub. 2003. 디에고가 록펠러 벽화 <교차로에 선 인간Man at the Crossroads>의 작업에서 해고당한 뒤 멕시코로 돌아와서 예술궁전에다 그린 벽화 <인간, 우주의 지배자Man, Controller of the Universe> 이야기가 실려 있습니다.

Guilbaut, Serge, *How New York Stole the Idea of Modern Art: Abstract Expressionism, Freedom, and the Gold War,* Arthur Goldhammer trans., University of Chicago Press, 1983. 미국 현대 미술이 냉전 시대에 어떻게 발전했는지를 설명하고 있습니다.

Harrison, Martin, "Bacon by the Book. Centre Pompidou, Paris", *The Burlington Magazine*, Vol.162, No.1402(Jan. 2020).

Helland, Janice, "Aztec Imagery in Frida Kahlo's Paintings: Indigenity and Political Commitment", *Woman's Art Journal*, Vol.11, No.2(Autumn, 1990~Winter, 1991), pp.8~13. 19~20세기 초 멕시코에서 진행된 민족주의, 반(反)에스파냐주의, 반제국주의의 배경에서 프리다 그림에 등장하는 아즈텍 형상들을 분석하고 있습니다.

Klibansky, Raymond, Erwin Panofsky, Fritz Saxl, *Saturn and Melancholy,* Thomas Nelson & Sons Ltd, 1964. 뒤러의 <멜렌콜리아 Ⅰ>에 숨어 있는 멜랑콜리(토성)와 4×4마방진(목성)의 보완 관계를 설명하고 있습니다.

Kollwitz, Kaethe, *The Diary and Letters of Kaethe Kollwitz*, Hans Kollwitz(ed.), Regnery, 1955. 케테의 큰아들 한스가 어머니의 일기와 편지들을 모아 소개하고 있습니다. 가장 최근에 나온 케테의 일기와 편지 영어본은 1989년 노스웨스턴 대학 출판부의 책입니다.

Koster, Margaret L., "The Arnolfini double Portrait: a simple solution", *Apollo*, Vol.158, Issue 499(Sep. 1. 2003). <조반니 아르놀피니 부부의 초상>에 등장하는 여성이 이미 죽은 첫 번째 아내라고 주장하면서 여러 증거를 대고 있습니다.

Nolen, Willem A., etc., "New vision on the mental problems of Vincent van Gogh: results from a bottom-up approach using (semi-)structured diagnostic interviews", *International Journal of Bipolar Disorders*, 2020(November). 네덜란드의 흐로닝언 대학 의료센터 연구진이 빈센트의 편지들과 의료 기록을 바탕으로 정신 감정을 실시한 연구 결과가 실려 있습니다.

Palomino, Antonio, *El Museo Pictorico, y Escala Óptica*, Madrid: La Imprenta de Sancha, 1795. 벨라스케스의 <시녀들>에 등장하는 인물들의 이름이 기록되어 있습니다. 해당 책은 www.bibliotecavirtualdeandalucia.es에서 다운받을 수 있습니다.

Panofsky, Erwin, "Jan van Eych's Arnolfini Portrait", *The Burlington Magazine*, Vol.64, No.372(Mar., 1934), pp.117~127. 파노프스키가 도상해석학의 대가답게 <조반니 아르놀피니 부부의 초상>에 그려진 여러 사물들의 상징을 흥미롭게 풀고 있습니다.

Price, David Hotchkiss, *Albrecht Duer's Renaissance*, University of Michigan Press, 2003, p.94. 뒤러의 그림에 적힌 라틴어 문장 "propriis … coloribus"를 어떻게 번역할 것인지 문제를 다루고 있습니다. 많은 연구자들이 "영원한 색채로"라고 번역하고 있지만 사실은 "내 (외모가 가진) 색채 그대로"란 뜻이라고 지적합니다.

Ravenal, Carol M., "Three Faces of Mother: Madonna, Martyr, Medusa in the Art of Edvard Munch", *The Journal of Psychohistory*, Vol.13, Iss.4.(Spring 1986), pp.371~412. 뭉크의 그림에 나타난 여성관을 마돈나, 순교자, 메두사의 세 이미지로 설명하고 있습니다.

Saunders, Frances Stonor, "Modern art was CIA weapon: Revealed: how the spy agency used unwitting artists such as Pollock and de Kooning in a cultural Cold War", *Independent*(22 October 1995).

Solinas, Francesco, *Lettere di Artemisia*, De Luca Editori d'Arte, 2011. 아르테미시아가 연인 프란체스코 마리아 마링기에게 보낸 편지들이 실려 있습니다. 일부 편지의 영어 번역본은 내셔널 갤러리 사이트의 다음 페이지에서 보실 수 있습니다. (https://www.nationalgallery.org.uk/media/35472/letters-transcription-booklet_final_online-version-1.pdf)

또한 아르테미시아가 남긴 편지들(연인, 후원자, 작품 의뢰인에게 보낸 편지들)에 대한 정보는 내셔널 갤러리 사이트의 다음 페이지에서 보실 수 있습니다. (https://www.nationalgallery.org.uk/exhibitions/past/artemisia/artemisia-in-her-own-words)

Sylvester, David, *Interviews with Francis Bacon*, Thames & Hudson, 2016. 1962년부터 1986년까지 25년간 베이컨과 인터뷰한 내용이 실려 있습니다. 베이컨이 자신의 삶과 작품 세계를 직접 설명한 내용을 접할 수 있는데요. 비판적 거리를 두고 읽을 필요가 있습니다. 인터뷰에는 예술가의 복잡한 욕망과 야망이 반영되어 있으며 창작과 감상 영역은 다를 수 있기 때문입니다. 번역본으로 디자인하우스에서 출간한 『나는 왜 정육점의 고기가 아닌가?』가 있습니다. 책 제목은 베이컨의 말에서 따온 것이지만 오해의 소지가 있습니다. "나는 왜 정육점의 고기가 아닌가"라는 말은 "나는 정육점의 고기에 불과하다"는 생각으로 반문한 것이기 때문입니다. 하지만 책을 읽기 전의 독자는 "나는 정육점의 고기가 아니다"라는 부정문으로 착각하기 쉽습니다. 이런 착각을 출판사에서 의도했을 수 있습니다.

The Guardian, "The mystery of Caravaggio's death solved at last-painting killed him", June 16, 2010. 저명한 영국 일간지 『더 가디언』에 실린 기사로, 카라바조의 죽음이 납 중독과 관련되었을지 모른다는 추측을 과학자들의 유해 검사 결과와 함께 소개하고 있습니다.

Uitert, Evert van, "Vincent van Gogh and Paul Gauguin in competition: Vincent's original contribution", *Simiolus: Netherlands Quarterly for the History of Art*, Vol.11, No.2(1980), pp.81~106. 빈센트와 고갱이 노란 집에서 동거 생활을 할 때 벌인 논쟁과 작품 세계의 차이, 그리고 서로에게 끼친 영향을 분석하고 있습니다.

Van Alphen, Ernst, "The body unbound: The postmodern aesthetics of Francis Bacon", *Word & Image*, Vol.7(Jan. 1991), pp.65~73. 들뢰즈의 책 『감각의 논리』에 기초해서 베이컨 그림에 나타난 포스트모던 미학을 분석하고 있습니다. 고대부터 시작된 예술의 미메시스(모방 또는 재현) 기능이 현대로 와서 힘을 잃은 과정, 20세기에 진행된 예술의 두 방향(완전한 추상과 이야기를 담은 구상), 두 방향을 거부하고 새로운 길을 제시한 베이컨 그림의 의의를 서술하고 있습니다.

Varriano, John, *Caravaggio: The Art of Realism*, Penn State Press, 2010. <엠마오에서의 저녁 식사>에 그려진 제자들의 의복이 카라바조 시대 노동자들이 입던 옷차림이며, 식탁에 차려진 음식과 식기류 역시 16세기 이탈리아 식탁에서 흔히 볼 수 있는 것들임을 밝히고 있습니다.

Vereycken, Karel, "Francisco Goya, the American Revolution, and the Fight Against the Synarchist Beast-Man", *Fidelio Magazine*, Vol.13, No.4(Winter, 2004), pp.20~48. 고야가 오래된 친구 마르틴 사파테르에게 보낸 1784년 편지 내용이 소개되어 있습니다.

그 외 미국 ABC News 사이트(https://abcnews.go.com/Travel/story?id=4718693&page=1)와 세계적인 출판사인 파이돈 사이트(https://www.phaidon.com/agenda/art/articles/2011/october/07/behind-the-scenes-at-the-art-museum/)에는 시스티나 천장화의 스가랴 부분에 숨어 있는 손가락 욕 이야기가 실려 있습니다.

화가들의 인생 그림

초판 1쇄 발행 | 2022년 9월 30일
초판 2쇄 발행 | 2023년 5월 30일

지은이 강필
발행인 강혜진 · 이우석

펴낸곳 지식서재
출판등록 2017년 5월 29일(제406-251002017000041호)

주소 (10909) 경기도 파주시 번뛰기길 44
전화 070-8639-0547
팩스 02-6280-0541

블로그 blog.naver.com/jisikseoje
네이버 포스트 post.naver.com/jisikseoje
페이스북 www.facebook.com/jisikseoje
트위터 @jisikseoje
이메일 jisikseoje@gmail.com

디자인 모리스
인쇄 · 제작 두성P&L

ISBN 979-11-90266-04-8 03600